Rowohlts Klassiker der Literatur und der Wissenschaft

Herausgegeben von
Ernesto Grassi
unter Mitarbeit von
Walter Hess

NOVALIS

Monolog
Die Lehrlinge zu Sais
Die Christenheit oder Europa
Hymnen an die Nacht, Geistliche Lieder
Heinrich von Ofterdingen

—

Ludwig Tieck:
Novalis' Lebensumstände

Mit einem Essay
‹Zum Verständnis der Werke›
und einer Bibliographie
von Curt Grützmacher

ROWOHLT

Redaktion: Curt Grützmacher / Sybille Claus, München

Umschlagentwurf Werner Rebhuhn
unter Verwendung einer Abbildung eines Stichs
‹Novalis› von E. Eichens
(Archiv Ullstein)

1.–15. Tausend	April 1963
16.–20. Tausend	Januar 1966
21.–25. Tausend	März 1967
26.–30. Tausend	September 1968
31.–35. Tausend	Oktober 1970

Veröffentlicht im Rowohlt Taschenbuch Verlag GmbH,
Reinbek bei Hamburg, April 1963
Alle Rechte dieser Ausgabe, auch die des auszugsweisen Nachdrucks
und der fotomechanischen Wiedergabe, vorbehalten
Gesetzt aus der Linotype-Aldus-Buchschrift
und der Palatino (D. Stempel AG)
Gesamtherstellung Clausen & Bosse, Leck/Schleswig
Printed in Germany
ISBN 3 499 45130 1

MONOLOG

[1798]

Es ist eigentlich um das Sprechen und Schreiben eine närrische Sache; das rechte Gespräch ist ein bloßes Wortspiel. Der lächerliche Irrtum ist nur zu bewundern, daß die Leute meinen — sie sprächen um der Dinge willen. Gerade das Eigentümliche der Sprache, daß sie sich bloß um sich selbst bekümmert, weiß keiner. Darum ist sie ein so wunderbares und fruchtbares Geheimnis, — daß wenn einer bloß spricht, um zu sprechen, er gerade die herrlichsten, originellsten Wahrheiten ausspricht. Will er aber von etwas Bestimmtem sprechen, so läßt ihn die launige Sprache das lächerlichste und verkehrteste Zeug sagen. Daraus entsteht auch der Haß, den so manche ernsthafte Leute gegen die Sprache haben. Sie merken ihren Mutwillen, merken aber nicht, daß das verächtliche Schwatzen die unendlich ernsthafte Seite der Sprache ist. Wenn man den Leuten nur begreiflich machen könnte, daß es mit der Sprache wie mit den mathematischen Formeln sei. — Sie machen eine Welt für sich aus — sie spielen nur mit sich selbst, drücken nichts als ihre wunderbare Natur aus, und eben darum sind sie so ausdrucksvoll — eben darum spiegelt sich in ihnen das seltsame Verhältnisspiel der Dinge. Nur durch ihre Freiheit sind sie Glieder der Natur, und nur in ihren freien Bewegungen äußert sich die Weltseele und macht sie zu einem zarten Maßstab und Grundriß der Dinge. So ist es auch mit der Sprache — wer ein feines Gefühl ihrer Applikatur, ihres Takts, ihres musikalischen Geistes hat, wer in sich das zarte Wirken ihrer innern Natur vernimmt, und danach seine Zunge oder seine Hand bewegt, der wird ein Prophet sein, dagegen wer es wohl weiß, aber nicht Ohr und Sinn genug für sie hat, Wahrheiten wie diese schreiben, aber von der Sprache selbst zum besten gehalten und von den Menschen, wie Kassandra von den Trojanern, verspottet werden wird. Wenn ich damit das Wesen und Amt der Poesie auf das deutlichste angegeben zu haben glaube, so weiß ich doch, daß es kein Mensch verstehn kann, und ich ganz was Albernes gesagt habe, weil ich es habe sagen wollen, und so keine Poesie zustande kommt. Wie, wenn ich aber reden müßte? und dieser Sprachtrieb zu sprechen das Kennzeichen der Eingebung der Sprache, der Wirksamkeit der Sprache in mir wäre? und mein Wille nur auch alles wollte, was ich müßte, so könnte dies ja am Ende ohne mein Wissen und Glauben Poesie sein und ein Geheimnis der Sprache verständlich machen? Und so wär ich ein berufener Schriftsteller, denn ein Schriftsteller ist wohl nur ein Sprachbegeisterter? —

DIE LEHRLINGE ZU SAIS

1

Der Lehrling

Mannigfache Wege gehen die Menschen. Wer sie verfolgt und vergleicht, wird wunderliche Figuren entstehen sehn; Figuren, die zu jener großen Chiffernschrift zu gehören scheinen, die man überall, auf Flügeln, Eierschalen, in Wolken, im Schnee, in Kristallen und in Steinbildungen, auf gefrierenden Wassern, im Innern und Äußern der Gebirge, der Pflanzen, der Tiere, der Menschen, in den Lichtern des Himmels, auf berührten und gestrichenen Scheiben von Pech und Glas, in den Feilspänen um den Magnet her, und sonderbaren Konjunkturen des Zufalls erblickt. In ihnen ahndet man den Schlüssel dieser Wunderschrift, die Sprachlehre derselben; allein die Ahndung will sich selbst in keine feste Formen fügen, und scheint kein höherer Schlüssel werden zu wollen. Ein Alkahest scheint über die Sinne der Menschen ausgegossen zu sein. Nur augenblicklich scheinen ihre Wünsche, ihre Gedanken sich zu verdichten. So entstehen ihre Ahndungen, aber nach kurzen Zeiten schwimmt alles wieder, wie vorher, vor ihren Blicken.

Von weitem hört' ich sagen: die Unverständlichkeit sei Folge nur des Unverstandes; dieser suche, was er habe, und also niemals weiter finden könnte. Man verstehe die Sprache nicht, weil sich die Sprache selber nicht verstehe, nicht verstehen wolle; die echte Sanskrit spräche, um zu sprechen, weil Sprechen ihre Lust und ihr Wesen sei.

Nicht lange darauf sprach einer: «Keiner Erklärung bedarf die heilige Schrift. Wer wahrhaft spricht, ist des ewigen Lebens voll, und wunderbar verwandt mit echten Geheimnissen dünkt uns seine Schrift, denn sie ist ein Akkord aus des Weltalls Symphonie.»

Von unserm Lehrer sprach gewiß die Stimme, denn er versteht die Züge zu versammeln, die überall zerstreut sind. Ein eignes Licht entzündet sich in seinen Blicken, wenn vor uns nun die hohe Rune liegt, und er in unsern Augen späht, ob auch in uns aufgegangen ist das Gestirn, das die Figur sichtbar und verständlich macht. Sieht er uns traurig, daß die Nacht nicht weicht, so tröstet er uns, und verheißt dem emsigen, treuen Seher künftiges Glück. Oft hat er uns erzählt, wie ihm als Kind der Trieb, die Sinne zu üben, zu beschäftigen und zu erfüllen, keine Ruhe ließ. Den Sternen sah er zu und ahmte ihre Züge, ihre Stellungen im Sande nach. In's Luftmeer sah er ohne Rast, und ward nicht müde, seine Klarheit, seine Bewegungen, seine Wolken, seine

Lichter zu betrachten. Er sammelte sich Steine, Blumen, Käfer aller Art, und legte sie auf mannigfache Weise sich in Reihen. Auf Menschen und auf Tiere gab er Acht, am Strand des Meeres saß er, suchte Muscheln. Auf sein Gemüt und seine Gedanken lauschte er sorgsam. Er wußte nicht, wohin ihn seine Sehnsucht trieb. Wie er größer ward, strich er umher, besah sich andre Länder, andre Meere, neue Lüfte, fremde Sterne, unbekannte Pflanzen, Tiere, Menschen, stieg in Höhlen, sah wie in Bänken und in bunten Schichten der Erde Bau vollführt war, und drückte Ton in sonderbare Felsenbilder. Nun fand er überall Bekanntes wieder, nur wunderlich gemischt, gepaart, und also ordneten sich selbst in ihm oft seltsame Dinge. Er merkte bald auf die Verbindungen in allem, auf Begegnungen, Zusammentreffungen. Nun sah er bald nichts mehr allein. — In große bunte Bilder drängten sich die Wahrnehmungen seiner Sinne: er hörte, sah, tastete und dachte zugleich. Er freute sich, Fremdlinge zusammen zu bringen. Bald waren ihm die Sterne Menschen, bald die Menschen Sterne, die Steine Tiere, die Wolken Pflanzen, er spielte mit den Kräften und Erscheinungen, er wußte, wo und wie er dies und jenes finden, und erscheinen lassen konnte, und griff so selbst in den Saiten nach Tönen und Gängen umher.

Was nun seitdem aus ihm geworden ist, tut er nicht kund. Er sagt uns, daß wir selbst, von ihm und eigner Lust geführt, entdecken würden, was mit ihm vorgegangen sei. Mehrere von uns sind von ihm gewichen. Sie kehrten zu ihren Eltern zurück und lernten ein Gewerbe treiben. Einige sind von ihm ausgesendet worden, wir wissen nicht wohin; er suchte sie aus. Von ihnen waren einige nur kurze Zeit erst da, die andern länger. Eins war ein Kind noch, es war kaum da, so wollte er ihm den Unterricht übergeben. Es hatte große dunkle Augen mit himmelblauem Grunde, wie Lilien glänzte seine Haut, und seine Locken wie lichte Wölkchen, wenn der Abend kommt. Die Stimme drang uns allen durch das Herz, wir hätten gern ihm unsere Blumen, Steine, Federn alles gern geschenkt. Es lächelte unendlich ernst, und uns ward seltsam wohl mit ihm zu Mute. «Einst wird es wiederkommen», sagte der Lehrer, «und unter uns wohnen, dann hören die Lehrstunden auf.» — Einen schickte er mit ihm fort, der hat uns oft gedauert. Immer traurig sah er aus, lange Jahre war er hier, ihm glückte nichts, er fand nicht leicht, wenn wir Kristalle suchten oder Blumen. In die Ferne sah er schlecht, bunte Reihen gut zu legen wußte er nicht. Er zerbrach alles so leicht. Doch hatte keiner einen solchen Trieb und solche Lust am Sehn und Hören. Seit einer Zeit, — vorher eh jenes Kind in unsern Kreis trat, — ward er auf einmal heiter und geschickt. Eines Tages war er traurig ausgegangen, er kam nicht wieder, und die Nacht

brach ein. Wir waren seinetwegen sehr in Sorgen; auf einmal, wie des Morgens Dämmerung kam, hörten wir in einem nahen Haine seine Stimme. Er sang ein hohes, frohes Lied; wir wunderten uns alle; der Lehrer sah mit einem Blick nach Morgen, wie ich ihn wohl nie wieder sehen werde. In unsre Mitte trat er bald, und brachte, mit unaussprechlicher Seligkeit im Antlitz, ein unscheinbares Steinchen von seltsamer Gestalt. Der Lehrer nahm es in die Hand, und küßte ihn lange, dann sah er uns mit nassen Augen an und legte dieses Steinchen auf einen leeren Platz, der mitten unter andern Steinen lag, gerade wo wie Strahlen viele Reihen sich berührten.

Ich werde dieser Augenblicke nie fortan vergessen. Uns war, als hätten wir im Vorübergehn eine helle Ahndung dieser wunderbaren Welt in unsern Seelen gehabt.

Auch ich bin ungeschickter als die Andern, und minder gern scheinen sich die Schätze der Natur von mir finden zu lassen. Doch ist der Lehrer mir gewogen, und läßt mich in Gedanken sitzen, wenn die Andern suchen gehn. So wie dem Lehrer ist mir nie gewesen. Mich führt alles in mich selbst zurück. Was einmal die zweite Stimme sagte, habe ich wohl verstanden. Mich freuen die wunderlichen Haufen und Figuren in den Sälen, allein mir ist, als wären sie nur Bilder, Hüllen, Zierden, versammelt um ein göttlich Wunderbild, und dieses liegt mir immer in Gedanken. Sie such' ich nicht, in ihnen such' ich oft. Es ist, als sollten sie den Weg mir zeigen, wo in tiefem Schlaf die Jungfrau steht, nach der mein Geist sich sehnt. Mir hat der Lehrer nie davon gesagt, auch ich kann ihm nichts anvertrauen, ein unverbrüchliches Geheimnis dünkt es mir. Gern hätt ich jenes Kind gefragt, in seinen Zügen fand ich Verwandtschaft; auch schien in seiner Nähe mir alles heller innerlich zu werden. Wäre es länger geblieben, sicherlich hätte ich mehr in mir erfahren. Auch wäre mir am Ende vielleicht der Busen offen, die Zunge frei geworden. Gern wär' ich auch mit ihm gegangen. Es kam nicht so. Wie lang' ich hier noch bleibe, weiß ich nicht. Mir scheint es, als blieb' ich immer hier. Kaum wag' ich es mir selber zu gestehen, allein zu innig dringt sich mir der Glauben auf: einst find' ich hier, was mich beständig rührt; sie ist zugegen. Wenn ich mit diesem Glauben hier umher gehe, so tritt mir alles in ein höher Bild, in eine neue Ordnung mir zusammen, und alle sind nach Einer Gegend hin gerichtet. Mir wird dann jedes so bekannt, so lieb; und was mir seltsam noch erschien und fremd, wird nun auf einmal wie ein Hausgerät.

Gerade diese Fremdheit ist mir fremd, und darum hat mich immer diese Sammlung zugleich entfernt und angezogen. Den Lehrer kann und mag ich nicht begreifen. Er ist mir just so unbegreiflich lieb. Ich

weiß es, er versteht mich, er hat nie gegen mein Gefühl und meinen Wunsch gesprochen. Vielmehr will er, daß wir den eignen Weg verfolgen, weil jeder neue Weg durch neue Länder geht, und jeder endlich zu diesen Wohnungen, zu dieser heiligen Heimat wieder führet. Auch ich will also meine Figur beschreiben, und wenn kein Sterblicher, nach jener Inschrift dort, den Schleier hebt, so müssen wir Unsterbliche zu werden suchen; wer ihn nicht heben will, ist kein echter Lehrling zu Sais.

2

DIE NATUR

Es mag lange gedauert haben, ehe die Menschen darauf dachten, die mannigfachen Gegenstände ihrer Sinne mit einem gemeinschaftlichen Namen zu bezeichnen und sich entgegen zu setzen. Durch Übung werden Entwicklungen befördert, und in allen Entwickelungen gehen Teilungen, Zergliederungen vor, die man bequem mit den Brechungen des Lichtstrahls vergleichen kann. So hat sich auch nur allmählich unser Innres in so mannigfaltige Kräfte zerspaltet, und mit fortdauernder Übung wird auch diese Zerspaltung zunehmen. Vielleicht ist es nur krankhafte Anlage der späteren Menschen, wenn sie das Vermögen verlieren, diese zerstreuten Farben ihres Geistes wieder zu mischen und nach Belieben den alten einfachen Naturstand herzustellen, oder neue, mannigfaltige Verbindungen unter ihnen zu bewirken. Je vereinigter sie sind, desto vereinigter, desto vollständiger und persönlicher fließt jeder Naturkörper, jede Erscheinung in sie ein: denn der Natur des Sinnes entspricht die Natur des Eindrucks, und daher mußte jenen früheren Menschen alles menschlich, bekannt und gesellig vorkommen, die frischeste Eigentümlichkeit mußte in ihren Ansichten sichtbar werden, jede ihrer Äußerungen war ein wahrer Naturzug, und ihre Vorstellungen mußten mit der sie umgebenden Welt übereinstimmen, und einen treuen Ausdruck derselben darstellen. Wir können daher die Gedanken unsrer Altväter von den Dingen in der Welt als ein notwendiges Erzeugnis, als eine Selbstabbildung des damaligen Zustandes der irdischen Natur betrachten, und besonders an ihnen, als den schicklichsten Werkzeugen der Beobachtung des Weltalls, das Hauptverhältnis desselben, das damalige Verhältnis zu seinen *Bewohnern*, und seiner Bewohner zu ihm, bestimmt abnehmen. Wir finden, daß gerade die erhabensten Fragen zuerst ihre Aufmerksamkeit beschäftigten, und daß sie den Schlüssel dieses wundervollen Gebäudes

bald in einer Hauptmasse der wirklichen Dinge, bald in dem erdichteten Gegenstande eines unbekannten Seins aufsuchten. Bemerklich ist hier die gemeinschaftliche Ahndung desselben im Flüssigen, im Dünnen, Gestaltlosen. Es mochte wohl die Trägheit und Unbehülflichkeit der festen Körper den Glauben an ihre Abhängigkeit und Niedrigkeit nicht ohne Bedeutung veranlassen. Früh genug stieß jedoch ein grübelnder Kopf auf die Schwierigkeit der Gestalten-Erklärung aus jenen gestaltlosen Kräften und Meeren. Er versuchte den Knoten durch eine Art von Vereinigung zu lösen, indem er die ersten Anfänge zu festen, gestalteten Körperchen machte, die er jedoch über allen Begriff klein annahm, und nun aus diesem Staubmeere, aber freilich nicht ohne Beihülfe mitwirkender Gedankenwesen, anziehender und abstoßender Kräfte, den ungeheuern Bau vollführen zu können meinte. Noch früher findet man statt wissenschaftlicher Erklärungen, Märchen und Gedichte voll merkwürdiger bildlicher Züge, Menschen, Götter und Tiere als gemeinschaftliche Werkmeister, und hört auf die natürlichste Art die Entstehung der Welt beschreiben. Man erfährt wenigstens die Gewißheit eines zufälligen, *werkzeuglichen* Ursprungs derselben, und auch für den Verächter der regellosen Erzeugnisse der Einbildungskraft ist diese Vorstellung bedeutend genug. Die Geschichte der Welt als Menschengeschichte zu behandeln, überall nur menschliche Begebenheiten und Verhältnisse zu finden, ist eine fortwandernde, in den verschiedensten Zeiten wieder mit neuer Bildung hervortretende Idee geworden, und scheint an wunderbarer Wirkung und leichter Überzeugung beständig den Vorrang gehabt zu haben. Auch scheint die Zufälligkeit der Natur sich wie von selbst an die Idee menschlicher Persönlichkeit anzuschließen, und letztere am willigsten, als menschliches Wesen verständlich zu werden. Daher ist auch wohl die Dichtkunst das liebste Werkzeug der eigentlichen Naturfreunde gewesen, und am hellsten ist in Gedichten der Naturgeist erschienen. Wenn man echte Gedichte liest und hört, so fühlt man einen innern Verstand der Natur sich bewegen, und schwebt, wie der himmlische Leib derselben, in ihr und über ihr zugleich. Naturforscher und Dichter haben durch Eine Sprache sich immer wie Ein Volk gezeigt. Was jene im Ganzen sammelten und in großen, geordneten Massen aufstellten, haben diese für menschliche Herzen zur täglichen Nahrung und Notdurft verarbeitet, und jene unermeßliche Natur zu mannigfaltigen, kleinen, gefälligen Naturen zersplittert und gebildet. Wenn diese mehr das Flüssige und Flüchtige mit leichtem Sinn verfolgten, suchten jene mit scharfen Messerschnitten den innern Bau und die Verhältnisse der Glieder zu erforschen. Unter ihren Händen starb die freundliche Natur, und ließ nur tote, zuckende Reste zurück, dagegen sie vom Dichter, wie durch geistvollen Wein,

noch mehr beseelt, die göttlichsten und muntersten Einfälle hören ließ, und über ihr Alltagsleben erhoben, zum Himmel stieg, tanzte und weissagte, jeden Gast willkommen hieß, und ihre Schätze frohen Muts verschwendete. So genoß sie himmlische Stunden mit dem Dichter, und lud den Naturforscher nur dann ein, wenn sie krank und gewissenhaft war. Dann gab sie ihm Bescheid auf jede Frage, und ehrte gern den ernsten, strengen Mann. Wer also ihr Gemüt recht kennen will, muß sie in der Gesellschaft der Dichter suchen, dort ist sie offen und ergießt ihr wundersames Herz. Wer sie aber nicht aus Herzensgrunde liebt, und dies und jenes nur an ihr bewundert, und zu erfahren strebt, muß ihre Krankenstube, ihr Beinhaus fleißig besuchen.

Man steht mit der Natur gerade in so unbegreiflich verschiedenen Verhältnissen wie mit den Menschen; und wie sie sich dem Kinde kindisch zeigt, und sich gefällig seinem kindlichen Herzen anschmiegt, so zeigt sie sich dem Gotte göttlich, und stimmt zu dessen hohem Geiste. Man kann nicht sagen, daß es eine Natur gebe, ohne etwas Überschwengliches zu sagen, und alles Bestreben nach Wahrheit in den Reden und Gesprächen von der Natur entfernt nur immer mehr von der Natürlichkeit. Es ist schon viel gewonnen, wenn das Streben, die Natur vollständig zu begreifen, zur Sehnsucht sich veredelt, zur zarten, bescheidenen Sehnsucht, die sich das fremde, kalte Wesen gern gefallen läßt, wenn sie nur einst auf vertrauteren Umgang rechnen kann. Es ist ein geheimnisvoller Zug nach allen Seiten in unserm Innern, aus einem unendlich tiefen Mittelpunkt sich rings verbreitend. Liegt nun die wundersame sinnliche und unsinnliche Natur rund um uns her, so glauben wir, es sei jener Zug ein Anziehn der Natur, eine Äußerung unserer Sympathie mit ihr: nur sucht der eine hinter diesen blauen, fernen Gestalten noch eine Heimat, die sie ihm verhüllen, eine Geliebte seiner Jugend, Eltern und Geschwister, alte Freunde, liebe Vergangenheiten; der andre meint, da jenseits warteten unbekannte Herrlichkeiten seiner, eine lebensvolle Zukunft glaubt er dahinter versteckt, und streckt verlangend seine Hände einer neuen Welt entgegen. Wenige bleiben bei dieser herrlichen Umgebung ruhig stehen, und suchen sie nur selbst in ihrer Fülle und ihrer Verkettung zu erfassen, vergessen über der Vereinzelung den blitzenden Faden nicht, der reihenweise die Glieder knüpft und den heiligen Kronleuchter bildet, und finden sich beseligt in der Beschauung dieses lebendigen, über nächtlichen Tiefen schwebenden Schmucks. So entstehn mannigfache Naturbetrachtungen, und wenn an einem Ende die Naturempfindung ein lustiger Einfall, eine Mahlzeit wird, so sieht man sie dort zur andächtigsten Religion verwandelt, einem ganzen Leben Richtung, Haltung und Bedeutung geben. Schon unter den kindlichen Völkern gab's solche ernste

Gemüter, denen die Natur das Antlitz einer Gottheit war, indessen andre fröhliche Herzen sich nur auf sie zu Tische baten; die Luft war ihnen ein erquickender Trank, die Gestirne Lichter zum nächtlichen Tanz, und Pflanzen und Tiere nur köstliche Speisen, und so kam ihnen die Natur nicht wie ein stiller, wundervoller Tempel, sondern wie eine lustige Küche und Speisekammer vor. Dazwischen waren andre sinnigere Seelen, die in der gegenwärtigen Natur nur große, aber verwilderte Anlagen bemerkten, und Tag und Nacht beschäftiget waren, Vorbilder einer edleren Natur zu schaffen. — Sie teilten sich gesellig in das große Werk, die einen suchten die verstummten und verlornen Töne in Luft und Wäldern zu erwecken, andre legten ihre Ahndungen und Bilder schönerer Geschlechter in Erz und Steine nieder, bauten schönere Felsen zu Wohnungen wieder, brachten die verborgenen Schätze aus den Grüften der Erde wieder ans Licht; zähmten die ausgelassenen Ströme, bevölkerten das unwirtliche Meer, führten in öde Zonen alte, herrliche Pflanzen und Tiere zurück, hemmten die Waldüberschwemmungen, und pflegten die edleren Blumen und Kräuter, öffneten die Erde den belebenden Berührungen der zeugenden Luft und des zündenden Lichts, lehrten die Farben zu reizenden Bildungen sich mischen und ordnen, und Wald und Wiese, Quellen und Felsen wieder zu lieblichen Gärten zusammen zu treten, hauchten in die lebendigen Glieder Töne, um sie zu entfalten, und in heitern Schwingungen zu bewegen, nahmen sich der armen, verlaßnen, für Menschensitte empfänglichen Tiere an, und säuberten die Wälder von den schädlichen Ungeheuern, diesen Mißgeburten einer entarteten Phantasie. Bald lernte die Natur wieder freundlichere Sitten, sie ward sanfter und erquicklicher, und ließ sich willig zur Beförderung der menschlichen Wünsche finden. Allmählich fing ihr Herz wieder an menschlich sich zu regen, ihre Phantasien wurden heitrer, sie ward wieder umgänglich, und antwortete dem freundlichen Frager gern, und so scheint allmählich die alte goldne Zeit zurückzukommen, in der sie den Menschen Freundin, Trösterin, Priesterin und Wundertäterin war, als sie unter ihnen wohnte und ein himmlischer Umgang die Menschen zu Unsterblichen machte. Dann werden die Gestirne die Erde wieder besuchen, der sie gram geworden waren in jenen Zeiten der Verfinsterung; dann legt die Sonne ihren strengen Zepter nieder und wird wieder Stern unter Sternen, und alle Geschlechter der Welt kommen dann nach langer Trennung wieder zusammen. Dann finden sich die alten verwaisten Familien, und jeder Tag sieht neue Begrüßungen, neue Umarmungen; dann kommen die ehemaligen Bewohner der Erde zu ihr zurück, in jedem Hügel regt sich neu erglimmende Asche, überall lodern Flammen des Lebens empor, alte Wohnstätten werden neu erbaut, alte Zeiten

erneuert, und die Geschichte wird zum Traum einer unendlichen, unabsehlichen Gegenwart.

Wer dieses Stammes und dieses Glaubens ist, und gern auch das seinige zu dieser Entwilderung der Natur beitragen will, geht in den Werkstätten der Künstler umher, belauscht überall die unvermutet in allen Ständen hervorbrechende Dichtkunst, wird nimmer müde, die Natur zu betrachten und mit ihr umzugehen, geht überall ihren Fingerzeigen nach, verschmäht keinen mühseligen Gang, wenn sie ihm winkt, und sollte er auch durch Modergrüfte gehen: er findet sicher unsägliche Schätze, das Grubenlichtchen steht am Ende still, und wer weiß, in welche himmlische Geheimnisse ihn dann eine reizende Bewohnerin des unterirdischen Reichs einweiht. Keiner irrt gewiß weiter ab vom Ziele, als wer sich selbst einbildet, er kenne schon das seltsame Reich, und wisse mit wenig Worten seine Verfassung zu ergründen und überall den rechten Weg zu finden. Von selbst geht keinem, der los sich riß und sich zur Insel machte, das Verständnis auf, auch ohne Mühe nicht. Nur Kindern oder kindlichen Menschen, die nicht wissen, was sie tun, kann dies begegnen. Langer, unablässiger Umgang, freie und künstliche Betrachtung, Aufmerksamkeit auf leise Winke und Züge, ein inneres Dichterleben, geübte Sinne, ein einfaches und gottesfürchtiges Gemüt, das sind die wesentlichen Erfordernisse eines echten Naturfreundes, ohne welche keinem sein Wunsch gedeihen wird. Nicht weise scheint es, eine Menschenwelt ohne volle aufgeblühte Menschheit begreifen und verstehn zu wollen. Kein Sinn muß schlummern, und wenn auch nicht alle gleich wach sind, so müssen sie doch alle angeregt und nicht unterdrückt und erschlafft sein. So wie man einen künftigen Maler in dem Knaben sieht, der alle Wände und jeden ebenen Sand mit Zeichnungen füllt, und Farben zu Figuren bunt verknüpft, so sieht man einen künftigen Weltweisen in jenem, der allen natürlichen Dingen ohne Rast nachspürt, nachfrägt, auf alles achtet, jedes Merkwürdige zusammenträgt und froh ist, wenn er einer neuen Erscheinung, einer neuen Kraft und Kenntnis Meister und Besitzer geworden ist.

Nun dünkt es Einigen, es sei der Mühe gar nicht wert, den endlosen Zerspaltungen der Natur nachzugehn, und überdem ein gefährliches Unternehmen, ohne Frucht und Ausgang. So wie man nie das kleinste Korn der festen Körper, nie die einfachste Faser finden werde, weil alle Größe vor- und rückwärts sich ins Unendliche verliert, so sei es auch mit den Arten der Körper und Kräfte; auch hier gerate man auf neue Arten, neue Zusammensetzungen, neue Erscheinungen bis ins Unendliche. Sie schienen dann nur still zu stehn, wenn unser Fleiß ermatte, und so verschwende man die edle Zeit mit müßigen Betrachtungen und langweiligem Zählen, und werde dies zuletzt ein wahrer Wahnsinn,

ein fester Schwindel an der entsetzlichen Tiefe. Auch bleibe die Natur, so weit man käme, immer eine furchtbare Mühle des Todes: überall ungeheurer Umschwung, unauflösliche Wirbelkette, ein Reich der Gefräßigkeit, des tollsten Übermuts, eine unglücksschwangere Unermeßlichkeit; die wenigen lichten Punkte beleuchten nur eine desto grausendere Nacht, und Schrecken aller Art müßten jeden Beobachter zur Gefühllosigkeit ängstigen. Wie ein Heiland stehe dem armen Menschengeschlechte der Tod zur Seite, denn ohne Tod wäre der Wahnsinnigste am glücklichsten. Gerade jenes Streben nach Ergründung dieses riesenmäßigen Triebwerks sei schon ein Zug in die Tiefe, ein beginnender Schwindel: denn jeder Reiz scheine ein wachsender Wirbel, der bald sich des Unglücklichen ganz bemächtige, und ihn dann durch eine schreckenvolle Nacht mit sich fortreiße. Hier sei die listige Fallgrube des menschlichen Verstandes, den die Natur überall als ihren größten Feind zu vernichten suche. Heil der kindlichen Unwissenheit und Schuldlosigkeit der Menschen, welche sie die entsetzlichen Gefahren nicht gewahr werden ließe, die überall wie furchtbare Wetterwolken um ihre friedlichen Wohnsitze herlägen, und jeden Augenblick über sie hereinzubrechen bereit wären. Nur innre Uneinigkeit der Naturkräfte habe die Menschen bis jetzo erhalten, indes könne jener große Zeitpunkt nicht ausbleiben, wo sich die sämtlichen Menschen durch einen großen gemeinschaftlichen Entschluß aus dieser peinlichen Lage, aus diesem furchtbaren Gefängnisse reißen und durch eine freiwillige Entsagung ihrer hiesigen Besitztümer auf ewig ihr Geschlecht aus diesem Jammer erlösen, und in eine glücklichere Welt, zu ihrem alten Vater retten würden. So endeten sie doch ihrer würdig, und kämen ihrer notwendigen, gewaltsamen Vertilgung oder einer noch entsetzlicheren Ausartung in Tiere, durch stufenweise Zerstörung der Denkorgane, durch Wahnsinn, zuvor. Umgang mit Naturkräften, mit Tieren, Pflanzen, Felsen, Stürmen und Wogen müsse notwendig die Menschen diesen Gegenständen verähnlichen, und diese Verähnlichung, Verwandlung und Auflösung des Göttlichen und Menschlichen in unbändige Kräfte sei der Geist der Natur, dieser fürchterlich verschlingenden Macht: und sei nicht alles, was man sehe, schon ein Raub des Himmels, eine große Ruine ehemaliger Herrlichkeiten, Überbleibsel eines schrecklichen Mahls?

«Wohl», sagen Mutigere, «laßt unser Geschlecht einen langsamen, wohldurchdachten Zerstörungskrieg mit dieser Natur führen. Mit schleichenden Giften müssen wir ihr beizukommen suchen. Der Naturforscher sei ein edler Held, der sich in den geöffneten Abgrund stürze, um seine Mitbürger zu erretten. Die Künstler haben ihr schon manchen geheimen Streich beigebracht, fahrt nur so fort, bemächtigt euch

der heimlichen Fäden, und macht sie lüstern nach sich selbst. Benutzt jene Zwiste, um sie, wie jenen feuerspeienden Stier, nach eurer Willkür lenken zu können. Euch untertänig muß sie werden. Geduld und Glauben ziemt den Menschenkindern. Entfernte Brüder sind zu Einem Zweck mit uns vereint, das Sternenrad wird das Spinnrad unseres Lebens werden, und dann können wir durch unsere Sklaven ein neues Dschinnistan uns bauen. Mit innerm Triumph laßt uns ihren Verwüstungen, ihren Tumulten zusehn, sie soll an uns sich selbst verkaufen, und jede Gewalttat soll ihr zur schweren Buße werden. In den begeisternden Gefühlen unsrer Freiheit laßt uns leben und sterben, hier quillt der Strom, der sie einst überschwemmen und zähmen wird, und in ihm laßt uns baden und mit neuem Mut zu Heldentaten uns erfrischen. Bis hieher reicht die Wut des Ungeheuers nicht, ein Tropfen Freiheit ist genug, sie auf immer zu lähmen und ihren Verheerungen Maß und Ziel zu setzen.»

«Sie haben recht», sprechen mehrere; «hier oder nirgends liegt der Talisman. Am Quell der Freiheit sitzen wir und spähn; er ist der große Zauberspiegel, in dem rein und klar die ganze Schöpfung sich enthüllt, in ihm baden die zarten Geister und Abbilder aller Naturen, und alle Kammern sehn wir hier aufgeschlossen. Was brauchen wir die trübe Welt der sichtbaren Dinge mühsam zu durchwandern? Die reinere Welt liegt ja in uns, in diesem Quell. Hier offenbart sich der wahre Sinn des großen, bunten, verwirrten Schauspiels; und treten wir von diesen Blicken voll in die Natur, so ist uns alles wohlbekannt, und sicher kennen wir jede Gestalt. Wir brauchen nicht erst lange nachzuforschen, eine leichte Vergleichung, nur wenige Züge im Sande sind genug, um uns zu verständigen. So ist uns alles eine große Schrift, wozu wir den Schlüssel haben, und nichts kommt uns unerwartet, weil wir voraus den Gang des großen Uhrwerks wissen. Nur wir genießen die Natur mit vollen Sinnen, weil sie uns nicht von Sinnen bringt, weil keine Fieberträume uns ängstigen und helle Besonnenheit uns zuversichtlich und ruhig macht.»

«Die andern reden irre», sagt ein ernster Mann zu diesen. «Erkennen sie in der Natur nicht den treuen Abdruck ihrer selbst? Sie selbst verzehren sich in wilder Gedankenlosigkeit. Sie wissen nicht, daß ihre Natur ein Gedankenspiel, eine wüste Phantasie ihres Traumes ist. Ja wohl ist sie ihnen ein entsetzliches Tier, eine seltsame abenteuerliche Larve ihrer Begierden. Der wachende Mensch sieht ohne Schaudern diese Brut seiner regellosen Einbildungskraft, denn er weiß, daß es nichtige Gespenster seiner Schwäche sind. Er fühlt sich Herr der Welt, sein Ich schwebt mächtig über diesem Abgrund, und wird in Ewigkeiten über diesem endlosen Wechsel erhaben schweben. Einklang

strebt sein Inneres zu verkünden, zu verbreiten. Er wird in die Unendlichkeit hinaus stets einiger mit sich selbst und seiner Schöpfung um sich her sein, und mit jedem Schritte die ewige Allwirksamkeit einer hohen sittlichen Weltordnung, der Veste seines Ichs, immer heller hervortreten sehn. Der Sinn der Welt ist die Vernunft: um derentwillen ist sie da, und wenn sie erst der Kampfplatz einer kindlichen, aufblühenden Vernunft ist, so wird sie einst zum göttlichen Bilde ihrer Tätigkeit, zum Schauplatz einer wahren Kirche werden. Bis dahin ehre sie der Mensch, als Sinnbild seines Gemüts, das sich mit ihm in unbestimmbare Stufen veredelt. Wer also zur Kenntnis der Natur gelangen will, übe seinen sittlichen Sinn, handle und bilde dem edlen Kerne seines Innern gemäß, und wie von selbst wird die Natur sich vor ihm öffnen. Sittliches Handeln ist jener große und einzige Versuch, in welchem alle Rätsel der mannigfaltigsten Erscheinungen sich lösen. Wer ihn versteht, und in strengen Gedankenfolgen ihn zu zerlegen weiß, ist ewiger Meister der Natur.»

Der Lehrling hört mit Bangigkeit die sich kreuzenden Stimmen. Es scheint ihm jede Recht zu haben, und eine sonderbare Verwirrung bemächtigt sich seines Gemüts. Allmählich legt sich der innre Aufruhr, und über die dunkeln sich an einander brechenden Wogen scheint ein Geist des Friedens heraufzuschweben, dessen Ankunft sich durch neuen Mut und überschauende Heiterkeit in der Seele des Jünglings ankündigt.

Ein muntrer Gespiele, dem Rosen und Winden die Schläfe zierten, kam herbeigesprungen, und sah ihn in sich gesenkt sitzen. «Du Grübler», rief er, «bist auf ganz verkehrtem Wege. So wirst du keine großen Fortschritte machen. Das Beste ist überall die Stimmung. Ist das wohl eine Stimmung der Natur? Du bist noch jung, und fühlst du nicht das Gebot der Jugend in allen Adern? nicht Liebe und Sehnsucht deine Brust erfüllen? Wie kannst du nur in der Einsamkeit sitzen? Sitzt die Natur einsam? Den Einsamen flieht Freude und Verlangen: und ohne Verlangen, was nützt dir die Natur? Nur unter Menschen wird er einheimisch, der Geist, der sich mit tausend bunten Farben in alle deine Sinne drängt, der wie eine unsichtbare Geliebte dich umgibt. Bei unsern Festen löst sich seine Zunge, er sitzt oben an und stimmt Lieder des fröhlichsten Lebens an. Du hast noch nicht geliebt, du Armer; beim ersten Kuß wird eine neue Welt dir aufgetan, mit ihm fährt Leben in tausend Strahlen in dein entzücktes Herz. Ein Märchen will ich dir erzählen, horche wohl.

«Vor langen Zeiten lebte weit gegen Abend ein blutjunger Mensch. Er war sehr gut, aber auch über die Maßen wunderlich. Er grämte sich

unaufhörlich um nichts und wieder nichts, ging immer still für sich hin, setzte sich einsam, wenn die Andern spielten und fröhlich waren, und hing seltsamen Dingen nach. Höhlen und Wälder waren sein liebster Aufenthalt, und dann sprach er immer fort mit Tieren und Vögeln, mit Bäumen und Felsen, natürlich kein vernünftiges Wort, lauter närrisches Zeug zum Totlachen. Er blieb aber immer mürrisch und ernsthaft, ungeachtet sich das Eichhörnchen, die Meerkatze, der Papagei und der Gimpel alle Mühe gaben, ihn zu zerstreuen und ihn auf den richtigen Weg zu weisen. Die Gans erzählte Märchen, der Bach klimperte eine Ballade dazwischen, ein großer dicker Stein machte lächerliche Bockssprünge, die Rose schlich sich freundlich hinter ihm herum, kroch durch seine Locken, und der Efeu streichelte ihm die sorgenvolle Stirn. Allein der Mißmut und Ernst waren hartnäckig. Seine Eltern waren sehr betrübt, sie wußten nicht, was sie anfangen sollten. Er war gesund und aß, nie hatten sie ihn beleidigt, er war auch bis vor wenig Jahren fröhlich und lustig gewesen, wie keiner; bei allen Spielen voran, von allen Mädchen gern gesehn. Er war recht bildschön, sah aus wie gemalt, tanzte wie ein Schatz. Unter den Mädchen war Eine, ein köstliches, bildschönes Kind, sah aus wie Wachs, Haare wie goldne Seide, kirschrote Lippen, wie ein Püppchen gewachsen, brandrabenschwarze Augen. Wer sie sah, hätte mögen vergehn, so lieblich war sie. Damals war Rosenblüte, so hieß sie, dem bildschönen Hyazinth, so hieß er, von Herzen gut, und er hatte sie lieb zum Sterben. Die andern Kinder wußtens nicht. Ein Veilchen hatte es ihnen zuerst gesagt, die Hauskätzchen hatten es wohl gemerkt, die Häuser ihrer Eltern lagen nahe beisammen. Wenn nun Hyazinth die Nacht an seinem Fenster stand und Rosenblüte an ihrem, und die Kätzchen auf dem Mäusefang da vorbeiliefen, da sahen sie die Beiden stehn, und lachten und kicherten oft so laut, daß sie es hörten und böse wurden. Das Veilchen hatte es der Erdbeere im Vertrauen gesagt, die sagte es ihrer Freundin der Stachelbeere, die ließ nun das Sticheln nicht, wenn Hyazinth gegangen kam; so erfuhrs denn bald der ganze Garten und der Wald, und wenn Hyazinth ausging, so riefs von allen Seiten: ‹Rosenblütchen ist mein Schätzchen!› Nun ärgerte sich Hyazinth, und mußte doch auch wieder aus Herzensgrunde lachen, wenn das Eidechschen geschlüpft kam, sich auf einen warmen Stein setzte, mit dem Schwänzchen wedelte und sang:

> ‹Rosenblütchen, das gute Kind,
> Ist geworden auf einmal blind,
> Denkt, die Mutter sei Hyazinth,
> Fällt ihm um den Hals geschwind;

Merkt sie aber das fremde Gesicht,
Denkt nur an, da erschrickt sie nicht,
Fährt, als merkte sie kein Wort,
Immer nur mit Küssen fort.›

Ach! wie bald war die Herrlichkeit vorbei. Es kam ein Mann aus fremden Landen gegangen, der war erstaunlich weit gereist, hatte einen langen Bart, tiefe Augen, entsetzliche Augenbrauen, ein wunderliches Kleid mit vielen Falten und seltsame Figuren hineingewebt. Er setzte sich vor das Haus, das Hyazinths Eltern gehörte. Nun war Hyazinth sehr neugierig und setzte sich zu ihm und holte ihm Brot und Wein. Da tat er seinen weißen Bart von einander und erzählte bis tief in die Nacht, und Hyazinth wich und wankte nicht, und wurde auch nicht müde zuzuhören. Soviel man nachher vernahm, so hat er viel von fremden Ländern, unbekannten Gegenden, von erstaunlich wunderbaren Sachen erzählt, und ist drei Tage dageblieben, und mit Hyazinth in tiefe Schachten hinuntergekrochen. Rosenblütchen hat genug den alten Hexenmeister verwünscht, denn Hyazinth ist ganz versessen auf seine Gespräche gewesen, und hat sich um nichts bekümmert; kaum daß er ein wenig Speise zu sich genommen. Endlich hat jener sich fortgemacht, doch dem Hyazinth ein Büchelchen dagelassen, das kein Mensch lesen konnte. Dieser hat ihm noch Früchte, Brot und Wein mitgegeben und ihn weit weg begleitet. Und dann ist er tiefsinnig zurückgekommen, und hat einen ganz neuen Lebenswandel begonnen. Rosenblütchen hat recht zum Erbarmen um ihn getan, denn von der Zeit an hat er sich wenig aus ihr gemacht und ist immer für sich geblieben. Nun begab sichs, daß er einmal nach Hause kam und war wie neugeboren. Er fiel seinen Eltern um den Hals, und weinte. ‹Ich muß fort in fremde Lande›, sagte er, ‹die alte wunderliche Frau im Walde hat mir erzählt, wie ich gesund werden müßte, das Buch hat sie ins Feuer geworfen, und hat mich getrieben, zu euch zu gehn und euch um euren Segen zu bitten. Vielleicht komme ich bald, vielleicht nie wieder. Grüßt Rosenblütchen. Ich hätte sie gern gesprochen, ich weiß nicht, wie mir ist, es drängt mich fort; wenn ich an die alten Zeiten zurückdenken will, so kommen gleich mächtigere Gedanken dazwischen, die Ruhe ist fort, Herz und Liebe mit, ich muß sie suchen gehn. Ich wollt' euch gern sagen, wohin, ich weiß selbst nicht, dahin wo die Mutter der Dinge wohnt, die verschleierte Jungfrau. Nach der ist mein Gemüt entzündet. Lebt wohl.› Er riß sich los und ging fort. Seine Eltern wehklagten und vergossen Tränen, Rosenblütchen blieb in ihrer Kammer und weinte bitterlich. Hyazinth lief nun was er konnte, durch Täler und Wildnisse, über Berge und Ströme, dem geheimnisvollen Lande zu. Er

fragte überall nach der heiligen Göttin (Isis) Menschen und Tiere, Felsen und Bäume. Manche lachten, manche schwiegen, nirgends erhielt er Bescheid. Im Anfange kam er durch rauhes, wildes Land, Nebel und Wolken warfen sich ihm in den Weg, es stürmte immerfort; dann fand er unabsehliche Sandwüsten, glühenden Staub, und wie er wandelte, so veränderte sich auch sein Gemüt, die Zeit wurde ihm lang und die innere Unruhe legte sich, er wurde sanfter und das gewaltige Treiben in ihm allgemach zu einem leisen, aber starken Zuge, in den sein ganzes Gemüt sich auflöste. Es lag wie viele Jahre hinter ihm. Nun wurde die Gegend auch wieder reicher und mannigfaltiger, die Luft lau und blau, der Weg ebener, grüne Büsche lockten ihn mit anmutigem Schatten, aber er verstand ihre Sprache nicht, sie schienen auch nicht zu sprechen, und doch erfüllten sie auch sein Herz mit grünen Farben und kühlem, stillem Wesen. Immer höher wuchs jene süße Sehnsucht in ihm, und immer breiter und saftiger wurden die Blätter, immer lauter und lustiger die Vögel und Tiere, balsamischer die Früchte, dunkler der Himmel, wärmer die Luft, und heißer seine Liebe, die Zeit ging immer schneller, als sähe sie sich nahe am Ziele. Eines Tages begegnete er einem kristallnen Quell und einer Menge Blumen, die kamen in ein Tal herunter zwischen schwarzen himmelhohen Säulen. Sie grüßten ihn freundlich mit bekannten Worten. ‹Liebe Landsleute›, sagte er, ‹wo find' ich wohl den geheiligten Wohnsitz der Isis? Hier herum muß er sein, und ihr seid vielleicht hier bekannter als ich.› — ‹Wir gehn auch nur hier durch›, antworteten die Blumen; ‹eine Geisterfamilie ist auf der Reise, und wir bereiten ihr Weg und Quartier, indes sind wir vor kurzem durch eine Gegend gekommen, da hörten wir ihren Namen nennen. Gehe nur aufwärts, wo wir herkommen, so wirst du schon mehr erfahren.› Die Blumen und die Quelle lächelten, wie sie das sagten, boten ihm einen frischen Trunk und gingen weiter. Hyazinth folgte ihrem Rat, frug und frug und kam endlich zu jener längst gesuchten Wohnung, die unter Palmen und andern köstlichen Gewächsen versteckt lag. Sein Herz klopfte in unendlicher Sehnsucht, und die süßeste Bangigkeit durchdrang ihn in dieser Behausung der ewigen Jahreszeiten. Unter himmlischen Wohlgedüften entschlummerte er, weil ihn nur der Traum in das Allerheiligste führen durfte. Wunderlich führte ihn der Traum durch unendliche Gemächer voll seltsamer Sachen auf lauter reizenden Klängen und in abwechselnden Akkorden. Es dünkte ihm alles so bekannt und doch in niegesehener Herrlichkeit, da schwand auch der letzte irdische Anflug, wie in Luft verzehrt, und er stand vor der himmlischen Jungfrau, da hob er den leichten, glänzenden Schleier, und Rosenblütchen sank in seine Arme. Eine ferne Musik umgab die Geheimnisse des liebenden Wiedersehns, die Ergießungen der Sehn-

sucht, und schloß alles Fremde von diesem entzückenden Orte aus. Hyazinth lebte nachher noch lange mit Rosenblütchen unter seinen frohen Eltern und Gespielen, und unzählige Enkel dankten der alten wunderlichen Frau für ihren Rat und ihr Feuer; denn damals bekamen die Menschen so viel Kinder, als sie wollten.» —

Die Lehrlinge umarmten sich und gingen fort. Die weiten hallenden Säle standen leer und hell da, und das wunderbare Gespräch in zahllosen Sprachen unter den tausendfaltigen Naturen, die in diesen Sälen zusammengebracht und in mannigfaltigen Ordnungen aufgestellt waren, dauerte fort. Ihre innern Kräfte spielten gegen einander. Sie strebten in ihre Freiheit, in ihre alten Verhältnisse zurück. Wenige standen auf ihrem eigentlichen Platze, und sahen in Ruhe dem mannigfaltigen Treiben um sich her zu. Die übrigen klagten über entsetzliche Qualen und Schmerzen, und bejammerten das alte, herrliche Leben im Schoße der Natur, wo sie eine gemeinschaftliche Freiheit vereinigte, und jedes von selbst erhielt, was es bedurfte. «O! daß der Mensch», sagten sie, «die innre Musik der Natur verstände und einen Sinn für äußere Harmonie hätte. Aber er weiß ja kaum, daß wir zusammengehören, und keins ohne das andere bestehen kann. Er kann nichts liegen lassen, tyrannisch trennt er uns und greift in lauter Dissonanzen herum. Wie glücklich könnte er sein, wenn er mit uns freundlich umginge, und auch in unsern großen Bund träte, wie ehemals in der goldnen Zeit, wie er sie mit Recht nennt. In jener Zeit verstand er uns, wie wir ihn verstanden. Seine Begierde, Gott zu werden, hat ihn von uns getrennt, er sucht, was wir nicht wissen und ahnden können, und seitdem ist er keine begleitende Stimme, keine Mitbewegung mehr. Er ahndet wohl die unendliche Wollust, den ewigen Genuß in uns, und darum hat er eine so wunderbare Liebe zu Einigen unter uns. Der Zauber des Goldes, die Geheimnisse der Farben, die Freuden des Wassers sind ihm nicht fremd, in den Antiken ahndet er die Wunderbarkeit der Steine, und dennoch fehlt ihm noch die süße Leidenschaft für das Weben der Natur, das Auge für unsre entzückenden Mysterien. Lernt er nur einmal fühlen? Diesen himmlischen, diesen natürlichsten aller Sinne kennt er noch wenig: durch das Gefühl würde die alte, ersehnte Zeit zurückkommen; das Element des Gefühls ist ein inneres Licht, was sich in schönern, kräftigern Farben bricht. Dann gingen die Gestirne in ihm auf, er lernte die ganze Welt fühlen, klärer und mannigfaltiger, als ihm das Auge jetzt Grenzen und Flächen zeigt. Er würde Meister eines unendlichen Spiels und vergäße alle törichten Bestrebungen in einem ewigen, sich selbst nährenden und immer wachsenden Genusse. Das Denken ist nur ein Traum des Fühlens, ein erstorbenes Fühlen, ein blaßgraues, schwaches Leben.»

Wie sie so sprachen, strahlte die Sonne durch die hohen Fenster, und in ein sanftes Säuseln verlor sich der Lärm des Gesprächs; eine unendliche Ahndung durchdrang alle Gestalten, die lieblichste Wärme verbreitete sich über alle, und der wunderbarste Naturgesang erhob sich aus der tiefsten Stille. Man hörte Menschenstimmen in der Nähe, die großen Flügeltüren nach dem Garten zu wurden geöffnet, und einige Reisende setzten sich auf die Stufen der breiten Treppe, in den Schatten des Gebäudes. Die reizende Landschaft lag in schöner Erleuchtung vor ihnen, und im Hintergrunde verlor sich der Blick an blauen Gebirgen hinauf. Freundliche Kinder brachten mannigfaltige Speisen und Getränke, und bald begann ein lebhaftes Gespräch unter ihnen.

«Auf alles, was der Mensch vornimmt, muß er seine *ungeteilte* Aufmerksamkeit oder sein Ich richten», sagte endlich der Eine, «und wenn er dieses getan hat, so entstehn bald Gedanken, oder eine neue Art von Wahrnehmungen, die nichts als zarte Bewegungen eines färbenden oder klappernden Stifts, oder wunderliche Zusammenziehungen und Figurationen einer elastischen Flüssigkeit zu sein scheinen, auf eine wunderbare Weise in ihm. Sie verbreiten sich von dem Punkte, wo er den Eindruck feststach, nach allen Seiten mit lebendiger Beweglichkeit, und nehmen sein Ich mit fort. Er kann dieses Spiel oft gleich wieder vernichten, indem er seine Aufmerksamkeit wieder teilt oder nach Willkür herumschweifen läßt, denn sie scheinen nichts als Strahlen und Wirkungen, die jenes Ich nach allen Seiten zu in jenem elastischen Medium erregt, oder seine Brechungen in demselben, oder überhaupt ein seltsames Spiel der Wellen dieses Meers mit der starren Aufmerksamkeit zu sein. Höchst merkwürdig ist es, daß der Mensch erst in diesem Spiele seine Eigentümlichkeit, seine spezifische Freiheit recht gewahr wird, und daß es ihm vorkommt, als erwache er aus einem tiefen Schlafe, als sei er nun erst in der Welt zu Hause, und verbreite jetzt erst das Licht des Tages sich über seine innere Welt. Er glaubt es am höchsten gebracht zu haben, wenn er, ohne jenes Spiel zu stören, zugleich die gewöhnlichen Geschäfte der Sinne vornehmen, und empfinden und denken zugleich kann. Dadurch gewinnen beide Wahrnehmungen: die Außenwelt wird durchsichtig, und die Innenwelt mannigfaltig und bedeutungsvoll, und so befindet sich der Mensch in einem innig lebendigen Zustande zwischen zwei Welten in der vollkommensten Freiheit und dem freudigsten Machtgefühl. Es ist natürlich, daß der Mensch diesen Zustand zu verewigen und ihn über die ganze Summe seiner Eindrücke zu verbreiten sucht; daß er nicht müde wird, diese Assoziationen beider Welten zu verfolgen, und ihren Gesetzen und ihren Sympathien und Antipathien nachzuspüren. Den Inbegriff dessen, was uns rührt, nennt man die Natur, und also steht die Natur

in einer unmittelbaren Beziehung auf die Gliedmaßen unsers Körpers, die wir Sinne nennen. Unbekannte und geheimnisvolle Beziehungen unseres Körpers lassen unbekannte und geheimnisvolle Verhältnisse der Natur vermuten, und so ist die Natur jene wunderbare Gemeinschaft, in die unser Körper uns einführt, und die wir nach dem Maße seiner Einrichtungen und Fähigkeiten kennen lernen. Es frägt sich, ob wir die Natur der Naturen durch diese spezielle Natur wahrhaft begreifen lernen können, und in wiefern unsre Gedanken und die Intensität unsrer Aufmerksamkeit durch dieselbe bestimmt werden, oder sie bestimmen, und dadurch von der Natur losreißen und vielleicht ihre zarte Nachgiebigkeit verderben. Man sieht wohl, daß diese innern Verhältnisse und Einrichtungen unsers Körpers vor allen Dingen erforscht werden müssen, ehe wir diese Frage zu beantworten und in die Natur der Dinge zu dringen hoffen können. Es ließe sich jedoch auch denken, daß wir überhaupt erst uns mannigfach im Denken müßten geübt haben, ehe wir uns an dem innern Zusammenhang unsers Körpers versuchen und seinen Verstand zum Verständnis der Natur gebrauchen könnten, und da wäre freilich nichts natürlicher, als alle mögliche Bewegungen des Denkens hervorzubringen und eine Fertigkeit in diesem Geschäft, sowie eine Leichtigkeit zu erwerben, von Einer zur Andern überzugehen und sie mannigfach zu verbinden und zu zerlegen. Zu dem Ende müßte man alle Eindrücke aufmerksam betrachten, das dadurch entstehende Gedankenspiel ebenfalls genau bemerken, und sollten dadurch abermals neue Gedanken entstehn, auch diesen zusehn, um so allmählich ihren Mechanismus zu erfahren und durch eine oftmalige Wiederholung die mit jedem Eindruck beständig verbundnen Bewegungen von den übrigen unterscheiden und behalten zu lernen. Hätte man dann nur erst einige Bewegungen, als Buchstaben der Natur, herausgebracht, so würde das Dechiffrieren immer leichter von statten gehn, und die Macht über die Gedankenerzeugung und Bewegung den Beobachter in Stand setzen, auch ohne vorhergegangenen wirklichen Eindruck, Naturgedanken hervorzubringen und Naturkompositionen zu entwerfen, und dann wäre der Endzweck erreicht.»

«Es ist wohl viel gewagt», sagte ein Anderer, «so aus den äußerlichen Kräften und Erscheinungen der Natur sie zusammensetzen zu wollen, und sie bald für ein ungeheures Feuer, bald für einen wunderbar gestalteten Fall, bald für eine Zweiheit oder Dreiheit, oder für irgendeine andere seltsamliche Kraft auszugeben. Es wäre denkbarer, daß sie das Erzeugnis eines unbegreiflichen Einverständnisses unendlich verschiedner Wesen wäre, das wunderbare Band der Geisterwelt, der Vereinigungs- und Berührungspunkt unzähliger Welten.»

«Laß es gewagt sein», sprach ein Dritter; «je willkürlicher das Netz

gewebt ist, das der kühne Fischer auswirft, desto glücklicher ist der Fang. Man ermuntre nur jeden, seinen Gang so weit als möglich fortzusetzen, und jeder sei willkommen, der mit einer neuen Phantasie die Dinge überspinnt. Glaubst du nicht, daß es gerade die gut ausgeführten Systeme sein werden, aus denen der künftige Geograph der Natur die Data zu seiner großen Naturkarte nimmt? Sie wird er vergleichen, und diese Vergleichung wird uns das sonderbare Land erst kennen lehren. Die Erkenntnis der Natur wird aber noch himmelweit von ihrer Auslegung verschieden sein. Der eigentliche Chiffrierer wird vielleicht dahin kommen, mehrere Naturkräfte zugleich zu Hervorbringung herrlicher und nützlicher Erscheinungen in Bewegung zu setzen, er wird auf der Natur wie auf einem großen Instrument phantasieren können, und doch wird er die Natur nicht verstehn. Dies ist die Gabe des Naturhistorikers, des Zeitensehers, der vertraut mit der Geschichte der Natur, und bekannt mit der Welt, diesem höheren Schauplatz der Naturgeschichte, ihre Bedeutungen wahrnimmt und weissagend verkündigt. Noch ist dieses Gebiet ein unbekanntes, ein heiliges Feld. Nur göttliche Gesandte haben einzelne Worte dieser höchsten Wissenschaft fallenlassen, und es ist nur zu verwundern, daß die ahndungsvollen Geister sich diese Ahndung haben entgehn lassen und die Natur zur einförmigen Maschine, ohne Vorzeit und Zukunft, erniedrigt haben. Alles Göttliche hat eine Geschichte, und die Natur, dieses einzige Ganze, womit der Mensch sich vergleichen kann, sollte nicht so gut wie der Mensch in einer Geschichte begriffen sein oder, welches eins ist, einen Geist haben? Die Natur wäre nicht die Natur, wenn sie keinen Geist hätte, nicht jenes einzige Gegenbild der Menschheit, nicht die unentbehrliche Antwort dieser geheimnisvollen Frage, oder die Frage zu dieser unendlichen Antwort.»

«Nur die Dichter haben es gefühlt, was die Natur den Menschen sein kann», begann ein schöner Jüngling, «und man kann auch hier von ihnen sagen, daß sich die Menschheit in ihnen in der vollkommensten Auflösung befindet, und daher jeder Eindruck durch ihre Spiegelhelle und Beweglichkeit rein in allen seinen unendlichen Veränderungen nach allen Seiten fortgepflanzt wird. Alles finden sie in der Natur. Ihnen allein bleibt die Seele derselben nicht fremd, und sie suchen in ihrem Umgang alle Seligkeiten der goldnen Zeit nicht umsonst. Für sie hat die Natur alle Abwechslungen eines unendlichen Gemüts, und mehr als der geistvollste, lebendigste Mensch überrascht sie durch sinnreiche Wendungen und Einfälle, Begegnungen und Abweichungen, große Ideen und Bizarrerien. Der unerschöpfliche Reichtum ihrer Phantasie läßt keinen vergebens ihren Umgang aufsuchen. Alles weiß sie zu verschönern, zu beleben, zu bestätigen, und wenn auch im Einzelnen

ein bewußtloser, nichtsbedeutender Mechanismus allein zu herrschen scheint, so sieht doch das tiefer sehende Auge eine wunderbare Sympathie mit dem menschlichen Herzen im Zusammentreffen und in der Folge der einzelnen Zufälligkeiten. Der Wind ist eine Luftbewegung, die manche äußere Ursachen haben kann, aber ist er dem einsamen, sehnsuchtsvollen Herzen nicht mehr, wenn er vorübersaust, von geliebten Gegenden herweht und mit tausend dunkeln, wehmütigen Lauten den stillen Schmerz in einen tiefen melodischen Seufzer der ganzen Natur aufzulösen scheint? Fühlt nicht so auch im jungen, bescheidnen Grün der Frühlingswiesen der junge Liebende seine ganze blumenschwangre Seele mit entzückender Wahrheit ausgesprochen, und ist je die Üppigkeit einer nach süßer Auflösung in goldnen Wein lüsternen Seele köstlicher und erwecklicher erschienen als in einer vollen, glänzenden Traube, die sich unter den breiten Blättern halb versteckt? Man beschuldigt die Dichter der Übertreibung, und hält ihnen ihre bildliche uneigentliche Sprache gleichsam nur zu gute, ja man begnügt sich ohne tiefere Untersuchung, ihrer Phantasie jene wunderliche Natur zuzuschreiben, die manches sieht und hört, was andere nicht hören und sehen, und die in einem lieblichen Wahnsinn mit der wirklichen Welt nach ihrem Belieben schaltet und waltet; aber mir scheinen die Dichter noch bei weitem nicht genug zu übertreiben, nur dunkel den Zauber jener Sprache zu ahnden und mit der Phantasie nur so zu spielen, wie ein Kind mit dem Zauberstabe seines Vaters spielt. Sie wissen nicht, welche Kräfte ihnen untertan sind, welche Welten ihnen gehorchen müssen. Ist es denn nicht wahr, daß Steine und Wälder der Musik gehorchen und, von ihr gezähmt, sich jedem Willen wie Haustiere fügen? – Blühen nicht wirklich die schönsten Blumen um die Geliebte und freuen sich, sie zu schmücken? Wird für sie der Himmel nicht heiter und das Meer nicht eben? – Drückt nicht die ganze Natur so gut wie das Gesicht und die Gebärden, der Puls und die Farben, den Zustand eines jeden der höheren, wunderbaren Wesen aus, die wir Menschen nennen? Wird nicht der Fels ein eigentümliches Du, eben wenn ich ihn anrede? Und was bin ich anders als der Strom, wenn ich wehmütig in seine Wellen hinabschaue, und die Gedanken in seinem Gleiten verliere? Nur ein ruhiges, genußvolles Gemüt wird die Pflanzenwelt, nur ein lustiges Kind oder ein Wilder die Tiere verstehn. – Ob jemand die Steine und Gestirne schon verstand, weiß ich nicht, aber gewiß muß dieser ein erhabnes Wesen gewesen sein. In jenen Statuen, die aus einer untergegangenen Zeit der Herrlichkeit des Menschengeschlechts übrig geblieben sind, leuchtet allein so ein tiefer Geist, so ein seltsames Verständnis der Steinwelt hervor, und überzieht den sinnvollen Betrachter mit einer Steinrinde, die nach innen zu wachsen

scheint. Das Erhabne wirkt versteinernd, und so dürften wir uns nicht über das Erhabne der Natur und seine Wirkungen wundern, oder nicht wissen, wo es zu suchen sei. Könnte die Natur nicht über den Anblick Gottes zu Stein geworden sein? Oder vor Schrecken über die Ankunft des Menschen?»

Über diese Rede war der, welcher zuerst gesprochen hatte, in tiefe Betrachtung gesunken, die fernen Berge wurden buntgefärbt, und der Abend legte sich mit süßer Vertraulichkeit über die Gegend. Nach einer langen Stille hörte man ihn sagen: «Um die Natur zu begreifen, muß man die Natur innerlich in ihrer ganzen Folge entstehen lassen. Bei dieser Unternehmung muß man sich bloß von der göttlichen Sehnsucht nach Wesen, die uns gleich sind, und den notwendigen Bedingungen dieselben zu vernehmen, bestimmen lassen, denn wahrhaftig die ganze Natur ist nur als Werkzeug und Medium des Einverständnisses vernünftiger Wesen begreiflich. Der denkende Mensch kehrt zur ursprünglichen Funktion seines Daseins, zur schaffenden Betrachtung, zu jenem Punkte zurück, wo Hervorbringen und Wissen in der wundervollsten Wechselverbindung standen, zu jenem schöpferischen Moment des eigentlichen Genusses, des innern Selbstempfängnisses. Wenn er nun ganz in die *Beschauung* dieser Urerscheinung versinkt, so entfaltet sich vor ihm in neu entstehenden Zeiten und Räumen, wie ein unermeßliches Schauspiel, die Erzeugungsgeschichte der Natur, und jeder feste Punkt, der sich in der unendlichen Flüssigkeit ansetzt, wird ihm eine neue Offenbarung des Genius der Liebe, ein neues Band des Du und des Ich. Die sorgfältige Beschreibung dieser innern Weltgeschichte ist die wahre Theorie der Natur; durch den Zusammenhang seiner Gedankenwelt in sich, und ihre Harmonie mit dem Universum, bildet sich von selbst ein Gedankensystem zur getreuen Abbildung und Formel des Universums. Aber die Kunst des ruhigen Beschauens, der schöpferischen Weltbetrachtung ist schwer, unaufhörliches ernstes Nachdenken und strenge Nüchternheit fordert die Ausführung, und die Belohnung wird kein Beifall der mühescheuenden Zeitgenossen, sondern nur eine Freude des Wissens und Wachens, eine innigere Berührung des Universums sein.»

«Ja», sagte der Zweite, «nichts ist so bemerkenswert als das große Zugleich in der Natur. Überall scheint die Natur ganz gegenwärtig. In der Flamme eines Lichts sind alle Naturkräfte tätig, und so repräsentiert und verwandelt sie sich überall und unaufhörlich, treibt Blätter, Blüten und Früchte zusammen, und ist mitten in der Zeit gegenwärtig, vergangen und zukünftig zugleich; und wer weiß, in welche eigne Art von Ferne sie ebenfalls wirkt und ob nicht dieses Natursystem nur eine Sonne ist im Universo, die durch Bande an dasselbe geknüpft ist, durch

ein Licht und einen Zug und Einflüsse, die zunächst in unserm Geiste sich deutlicher vernehmen lassen, und aus ihm heraus den Geist des Universums über diese Natur ausgießen, und den Geist dieser Natur an andere Natursysteme verteilen.»

«Wenn der Denker», sprach der Dritte, «mit Recht als Künstler den tätigen Weg betritt, und durch eine geschickte Anwendung seiner geistigen Bewegungen das Weltall auf eine einfache, rätselhaft scheinende Figur zu reduzieren sucht, ja man möchte sagen die Natur tanzt, und mit Worten die Linien der Bewegungen nachschreibt, so muß der Liebhaber der Natur dieses kühne Unternehmen bewundern, und sich auch über das Gedeihen dieser menschlichen Anlage freuen. Billig stellt der Künstler die Tätigkeit obenan, denn sein Wesen ist Tun und Hervorbringen mit Wissen und Willen, und seine Kunst ist, sein Werkzeug zu allem gebrauchen, die Welt auf seine Art nachbilden zu können, und darum wird das Prinzip seiner Welt Tätigkeit, und seine Welt seine Kunst. Auch hier wird die Natur in neuer Herrlichkeit sichtbar, und nur der gedankenlose Mensch wirft die unleserlichen, wunderlich gemischten Worte mit Verachtung weg. Dankbar legt der Priester diese neue, erhabene Meßkunst auf den Altar zu der magnetischen Nadel, die sich nie verirrt, und zahllose Schiffe auf dem pfadlosen Ozean zu bewohnten Küsten und den Häfen des Vaterlandes zurück führte. Außer dem Denker gibt es aber noch andre Freunde des Wissens, die dem Hervorbringen durch Denken nicht vorzüglich zugetan, und also ohne Beruf zu dieser Kunst, lieber Schüler der Natur werden, ihre Freude im Lernen, nicht im Lehren, im Erfahren, nicht im Machen, im Empfangen, nicht im Geben finden. Einige sind geschäftig und nehmen im Vertrauen auf die Allgegenwart und die innige Verwandtschaft der Natur, mithin auch im voraus von der Unvollständigkeit und der Kontinuität alles Einzelnen überzeugt, irgendeine Erscheinung mit Sorgfalt auf, und halten den in tausend Gestalten sich verwandelnden Geist derselben mit stetem Blicke fest, und gehn dann an diesem Faden durch alle Schlupfwinkel der geheimen Werkstätte, um eine vollständige Verzeichnung dieser labyrinthischen Gänge entwerfen zu können. Sind sie mit dieser mühseligen Arbeit fertig, so ist auch unvermerkt ein höherer Geist über sie gekommen, und es wird ihnen dann leicht, über die vorliegende Karte zu reden, und jedem Suchenden seinen Weg vorzuschreiben. Unermeßlicher Nutzen segnet ihre mühsame Arbeit, und der Grundriß ihrer Karte wird auf eine überraschende Weise mit dem Systeme des Denkers übereinstimmen, und sie werden diesem zum Trost gleichsam den lebendigen Beweis seiner abstrakten Sätze unwillkürlich geführt haben. Die Müßigsten unter ihnen erwarten kindlich von liebevoller Mitteilung höherer, von ihnen mit Inbrunst verehrter

Wesen die ihnen nützliche Kenntnis der Natur. Sie mögen Zeit und Aufmerksamkeit in diesem kurzen Leben nicht Geschäften widmen, und dem Dienste der Liebe entziehn. Durch frommes Betragen suchen sie nur Liebe zu gewinnen, nur Liebe mitzuteilen, unbekümmert um das große Schauspiel der Kräfte, ruhig ihrem Schicksale in diesem Reiche der Macht ergeben, weil das innige Bewußtsein ihrer Unzertrennlichkeit von den geliebten Wesen sie erfüllt, und die Natur sie nur als Abbild und Eigentum derselben rührt. Was brauchen diese glücklichen Seelen zu wissen, die das beste Teil erwählt haben, und als reine Flammen der Liebe in dieser irdischen Welt nur auf den Spitzen der Tempel oder auf umhergetriebenen Schiffen, als Zeichen des überströmenden himmlischen Feuers lodern? Oft erfahren diese liebenden Kinder in seligen Stunden herrliche Dinge aus den Geheimnissen der Natur, und tun sie in unbewußter Einfalt kund. Ihren Tritten folgt der Forscher, um jedes Kleinod zu sammeln, was sie in ihrer Unschuld und Freude haben fallen lassen, ihrer Liebe huldigt der mitfühlende Dichter und sucht durch seine Gesänge diese Liebe, diesen Keim des goldnen Alters, in andre Zeiten und Länder zu verpflanzen.»

«Wem regt sich nicht», rief der Jüngling mit funkelndem Auge, «das Herz in hüpfender Lust, wenn ihm das innerste Leben der Natur in seiner ganzen Fülle in das Gemüt kommt! wenn dann jenes mächtige Gefühl, wofür die Sprache keine andere Namen als Liebe und Wollust hat, sich in ihm ausdehnt, wie ein gewaltiger, alles auflösender Dunst, und er bebend in süßer Angst in den dunkeln lockenden Schoß der Natur versinkt, die arme Persönlichkeit in den überschlagenden Wogen der Lust sich verzehrt, und nichts als ein Brennpunkt der unermeßlichen Zeugungskraft, ein verschluckender Wirbel im großen Ozean übrig bleibt! Was ist die überall erscheinende Flamme? Eine innige Umarmung, deren süße Frucht in wollüstigen Tropfen heruntertaut. Das Wasser, dieses erstgeborne Kind lustiger Verschmelzungen, kann seinen wollüstigen Ursprung nicht verleugnen und zeigt sich, als Element der Liebe und der Mischung mit himmlischer Allgewalt auf Erden. Nicht unwahr haben alte Weisen im Wasser den Ursprung der Dinge gesucht, und wahrlich sie haben von einem höhern Wasser als dem Meer- und Quellwasser gesprochen. In jenem offenbaret sich nur das Urflüssige, wie es im flüssigen Metall zum Vorschein kommt, und darum mögen die Menschen es immer auch nur göttlich verehren. Wie wenige haben sich noch in die Geheimnisse des Flüssigen vertieft und manchem ist diese Ahndung des höchsten Genusses und Lebens wohl nie in der trunkenen Seele aufgegangen. Im Durste offenbaret sich diese Weltseele, diese gewaltige Sehnsucht nach dem Zerfließen. Die Berauschten fühlen nur zu gut diese überirdische Wonne des Flüssigen,

und am Ende sind alle angenehme Empfindungen in uns mannigfache Zerfließungen, Regungen jener Urgewässer in uns. Selbst der Schlaf ist nichts als die Flut jenes unsichtbaren Weltmeers, und das Erwachen das Eintreten der Ebbe. Wie viele Menschen stehn an den berauschenden Flüssen und hören nicht das Wiegenlied dieser mütterlichen Gewässer, und genießen nicht das entzückende Spiel ihrer unendlichen Wellen! Wie diese Wellen, lebten wir in der goldnen Zeit; in buntfarbigen Wolken, diesen schwimmenden Meeren und Urquellen des Lebendigen auf Erden, liebten und erzeugten sich die Geschlechter der Menschen in ewigen Spielen; wurden besucht von den Kindern des Himmels und erst in jener großen Begebenheit, welche heilige Sagen die Sündflut nennen, ging diese blühende Welt unter; ein feindliches Wesen schlug die Erde nieder, und einige Menschen blieben geschwemmt auf die Klippen der neuen Gebirge in der fremden Welt zurück. Wie seltsam, daß gerade die heiligsten und reizendsten Erscheinungen der Natur in den Händen so toter Menschen sind, als die Scheidekünstler zu sein pflegen! sie, die den schöpferischen Sinn der Natur mit Macht erwecken, nur ein Geheimnis der Liebenden, Mysterien der höhern Menschheit sein sollten, werden mit Schamlosigkeit und sinnlos von rohen Geistern hervorgerufen, die nie wissen werden, welche Wunder ihre Gläser umschließen. Nur Dichter sollten mit dem Flüssigen umgehn, und von ihm der glühenden Jugend erzählen dürfen; die Werkstätten wären Tempel und mit neuer Liebe würden die Menschen ihre Flamme und ihre Flüsse verehren und sich ihrer rühmen. Wie glücklich würden die Städte sich wieder dünken, die das Meer oder ein großer Strom bespült, und jede Quelle würde wieder die Freistätte der Liebe und der Aufenthalt der erfahrnen und geistreichen Menschen. Darum lockt auch die Kinder nichts mehr als Feuer und Wasser, und jeder Strom verspricht ihnen, in die bunte Ferne, in schönere Gegenden sie zu führen. Es ist nicht bloß Widerschein, daß der Himmel im Wasser liegt, es ist eine zarte Befreundung, ein Zeichen der Nachbarschaft, und wenn der unerfüllte Trieb in die unermeßliche Höhe will, so versinkt die glückliche Liebe gern in die endlose Tiefe. Aber es ist umsonst, die Natur lehren und predigen zu wollen. Ein Blindgeborener lernt nicht sehen, und wenn man ihm noch so viel von Farben und Lichtern und fernen Gestalten erzählen wollte. So wird auch keiner die Natur begreifen, der kein Naturorgan, kein innres naturerzeugendes und absonderndes Werkzeug hat, der nicht, wie von selbst, überall die Natur an allem erkennt und unterscheidet und mit angeborner Zeugungslust, in inniger mannigfaltiger Verwandtschaft mit allen Körpern, durch das Medium der Empfindung, sich mit allen Naturwesen vermischt, sich gleichsam in sie hineinfühlt. Wer aber einen rich-

tigen und geübten Natursinn hat, der genießt die Natur, indem er sie
studiert, und freut sich ihrer unendlichen Mannigfaltigkeit, ihrer Un-
erschöpflichkeit im Genusse, und bedarf nicht, daß man ihn mit un-
nützen Worten in seinen Genüssen störe. Ihm dünkt vielmehr, daß
man nicht heimlich genug mit der Natur umgehen, nicht zart genug
von ihr reden, nicht ungestört und aufmerksam genug sie beschauen
kann. Er fühlt sich in ihr, wie am Busen seiner züchtigen Braut und
vertraut auch nur dieser seine erlangten Einsichten in süßen vertrau-
lichen Stunden. Glücklich preis' ich diesen Sohn, diesen Liebling der
Natur, dem sie verstattet sie in ihrer Zweiheit, als erzeugende und ge-
bärende Macht, und in ihrer Einheit, als eine unendliche, ewigdauern-
de Ehe, zu betrachten. Sein Leben wird eine Fülle aller Genüsse, eine
Kette der Wollust und seine Religion der eigentliche, echte Naturalis-
mus sein.»

Unter dieser Rede hatte sich der Lehrer mit seinen Lehrlingen der Ge-
sellschaft genähert. Die Reisenden standen auf und begrüßten ihn ehr-
furchtsvoll. Eine erfrischende Kühlung verbreitete sich aus den dun-
keln Laubgängen über den Platz und die Stufen. Der Lehrer ließ einen
jener seltnen leuchtenden Steine bringen, die man Karfunkel nennt,
und ein hellrotes, kräftiges Licht goß sich über die verschiednen Ge-
stalten und Kleidungen aus. Es entspann sich bald eine freundliche
Mitteilung unter ihnen. Während eine Musik aus der Ferne sich hören
ließ und eine kühlende Flamme aus Kristallschalen in die Lippen der
Sprechenden hineinloderte, erzählten die Fremden merkwürdige Erin-
nerungen ihrer weiten Reisen. Voll Sehnsucht und Wißbegierde hat-
ten sie sich aufgemacht, um die Spuren jenes verloren gegangenen Ur-
volks zu suchen, dessen entartete und verwilderte Reste die heutige
Menschheit zu sein schiene, dessen hoher Bildung sie noch die wich-
tigsten und unentbehrlichsten Kenntnisse und Werkzeuge zu dan-
ken hat. Vorzüglich hatte sie jene heilige Sprache gelockt, die das
glänzende Band jener königlichen Menschen mit überirdischen Gegen-
den und Bewohnern gewesen war, und von der einige Worte, nach
dem Verlaut mannigfaltiger Sagen, noch im Besitz einiger glücklichen
Weisen unter unsern Vorfahren gewesen sein mögen. Ihre Aussprache
war ein wunderbarer Gesang, dessen unwiderstehliche Töne tief in das
Innere jeder Natur eindrangen und sie zerlegten. Jeder ihrer Namen
schien das Losungswort für die Seele jedes Naturkörpers. Mit schöp-
ferischer Gewalt erregten diese Schwingungen alle Bilder der Welter-
scheinungen, und von ihnen konnte man mit Recht sagen, daß das
Leben des Universums ein ewiges tausendstimmiges Gespräch sei;
denn in ihrem Sprechen schienen alle Kräfte, alle Arten der Tätigkeit

auf das Unbegreiflichste vereinigt zu sein. Die Trümmer dieser Sprache, wenigstens alle Nachrichten von ihr, aufzusuchen, war ein Hauptzweck ihrer Reise gewesen, und der Ruf des Altertums hatte sie auch nach Sais gezogen. Sie hofften hier von den erfahrnen Vorstehern des Tempelarchivs wichtige Nachrichten zu erhalten, und vielleicht in den großen Sammlungen aller Art selbst Aufschlüsse zu finden. Sie baten den Lehrer um die Erlaubnis, eine Nacht im Tempel schlafen, und seinen Lehrstunden einige Tage beiwohnen zu dürfen. Sie erhielten was sie wünschten, und freuten sich innig, wie der Lehrer aus dem Schatze seiner Erfahrungen ihre Erzählungen mit mannigfaltigen Bemerkungen begleitete, und eine Reihe lehrreicher und anmutiger Geschichten und Beschreibungen vor ihnen entwickelte. Endlich kam er auch auf das Geschäft seines Alters, den unterschiednen Natursinn in jungen Gemütern zu erwecken, zu üben, zu schärfen und ihn mit den andern Anlagen zu höheren Blüten und Früchten zu verknüpfen.

«Ein Verkündiger der Natur zu sein, ist ein schönes und heiliges Amt», sagte der Lehrer. «Nicht der bloße Umfang und Zusammenhang der Kenntnisse, nicht die Gabe, diese Kenntnisse leicht und rein an bekannte Begriffe und Erfahrungen anzuknüpfen, und die eigentümlichen fremd klingenden Worte mit gewöhnlichen Ausdrücken zu vertauschen, selbst nicht die Geschicklichkeit einer reichen Einbildungskraft, die Naturerscheinungen in leicht faßliche und treffend beleuchtete Gemälde zu ordnen, die entweder durch den Reiz der Zusammenstellung und den Reichtum des Inhalts die Sinne spannen und befriedigen, oder den Geist durch eine tiefe Bedeutung entzücken, alles dies macht noch nicht das echte Erfordernis eines Naturkündigers aus. Wem es um etwas anders zu tun ist, als um die Natur, dem ist es vielleicht genug, aber wer eine innige Sehnsucht nach der Natur spürt, wer in ihr alles sucht, und gleichsam ein empfindliches Werkzeug ihres geheimen Tuns ist, der wird nur den für seinen Lehrer und für den Vertrauten der Natur erkennen, der mit Andacht und Glauben von ihr spricht, dessen Reden die wunderbare, unnachahmliche Eindringlichkeit und Unzertrennlichkeit haben, durch die sich wahre Evangelia, wahre Eingebungen ankündigen. Die ursprünglich günstige Anlage eines solchen natürlichen Gemüts muß durch unablässigen Fleiß von Jugend auf, durch Einsamkeit und Stillschweigen, weil vieles Reden sich nicht mit der steten Aufmerksamkeit verträgt, die ein solcher anwenden muß, durch kindliches, bescheidnes Wesen und unermüdliche Geduld unterstützt und ausgebildet sein. Die Zeit läßt sich nicht bestimmen, wie bald einer ihrer Geheimnisse teilhaftig wird. Manche Beglückte gelangten früher, manche erst im hohen Alter dazu. Ein wah-

rer Forscher wird nie alt, jeder ewige Trieb ist außer dem Gebiete der Lebenszeit, und je mehr die äußere Hülle verwittert, desto heller und glänzender und mächtiger wird der Kern. Auch haftet diese Gabe nicht an äußerer Schönheit, oder Kraft, oder Einsicht, oder irgendeinem menschlichen Vorzug. In allen Ständen, unter jedem Alter und Geschlecht, in allen Zeitaltern und unter jedem Himmelsstriche hat es Menschen gegeben, die von der Natur zu ihren Lieblingen ausersehn und durch inneres Empfängnis beglückt waren. Oft schienen diese Menschen einfältiger und ungeschickter zu sein als andere, und blieben ihr ganzes Leben hindurch in der Dunkelheit des großen Haufens. Es ist sogar als eine rechte Seltenheit zu achten, wenn man das wahre Naturverständnis bei großer Beredsamkeit, Klugheit und einem prächtigen Betragen findet, da es gemeiniglich die einfachen Worte, den geraden Sinn und ein schlichtes Wesen hervorbringt oder begleitet. In den Werkstätten der Handwerker und Künstler, und da, wo die Menschen in vielfältigem Umgang und Streit mit der Natur sind, als da ist beim Ackerbau, bei der Schiffahrt, bei der Viehzucht, bei den Erzgruben, und so bei vielen andern Gewerben, scheint die Entwicklung dieses Sinns am leichtesten und öftersten stattzufinden. Wenn jede Kunst in der Erkenntnis der Mittel, einen gesuchten Zweck zu erreichen, eine bestimmte Wirkung und Erscheinung hervorzubringen, und in der Fertigkeit, diese Mittel zu wählen und anzuwenden, besteht, so muß derjenige, der den innern Beruf fühlt, das Naturverständnis mehrerer Menschen gemein zu machen, diese Anlage in den Menschen vorzüglich zu entwickeln und zu pflegen, zuerst auf die natürlichen Anlässe dieser Entwicklung sorgfältig zu achten und die Grundzüge dieser Kunst der Natur abzulernen suchen. Mit Hülfe dieser erlangten Einsichten wird er sich ein System der Anwendung dieser Mittel bei jedem gegebenen Individuum, auf Versuche, Zergliederung und Vergleichung gegründet, bilden, sich dieses System bis zur andern Natur aneignen, und dann mit Enthusiasmus sein belohnendes Geschäft anfangen. Nur diesen wird man mit Recht einen Lehrer der Natur nennen können, da jeder andre bloße Naturalist nur zufällig und sympathetisch, wie ein Naturerzeugnis selbst, den Sinn für die Natur erwecken wird.»

DIE CHRISTENHEIT ODER EUROPA

[1799]

Es waren schöne glänzende Zeiten, wo Europa ein christliches Land war, wo Eine Christenheit diesen menschlich gestalteten Weltteil bewohnte; Ein großes gemeinschaftliches Interesse verband die entlegensten Provinzen dieses weiten geistlichen Reichs. — Ohne große weltliche Besitztümer lenkte und vereinigte Ein Oberhaupt die großen politischen Kräfte. — Eine zahlreiche Zunft, zu der jedermann den Zutritt hatte, stand unmittelbar unter demselben und vollführte seine Winke und strebte mit Eifer seine wohltätige Macht zu befestigen. Jedes Glied dieser Gesellschaft wurde allenthalben geehrt, und wenn die gemeinen Leute Trost oder Hülfe, Schutz oder Rat bei ihm suchten und gerne dafür seine mannigfaltigen Bedürfnisse reichlich versorgten, so fand es auch bei den Mächtigeren Schutz, Ansehn und Gehör, und alle pflegten diese auserwählten, mit wunderbaren Kräften ausgerüsteten Männer wie Kinder des Himmels, deren Gegenwart und Zuneigung mannigfachen Segen verbreitete. Kindliches Zutrauen knüpfte die Menschen an ihre Verkündigungen. — Wie heiter konnte jedermann sein irdisches Tagewerk vollbringen, da ihm durch diese heilige Menschen eine sichere Zukunft bereitet und jeder Fehltritt durch sie vergeben, jede mißfarbige Stelle des Lebens durch sie ausgelöscht und geklärt wurde. Sie waren die erfahrnen Steuerleute auf dem großen unbekannten Meere, in deren Obhut man alle Stürme geringschätzen und zuversichtlich auf eine sichre Gelangung und Landung an der Küste der eigentlichen vaterländischen Welt rechnen durfte.

Die wildesten, gefräßigsten Neigungen mußten der Ehrfurcht und dem Gehorsam gegen ihre Worte weichen. Friede ging von ihnen aus. — Sie predigten nichts als Liebe zu der heiligen, wunderschönen Frau der Christenheit, die mit göttlichen Kräften versehen, jeden Gläubigen aus den schrecklichsten Gefahren zu retten bereit war. Sie erzählten von längst verstorbenen himmlischen Menschen, die durch Anhänglichkeit und Treue an jene selige Mutter und ihr himmlisches, freundliches Kind die Versuchung der irdischen Welt bestanden, zu göttlichen Ehren gelangt und nun schützende, wohltätige Mächte ihrer lebenden Brüder, willige Helfer in der Not, Vertreter menschlicher Gebrechen und wirksame Freunde der Menschheit am himmlischen Throne geworden waren. Mit welcher Heiterkeit verließ man die schönen Versammlungen in den geheimnisvollen Kirchen, die mit ermunternden

Bildern geschmückt, mit süßen Düften erfüllt und von heiliger erhebender Musik belebt waren. In ihnen wurden die geweihten Reste ehemaliger gottesfürchtiger Menschen dankbar, in köstlichen Behältnissen aufbewahrt. — Und an ihnen offenbarte sich die göttliche Güte und Allmacht, die mächtige Wohltätigkeit dieser glücklichen Frommen, durch herrliche Wunder und Zeichen. So bewahren liebende Seelen Locken oder Schriftzüge ihrer verstorbenen Geliebten und nähren die süße Glut damit, bis an den wiedervereinigenden Tod. Man sammelte mit inniger Sorgfalt überall, was diesen geliebten Seelen angehört hatte, und jeder pries sich glücklich, der eine so tröstliche Reliquie erhalten oder nur berühren konnte. Hin und wieder schien sich die himmlische Gnade vorzüglich auf ein seltsames Bild oder einen Grabhügel niedergelassen zu haben. — Dorthin strömten aus allen Gegenden Menschen mit schönen Gaben und brachten himmlische Gegengeschenke: Frieden der Seele und Gesundheit des Leibes, zurück. Emsig suchte diese mächtige friedenstiftende Gesellschaft alle Menschen dieses schönen Glaubens teilhaftig zu machen, und sandte ihre Genossen in alle Weltteile, um überall das Evangelium des Lebens zu verkündigen und das Himmelreich zum einzigen Reiche auf dieser Welt zu machen. Mit Recht widersetzte sich das weise Oberhaupt der Kirche frechen Ausbildungen menschlicher Anlagen auf Kosten des heiligen Sinns und unzeitigen gefährlichen Entdeckungen im Gebiete des Wissens. So wehrte er den kühnen Denkern öffentlich zu behaupten, daß die Erde ein unbedeutender Wandelstern sei, denn er wußte wohl, daß die Menschen mit der Achtung für ihren Wohnsitz und ihr irdisches Vaterland auch die Achtung vor der himmlischen Heimat und ihrem Geschlecht verlieren und das eingeschränkte Wissen dem unendlichen Glauben vorziehn und sich gewöhnen würden, alles Große und Wunderwürdige zu verachten und als tote Gesetzwirkung zu betrachten. An seinem Hofe versammelten sich alle klugen und ehrwürdigen Menschen aus Europa. Alle Schätze flossen dahin, das zerstörte Jerusalem hatte sich gerächt, und Rom selbst war Jerusalem, die heilige Residenz der göttlichen Regierung auf Erden geworden. Fürsten legten ihre Streitigkeiten dem Vater der Christenheit vor, willig ihm ihre Kronen und ihre Herrlichkeit zu Füßen, ja sie achteten es sich zum Ruhm, als Mitglieder dieser hohen Zunft den Abend ihres Lebens in göttlichen Betrachtungen zwischen einsamen Klostermauern zu beschließen. Wie wohltätig, wie angemessen der innern Natur der Menschen diese Regierung, diese Einrichtung war, zeigte das gewaltige Emporstreben aller andern menschlichen Kräfte, die harmonische Entwicklung aller Anlagen; die ungeheure Höhe, die einzelne Menschen in allen Fächern der Wissenschaften des Lebens und der Künste erreichten, und der überall blühende Han-

delsverkehr mit geistigen und irdischen Waren in dem Umkreis von Europa und bis in das fernste Indien hinaus. —

Das waren die schönen wesentlichen Züge der echtkatholischen oder echtchristlichen Zeiten. Noch war die Menschheit für dieses herrliche Reich nicht reif, nicht gebildet genug. Es war eine erste Liebe, die im Drucke des Geschäftslebens entschlummerte, deren Andenken durch eigennützige Sorgen verdrängt, und deren Band nachher als Trug und Wahn ausgeschrien und nach spätern Erfahrungen beurteilt, — auf immer von einem großen Teil der Europäer zerrissen wurde. Diese innere große Spaltung, die zerstörende Kriege begleiteten, war ein merkwürdiges Zeichen der Schädlichkeit der Kultur für den Sinn des Unsichtbaren, wenigstens einer temporellen Schädlichkeit der Kultur einer gewissen Stufe. Vernichtet kann jener unsterbliche Sinn nicht werden, aber getrübt, gelähmt, von andern Sinnen verdrängt. — Eine längere Gemeinschaft der Menschen vermindert die Neigungen, den Glauben an ihr Geschlecht, und gewöhnt sie ihr ganzes Dichten und Trachten den Mitteln des Wohlbefindens allein zuzuwenden, die Bedürfnisse und die Künste ihrer Befriedigung werden verwickelter, der habsüchtige Mensch hat so viel Zeit nötig, sich mit ihnen bekannt zu machen und Fertigkeiten in ihnen sich zu erwerben, daß keine Zeit zum stillen Sammeln des Gemüts, zur aufmerksamen Betrachtung der innern Welt übrigbleibt. — In Kollisionsfällen scheint ihm das gegenwärtige Interesse näherzuliegen, und so fällt die schöne Blüte seiner Jugend, Glauben und Liebe, ab und macht den derbern Früchten, Wissen und Haben, Platz. Man gedenkt des Frühlings im Spätherbst wie eines kindischen Traums und hofft mit kindischer Einfalt, die vollen Speicher sollen auf immer aushalten. Eine gewisse Einsamkeit scheint dem Gedeihen der höhern Sinne notwendig zu sein, und daher muß ein zu ausgebreiteter Umgang der Menschen miteinander manchen heiligen Keim ersticken und die Götter, die den unruhigen Tumult zerstreuender Gesellschaften und die Verhandlungen kleinlicher Angelegenheiten fliehen, verscheuchen. Überdem haben wir ja mit Zeiten und Perioden zu tun, und ist diesen eine Oszillation, ein Wechsel entgegengesetzter Bewegungen nicht wesentlich? und ist diesen eine beschränkte Dauer nicht eigentümlich, ein Wachstum und Abnehmen nicht ihre Natur? aber auch eine Auferstehung, eine Verjüngung, in neuer, tüchtiger Gestalt, nicht auch von ihnen mit Gewißheit zu erwarten? Fortschreitende, immer mehr sich vergrößernde Evolutionen sind der Stoff der Geschichte. — Was jetzt nicht die Vollendung erreicht, wird sie bei einem künftigen Versuch erreichen oder bei einem abermaligen; vergänglich ist nichts, was die Geschichte ergriff, aus unzähligen Verwandlungen geht es in immer reicheren Gestalten erneut wieder hervor. Ein-

mal war doch das Christentum mit voller Macht und Herrlichkeit erschienen, bis zu einer neuen Weltinspiration herrschte seine Ruine, sein Buchstabe mit immer zunehmender Ohnmacht und Verspottung. Unendliche Trägheit lag schwer auf der sicher gewordenen Zunft der Geistlichkeit. Sie war stehngeblieben im Gefühl ihres Ansehns und ihrer Bequemlichkeit, während die Laien ihr unter den Händen Erfahrung und Gelehrsamkeit entwandt und mächtige Schritte auf dem Wege der Bildung vorausgetan hatten. In der Vergessenheit ihres eigentlichen Amts, die Ersten unter den Menschen an Geist, Einsicht und Bildung zu sein, waren ihnen die niedrigen Begierden zu Kopf gewachsen, und die Gemeinheit und Niedrigkeit ihrer Denkungsart wurde durch ihre Kleidung und ihren Beruf noch widerlicher. So fielen Achtung und Zutrauen, die Stützen dieses und jedes Reichs, allmählich weg, und damit war jene Zunft vernichtet, und die eigentliche Herrschaft Roms hatte lange vor der gewaltsamen Insurrektion stillschweigend aufgehört. Nur kluge, also auch nur zeitliche Maßregeln hielten den Leichnam der Verfassung noch zusammen und bewahrten ihn vor zu schleuniger Auflösung, wohin denn zum Beispiel die Abschaffung der Priesterehe vorzüglich gehörte. — Eine Maßregel, die analog angewandt auch dem ähnlichen Soldatenstand eine fürchterliche Konsistenz verleihen und sein Leben noch lange fristen könnte. Was war natürlicher, als daß endlich ein feuerfangender Kopf öffentlichen Aufstand gegen den despotischen Buchstaben der ehemaligen Verfassung predigte, und mit um so größerm Glück, da er selbst Zunftgenosse war. —

Mit Recht nannten sich die Insurgenten Protestanten, denn sie protestierten feierlich gegen jede Anmaßung einer unbequemen und unrechtmäßig scheinenden Gewalt über das Gewissen. Sie nahmen ihr stillschweigend abgegebenes Recht auf Religions-Untersuchung, -Bestimmung und -Wahl als vakant wieder einstweilen an sich zurück. Sie stellten auch eine Menge richtiger Grundsätze auf, führten eine Menge löblicher Dinge ein, und schafften eine Menge verderblicher Satzungen ab; aber sie vergaßen das notwendige Resultat ihres Prozesses; trennten das Untrennbare, teilten die unteilbare Kirche und rissen sich frevelnd aus dem allgemeinen christlichen Verein, durch welchen und in welchem allein die echte, dauernde Wiedergeburt möglich war. Der Zustand religiöser Anarchie darf nur vorübergehend sein, denn der notwendige Grund, eine Zahl Menschen lediglich diesem hohen Berufe zu widmen und diese Zahl Menschen unabhängig von der irdischen Gewalt in Rücksicht dieser Angelegenheiten zu machen, bleibt in fortdauernder Wirksamkeit und Gültigkeit. — Die Errichtung der Konsistorien und die Beibehaltung einer Art Geistlichkeit half diesem Bedürfnisse nicht ab und war kein zureichender Ersatz. Unglücklicher-

weise hatten sich die Fürsten in diese Spaltung gemischt, und viele benutzten diese Streitigkeiten zur Befestigung und Erweiterung ihrer landesherrlichen Gewalt und Einkünfte. Sie waren froh, jenes hohen Einflusses überhoben zu sein, und nahmen die neuen Konsistorien nun unter ihre landesväterliche Beschützung und Leitung. Sie waren eifrigst besorgt, die gänzliche Vereinigung der protestantischen Kirchen zu hindern, und so wurde die Religion irreligiöserweise in Staatsgrenzen eingeschlossen, und damit der Grund zur allmählichen Untergrabung des religiösen kosmopolitischen Interesses gelegt. So verlor die Religion ihren großen politischen friedestiftenden Einfluß, ihre eigentümliche Rolle des vereinigenden, individualisierenden Prinzips, der Christenheit. Der Religionsfriede ward nach ganz fehlerhaften und religionswidrigen Grundsätzen abgeschlossen, und durch die Fortsetzung des sogenannten Protestantismus etwas durchaus Widersprechendes — eine Revolutionsregierung permanent erklärt.

Indes liegt dem Protestantismus bei weitem nicht bloß jener reine Begriff zum Grunde, sondern Luther behandelte das Christentum überhaupt willkürlich, verkannte seinen Geist, und führte einen andern Buchstaben und eine andere Religion ein, nämlich die heilige Allgemeingültigkeit der Bibel, und damit wurde leider eine andere höchst fremde irdische Wissenschaft in die Religionsangelegenheit gemischt — die Philologie — deren auszehrender Einfluß von da an unverkennbar wird. Er wurde selbst aus dunkelm Gefühl dieses Fehlgriffs bei einem großen Teil der Protestanten zum Rang eines Evangelisten erhoben und seine Übersetzung kanonisiert.

Dem religiösen Sinn war diese Wahl höchst verderblich, da nichts seine Irritabilität so vernichtet wie der Buchstabe. Im ehemaligen Zustande hatte dieser bei dem großen Umfange, der Geschmeidigkeit und dem reichhaltigen Stoff des katholischen Glaubens, sowie der Esoterisierung der Bibel und der heiligen Gewalt der Konzilien und des geistlichen Oberhaupts, nie so schädlich werden können; jetzt aber wurden diese Gegenmittel vernichtet, die absolute Popularität der Bibel behauptet, und nun drückte der dürftige Inhalt, der rohe abstrakte Entwurf der Religion in diesen Büchern desto merklicher und erschwerte dem heiligen Geiste die freie Belebung, Eindringung und Offenbarung unendlich.

Daher zeigt uns auch die Geschichte des Protestantismus keine herrlichen großen Erscheinungen des Überirdischen mehr, nur sein Anfang glänzt durch ein vorübergehendes Feuer des Himmels, bald nachher ist schon die Vertrocknung des heiligen Sinns bemerklich; das Weltliche hat die Oberhand gewonnen, der Kunstsinn leidet sympathetisch mit, nur selten, daß hie und da ein gediegener, ewiger Lebensfunke

hervorspringt und eine kleine Gemeinde sich assimiliert. Er verlischt, und die Gemeinde fließt wieder auseinander und schwimmt mit dem Strome fort. So Zinzendorf, Jakob Böhme und mehrere. Die Moderatisten behalten die Oberhand, und die Zeit nähert sich einer gänzlichen Atonie der höhern Organe, der Periode des praktischen Unglaubens. Mit der Reformation war's um die Christenheit getan. Von nun an war keine mehr vorhanden. Katholiken und Protestanten oder Reformierte standen in sektirischer Abgeschnittenheit weiter voneinander als von Mohammedanern und Heiden. Die übriggebliebenen katholischen Staaten vegetierten fort, nicht ohne den schädlichen Einfluß der benachbarten protestantischen Staaten unmerklich zu fühlen. Die neuere Politik entstand erst in diesem Zeitpunkt, und einzelne mächtige Staaten suchten den vakanten Universalstuhl, in einen Thron verwandelt, in Besitz zu nehmen.

Den meisten Fürsten schien es eine Erniedrigung, sich nach einem ohnmächtigen Geistlichen zu genieren. — Sie fühlten zum erstenmal das Gewicht ihrer körperlichen Kraft auf Erden, sahen die himmlischen Mächte untätig bei Verletzung ihrer Repräsentanten, und suchten nun allgemach, ohne Aufsehn vor den noch eifrig päpstlich gesinnten Untertanen das lästige römische Joch abzuwerfen und sich unabhängig auf Erden zu machen. — Ihr unruhiges Gewissen beruhigten kluge Seelsorger, die nichts dabei verloren, daß ihre geistlichen Kinder die Disposition über das Kirchenvermögen sich anmaßten.

Zum Glück für die alte Verfassung tat sich jetzt ein neu entstandener Orden hervor, auf welchem der sterbende Geist der Hierarchie seine letzten Gaben ausgegossen zu haben schien, der mit neuer Kraft das Alte zurüstete und mit wunderbarer Einsicht und Beharrlichkeit, klüger als je vorher geschehen, sich des päpstlichen Reichs und seiner mächtigen Regeneration annahm. Noch war keine solche Gesellschaft in der Weltgeschichte anzutreffen gewesen. Mit größerer Sicherheit des Erfolgs hatte selbst der alte römische Senat nicht Pläne der Welteroberung entworfen. Mit größerem Verstand war an die Ausführung einer größeren Idee noch nicht gedacht worden. Ewig wird diese Gesellschaft ein Muster aller Gesellschaften sein, die eine organische Sehnsucht nach unendlicher Verbreitung und ewiger Dauer fühlen, — aber auch ewig ein Beweis, daß die unbewachte Zeit allein die klügsten Unternehmungen vereitelt und der natürliche Wachstum des ganzen Geschlechts unaufhaltsam den künstlichen Wachstum eines Teils unterdrückt. Alles einzelne für sich hat ein eigenes Maß von Fähigkeit, nur die Kapazität des Geschlechts ist unermeßlich. Alle Pläne müssen fehlschlagen, die nicht auf alle Anlagen des Geschlechts vollständig angelegte Pläne sind. Noch merkwürdiger wird diese Gesellschaft als Mutter der soge-

nannten geheimen Gesellschaften, eines jetzt noch unreifen, aber gewiß wichtigen geschichtlichen Keims. Einen gefährlicheren Nebenbuhler konnte der neue Lutheranismus, nicht Protestantismus, gewiß nicht erhalten. Alle Zauber des katholischen Glaubens wurden unter seiner Hand noch kräftiger, die Schätze der Wissenschaften flossen in seine Zelle zurück. Was in Europa verloren war, suchten sie in den andern Weltteilen, in dem fernsten Abend und Morgen, vielfach wiederzugewinnen und die apostolische Würde und Beruf sich zuzueignen und geltend zu machen. Auch sie blieben in den Bemühungen nach Popularität nicht zurück, und wußten wohl, wieviel Luther seinen demagogischen Künsten, seinem Studium des gemeinen Volks zu verdanken gehabt hatte. Überall legten sie Schulen an, drangen in die Beichtstühle, bestiegen die Katheder und beschäftigten die Pressen, wurden Dichter und Weltweise, Minister und Märtyrer, und blieben in der ungeheuren Ausdehnung von Amerika über Europa nach China in dem wunderbarsten Einverständnis der Tat und der Lehre. Aus ihren Schulen rekrutierten sie mit weiser Auswahl ihren Orden. Gegen die Lutheraner predigten sie mit zerstörendem Eifer und suchten die grausamste Vertilgung dieser Ketzer, als eigentlicher Genossen des Teufels, zur dringendsten Pflicht der katholischen Christenheit zu machen. Ihnen allein hatten die katholischen Staaten und insonderheit der päpstliche Stuhl ihr langes Überleben der Reformation zu danken gehabt, und wer weiß, wie alt die Welt noch aussehn würde, wenn nicht schwache Obere, Eifersucht der Fürsten und andern geistlichen Orden, Hofintrigen und andere sonderbare Umstände ihren kühnen Lauf unterbrochen und mit ihnen diese letzte Schutzwehr der katholischen Verfassung beinah vernichtet hätten. Jetzt schläft er, dieser furchtbare Orden, in armseliger Gestalt an den Grenzen von Europa, vielleicht daß er von daher sich, wie das Volk, das ihn beschützt, mit neuer Gewalt einst über seine alte Heimat, vielleicht unter anderm Namen, verbreitet.

Die Reformation war ein Zeichen der Zeit gewesen. Sie war für ganz Europa bedeutend, wenn sie gleich nur im wahrhaft freien Deutschland öffentlich ausgebrochen war. Die guten Köpfe aller Nationen waren heimlich mündig geworden und lehnten sich im täuschenden Gefühl ihres Berufs um desto dreister gegen verjährten Zwang auf. Aus Instinkt ist der Gelehrte Feind der Geistlichkeit nach alter Verfassung; der gelehrte und der geistliche Stand müssen Vertilgungskriege führen, wenn sie getrennt sind; denn sie streiten um Eine Stelle. Diese Trennung tat sich immer mehr hervor, und die Gelehrten gewannen desto mehr Feld, je mehr sich die Geschichte der europäischen Menschheit dem Zeitraum der triumphierenden Gelehrsamkeit

näherte, und Wissen und Glauben in eine entschiedenere Opposition traten. Im Glauben suchte man den Grund der allgemeinen Stockung, und durch das durchdringende Wissen hoffte man sie zu heben. Überall litt der heilige Sinn unter den mannigfachen Verfolgungen seiner bisherigen Art, seiner zeitigen Personalität. Das Resultat der modernen Denkungsart nannte man Philosophie und rechnete alles dazu, was dem Alten entgegen war, vorzüglich also jeden Einfall gegen die Religion. Der anfängliche Personalhaß gegen den katholischen Glauben ging allmählich in Haß gegen die Bibel, gegen den christlichen Glauben und endlich gar gegen die Religion über. Noch mehr — der Religionshaß dehnte sich sehr natürlich und folgerecht auf alle Gegenstände des Enthusiasmus aus, verketzerte Phantasie und Gefühl, Sittlichkeit und Kunstliebe, Zukunft und Vorzeit, setzte den Menschen in der Reihe der Naturwesen mit Not oben an, und machte die unendliche schöpferische Musik des Weltalls zum einförmigen Klappern einer ungeheuren Mühle, die vom Strom des Zufalls getrieben und auf ihm schwimmend, eine Mühle an sich, ohne Baumeister und Müller und eigentlich ein echtes Perpetuum mobile, eine sich selbst mahlende Mühle sei.

Ein Enthusiasmus ward großmütig dem armen Menschengeschlechte übrig gelassen und als Prüfstein der höchsten Bildung jedem Aktionär derselben unentbehrlich gemacht — der Enthusiasmus für diese herrliche, großartige Philosophie und insbesondere für ihre Priester und ihre Mystagogen. Frankreich war so glücklich, der Schoß und der Sitz dieses neuen Glaubens zu werden, der aus lauter Wissen zusammengeklebt war. So verschrien die Poesie in dieser neuen Kirche war, so gab es doch einige Poeten darunter, die des Effekts wegen noch des alten Schmucks und der alten Lichter sich bedienten, aber dabei in Gefahr kamen, das neue Weltsystem mit altem Feuer zu entzünden. Klügere Mitglieder wußten jedoch die schon warm gewordenen Zuhörer sogleich wieder mit kaltem Wasser zu begießen. Die Mitglieder waren rastlos beschäftigt, die Natur, den Erdboden, die menschlichen Seelen und die Wissenschaften von der Poesie zu säubern, — jede Spur des Heiligen zu vertilgen, das Andenken an alle erhebende Vorfälle und Menschen durch Sarkasmen zu verleiden und die Welt alles bunten Schmucks zu entkleiden. Das Licht war wegen seines mathematischen Gehorsams und seiner Freiheit ihr Liebling geworden. Sie freuten sich, daß es sich eher zerbrechen ließ, als daß es mit Farben gespielt hätte, und so benannten sie nach ihm ihr großes Geschäft, Aufklärung. In Deutschland betrieb man dieses Geschäft gründlicher, man reformierte das Erziehungswesen, man suchte der alten Religion einen neuern vernünftigen, gemeinern Sinn zu geben, indem man alles Wunderbare und Geheimnisvolle sorgfältig von ihr abwusch; alle

Gelehrsamkeit ward aufgeboten, um die Zuflucht zur Geschichte abzu-
schneiden, indem man die Geschichte zu einem häuslichen und bürger-
lichen Sitten- und Familiengemälde zu veredeln sich bemühte. — Gott
wurde zum müßigen Zuschauer des großen rührenden Schauspiels, das
die Gelehrten aufführten, gemacht, welcher am Ende die Dichter und
Spieler feierlich bewirten und bewundern sollte. Das gemeine Volk
wurde recht mit Vorliebe aufgeklärt, und zu jenem gebildeten Enthu-
siasmus erzogen, und so entstand eine neue europäische Zunft: die
Philanthropen und Aufklärer. Schade, daß die Natur so wunderbar
und unbegreiflich, so poetisch und unendlich blieb, allen Bemühungen
sie zu modernisieren zum Trotz. Duckte sich ja irgendwo ein alter Aber-
glaube an eine höhere Welt und sonst auf, so wurde gleich von allen
Seiten Lärm geblasen, und womöglich der gefährliche Funke durch
Philosophie und Witz in der Asche erstickt; dennoch war Toleranz
das Losungswort der Gebildeten, und besonders in Frankreich gleich-
bedeutend mit Philosophie. Höchst merkwürdig ist diese Geschichte des
modernen Unglaubens und der Schlüssel zu allen ungeheuren Phäno-
menen der neuern Zeit. Erst in diesem Jahrhundert und besonders in
seiner letzten Hälfte beginnt sie und wächst in kurzer Zeit zu einer
unübersehlichen Größe und Mannigfaltigkeit; eine zweite Reforma-
tion, eine umfassendere und eigentümlichere war unvermeidlich, und
mußte das Land zuerst treffen, das am meisten modernisiert war und
am längsten aus Mangel an Freiheit in asthenischem Zustande gelegen
hatte. Längst hätte sich das überirdische Feuer Luft gemacht und die
klugen Aufklärungspläne vereitelt, wenn nicht weltlicher Druck und
Einfluß denselben zustatten gekommen wären. In dem Augenblick
aber, wo ein Zwiespalt unter den Gelehrten und Regierungen, unter
den Feinden der Religion und ihrer ganzen Genossenschaft entstand,
mußte sie wieder als drittes tonangebendes vermittelndes Glied her-
vortreten, und diesen Hervortritt muß nun jeder Freund derselben
anerkennen und verkündigen, wenn er noch nicht merklich genug sein
sollte. Daß die Zeit der Auferstehung gekommen ist, und gerade die
Begebenheiten, die gegen ihre Belebung gerichtet zu sein schienen und
ihren Untergang zu vollenden drohten, die günstigsten Zeichen ihrer
Regeneration geworden sind, dieses kann einem historischen Gemüte
gar nicht zweifelhaft bleiben. Wahrhafte Anarchie ist das Zeugungs-
element der Religion. Aus der Vernichtung alles Positiven hebt sie ihr
glorreiches Haupt als neue Weltstifterin empor. Wie von selbst steigt
der Mensch gen Himmel auf, wenn ihn nichts mehr bindet, die hö-
hern Organe treten von selbst aus der allgemeinen gleichförmigen Mi-
schung und vollständigen Auflösung aller menschlichen Anlagen und
Kräfte als der Urkern der irdischen Gestaltung zuerst heraus. Der Geist

Gottes schwebt über den Wassern, und ein himmlisches Eiland wird als Wohnstätte der neuen Menschen, als Stromgebiet des ewigen Lebens zuerst sichtbar über den zurückströmenden Wogen.

Ruhig und unbefangen betrachte der echte Beobachter die neuen staatsumwälzenden Zeiten. Kommt ihm der Staatsumwälzer nicht wie Sisyphus vor? Jetzt hat er die Spitze des Gleichgewichts erreicht und schon rollt die mächtige Last auf der andern Seite wieder herunter. Sie wird nie oben bleiben, wenn nicht eine Anziehung gegen den Himmel sie auf der Höhe schwebend erhält. Alle eure Stützen sind zu schwach, wenn euer Staat die Tendenz nach der Erde behält, aber knüpft ihn durch eine höhere Sehnsucht an die Höhen des Himmels, gebt ihm eine Beziehung auf das Weltall, dann habt ihr eine nie ermüdende Feder in ihm und werdet eure Bemühungen reichlich gelohnt sehn. An die Geschichte verweise ich euch, forscht in ihrem belehrenden Zusammenhang nach ähnlichen Zeitpunkten und lernt den Zauberstab der Analogie gebrauchen. —

Soll die Revolution die französische bleiben, wie die Reformation die lutherische war? Soll der Protestantismus abermals widernatürlicherweise als revolutionäre Regierung fixiert werden? Sollen Buchstaben Buchstaben Platz machen? Sucht ihr den Keim des Verderbens auch in der alten Einrichtung, dem alten Geiste, und glaubt euch auf eine bessere Einrichtung, einen bessern Geist zu verstehn? O! daß der Geist der Geister euch erfüllte, und ihr abließet von diesem törichten Bestreben, die Geschichte und die Menschheit zu modeln, und eure Richtung ihr zu geben. Ist sie nicht selbständig, nicht eigenmächtig, so gut wie unendlich liebenswert und weissagend? Sie zu studieren, ihr nachzugehn, von ihr zu lernen, mit ihr gleichen Schritt zu halten, gläubig ihren Verheißungen und Winken zu folgen — daran denkt keiner.

In Frankreich hat man viel für die Religion getan, indem man ihr das Bürgerrecht genommen und ihr bloß das Recht der Hausgenossenschaft gelassen hat, und zwar nicht in Einer Person, sondern in allen ihren unzähligen individuellen Gestalten. Als eine fremde unscheinbare Waise muß sie erst die Herzen wiedergewinnen und schon überall geliebt sein, ehe sie wieder öffentlich angebetet und in weltliche Dinge zur freundschaftlichen Beratung und Stimmung der Gemüter gemischt wird. Historisch merkwürdig bleibt der Versuch jener großen eisernen Maske, die unter dem Namen Robespierre in der Religion den Mittelpunkt und die Kraft der Republik suchte; auch der Kaltsinn, womit die Theophilanthropie, dieser Mystizismus der neuern Aufklärung, aufgenommen worden ist; auch die neuen Eroberungen der Jesuiten; auch die Näherung ans Morgenland durch die neuern politischen Verhältnisse.

Von den übrigen europäischen Ländern, außer Deutschland, läßt sich nur prophezeien, daß mit dem Frieden ein neues höheres religiöses Leben in ihnen zu pulsieren *beginnen* und bald alles andere weltliche Interesse verschlingen wird. In Deutschland hingegen kann man schon mit voller Gewißheit die Spuren einer neuen Welt aufzeigen. Deutschland geht einen langsamen aber sichern Gang vor den übrigen europäischen Ländern voraus. Während diese durch Krieg, Spekulation und Parteigeist beschäftigt sind, bildet sich der Deutsche mit allem Fleiß zum Genossen einer höhern Epoche der Kultur, und dieser Vorschritt muß ihm ein großes Übergewicht über die andern im Lauf der Zeit geben. In Wissenschaften und Künsten wird man eine gewaltige Gärung gewahr. Unendlich viel Geist wird entwickelt. Aus neuen, frischen Fundgruben wird gefördert. — Nie waren die Wissenschaften in besseren Händen und erregten wenigstens größere Erwartungen; die verschiedensten Seiten der Gegenstände werden ausgespürt, nichts wird ungerüttelt, unbeurteilt, undurchsucht gelassen. Alles wird bearbeitet; die Schriftsteller werden eigentümlich und gewaltiger, jedes alte Denkmal der Geschichte, jede Kunst, jede Wissenschaft findet Freunde und wird mit neuer Liebe umarmt und fruchtbar gemacht. Eine Vielseitigkeit ohnegleichen, eine wunderbare Tiefe, eine glänzende Politur, vielumfassende Kenntnisse und eine reiche kräftige Phantasie findet man hie und da, und oft kühn gepaart. Eine gewaltige Ahndung der schöpferischen Willkür, der Grenzenlosigkeit, der unendlichen Mannigfaltigkeit, der heiligen Eigentümlichkeit und der Allfähigkeit der innern Menschheit scheint überall rege zu werden. Aus dem Morgentraum der unbehilflichen Kindheit erwacht, übt ein Teil des Geschlechts seine ersten Kräfte an Schlangen, die seine Wiege umschlingen und den Gebrauch seiner Gliedmaßen ihm benehmen wollen. Noch sind alles nur Andeutungen, unzusammenhängend und roh, aber sie verraten dem historischen Auge eine universelle Individualität, eine neue Geschichte, eine neue Menschheit, die süßeste Umarmung einer jungen überraschten Kirche und eines liebenden Gottes, und das innige Empfängnis eines neuen Messias in ihren tausend Gliedern zugleich. Wer fühlt sich nicht mit süßer Scham guter Hoffnung? Das Neugeborne wird das Abbild seines Vaters, eine neue goldne Zeit mit dunkeln unendlichen Augen, eine prophetische wundertätige und wundenheilende, tröstende und ewiges Leben entzündende Zeit sein — eine große Versöhnungszeit, ein Heiland, der wie ein echter Genius unter den Menschen einheimisch, nur geglaubt, nicht gesehen werden, und unter zahllosen Gestalten den Gläubigen sichtbar, als Brot und Wein verzehrt, als Geliebte umarmt, als Luft geatmet, als Wort und Gesang vernommen, und mit himmlischer Wollust als Tod unter den

höchsten Schmerzen der Liebe in das Innre des verbrausenden Leibes aufgenommen wird.

Jetzt stehn wir hoch genug, um auch jenen oberwähnten, vorhergegangenen Zeiten freundlich zuzulächeln und auch in jenen wunderlichen Torheiten merkwürdige Kristallisationen des historischen Stoffs zu erkennen. Dankbar wollen wir jenen Gelehrten und Philosophen die Hände drücken; denn dieser Wahn mußte zum Besten der Nachkommen erschöpft und die wissenschaftliche Ansicht der Dinge geltend gemacht werden. Reizender und farbiger steht die Poesie wie ein geschmücktes Indien dem kalten, toten Spitzbergen jenes Stubenverstandes gegenüber. Damit Indien in der Mitte des Erdballs so warm und herrlich sei, muß ein kaltes starres Meer, tote Klippen, Nebel statt des gestirnvollen Himmels und eine lange Nacht die beiden Enden unwirtbar machen. Die tiefe Bedeutung der Mechanik lag schwer auf diesen Anachoreten in den Wüsten des Verstandes; das Reizende der ersten Einsicht überwältigte sie, das Alte rächte sich an ihnen, sie opferten dem ersten Selbstbewußtsein das Heiligste und Schönste der Welt mit wunderbarer Verleugnung, und waren die Ersten, die wieder die Heiligkeit der Natur, die Unendlichkeit der Kunst, die Notwendigkeit des Wissens, die Achtung des Weltlichen und die Allgegenwart des wahrhaft Geschichtlichen durch die Tat anerkannten und verkündigten, und einer höhern, allgemeinern und furchtbarern Gespensterherrschaft, als sie selbst glaubten, ein Ende machten.

Erst durch genauere Kenntnis der Religion wird man jene fürchterlichen Erzeugnisse eines Religionsschlafs, jene Träume und Deliria des heiligen Organs besser beurteilen und dann erst die Wichtigkeit jenes Geschenks recht einsehn lernen. Wo keine Götter sind, walten Gespenster, und die eigentliche Entstehungszeit der europäischen Gespenster, die auch ihre Gestalt ziemlich vollständig erklärt, ist die Periode des Übergangs der griechischen Götterlehre in das Christentum. Also kommt auch, ihr Philanthropen und Enzyklopädisten, in die friedenstiftende Loge und empfangt den Bruderkuß, streift das graue Netz ab, und schaut mit junger Liebe die Wunderherrlichkeit der Natur, der Geschichte und der Menschheit an. Zu einem Bruder will ich euch führen, der soll mit euch reden, daß euch die Herzen aufgehn und ihr eure abgestorbene geliebte Ahndung mit neuem Leibe bekleidet, wieder umfaßt und erkennt, was euch vorschwebte und was der schwerfällige irdische Verstand freilich euch nicht haschen konnte.

Dieser Bruder ist der Herzschlag der neuen Zeit, wer ihn gefühlt hat, zweifelt nicht mehr an ihrem Kommen, und tritt mit süßem Stolz auf seine Zeitgenossenschaft auch aus dem Haufen hervor zu der neuen

Schar der Jünger. Er hat einen neuen Schleier für die Heilige gemacht, der ihren himmlischen Gliederbau anschmiegend verrät und doch sie züchtiger als ein andrer verhüllt. — Der Schleier ist für die Jungfrau, was der Geist für den Leib ist, ihr unentbehrliches Organ, dessen Falten die Buchstaben ihrer süßen Verkündigung sind; das unendliche Faltenspiel ist eine Chiffernmusik, denn die Sprache ist der Jungfrau zu hölzern und zu frech, nur zum Gesang öffnen sich ihre Lippen. Mir ist er nichts als der feierliche Ruf zu einer neuen Urversammlung, der gewaltige Flügelschlag eines vorüberziehenden englischen Herolds. Es sind die ersten Wehen, setze sich jeder in Bereitschaft zur Geburt!

Das Höchste in der Physik ist jetzt vorhanden, und wir können nun leichter die wissenschaftliche Zunft übersehn. Die Hilfsbedürftigkeit der äußern Wissenschaften ward in der letzten Zeit immer sichtbarer, je bekannter wir mit ihnen wurden. Die Natur fing an, immer dürftiger auszusehn, und wir sahen, deutlicher gewöhnt an den Glanz unserer Entdeckungen, daß es nur ein geborgtes Licht war, und daß wir mit den bekannten Werkzeugen und den bekannten Methoden nicht das Wesentliche, das Gesuchte finden und konstruieren würden. Jeder Forscher mußte sich gestehn, daß eine Wissenschaft nichts ohne die andere sei, und so entstanden Mystifikationsversuche der Wissenschaften, und das wunderliche Wesen der Philosophie flog jetzt als rein dargestelltes wissenschaftliches Element zu einer symmetrischen Grundfigur der Wissenschaften an. Andre brachten die konkreten Wissenschaften in neue Verhältnisse, beförderten einen lebhaften Verkehr derselben untereinander, und suchten ihre naturhistorische Klassifikation aufs reine zu bringen. So währt es fort, und es ist leicht zu ermessen, wie günstig dieser Umgang mit der äußern und innern Welt der höhern Bildung des Verstandes, der Kenntnis der erstern und der Erregung und Kultur der letztern sein muß, und wie unter diesen Umständen die Witterung sich klären und der alte Himmel und mit ihm die Sehnsucht nach ihm, die lebendige Astronomie, wieder zum Vorschein kommen muß.

Nun wollen wir uns zu dem politischen Schauspiel unsrer Zeit wenden. Alte und neue Welt sind im Kampf begriffen, die Mangelhaftigkeit und Bedürftigkeit der bisherigen Staatseinrichtungen sind in furchtbaren Phänomenen offenbar geworden. Frankreich verficht einen weltlichen Protestantismus. Sollten auch weltliche Jesuiten nun entstehn, und die Geschichte der letzten Jahrhunderte erneuert werden?

Wie wenn auch hier wie in den Wissenschaften eine nähere und mannigfaltigere Konnexion und Berührung der europäischen Staaten zunächst der historische Zweck des Krieges wäre, wenn eine neue Re-

gung des bisher schlummernden Europa ins Spiel käme, wenn Europa wieder erwachen wollte, wenn ein Staat der Staaten, eine politische Wissenschaftslehre, uns bevorstände! Sollte etwa die Hierarchie, diese symmetrische Grundfigur der Staaten, das Prinzip des Staatenvereins als intellektuale Anschauung des politischen Ichs sein? Es ist unmöglich, daß weltliche Kräfte sich selbst ins Gleichgewicht setzen, ein drittes Element, das weltlich und überirdisch zugleich ist, kann allein diese Aufgabe lösen. Unter den streitenden Mächten kann kein Friede geschlossen werden, aller Friede ist nur Illusion, nur Waffenstillstand; auf dem Standpunkt der Kabinetter, des gemeinen Bewußtseins ist keine Vereinigung denkbar. Beide Teile haben große, notwendige Ansprüche und müssen sie machen, getrieben vom Geiste der Welt und der Menschheit. Beide sind unvertilgbare Mächte der Menschenbrust; hier die Andacht zum Altertum, die Anhänglichkeit an die geschichtliche Verfassung, die Liebe zu den Denkmalen der Altväter und der alten glorreichen Staatsfamilie, und Freude des Gehorsams; dort das entzückende Gefühl der Freiheit, die unbedingte Erwartung mächtiger Wirkungskreise, die Lust am Neuen und Jungen, die zwanglose Berührung mit allen Staatsgenossen, der Stolz auf menschliche Allgemeingültigkeit, die Freude am persönlichen Recht und am Eigentum des Ganzen, und das kraftvolle Bürgergefühl. Keine hoffe die andre zu vernichten, alle Eroberungen wollen hier nichts sagen, denn die innerste Hauptstadt jedes Reichs liegt nicht hinter Erdwällen und läßt sich nicht erstürmen.

Wer weiß, ob des Kriegs genug ist, aber er wird nie aufhören, wenn man nicht den Palmenzweig ergreift, den allein eine geistliche Macht darreichen kann. Es wird solange Blut über Europa strömen, bis die Nationen ihren fürchterlichen Wahnsinn gewahr werden, der sie im Kreise herumtreibt, und von heiliger Musik getroffen und besänftigt zu ehemaligen Altären in bunter Vermischung treten, Werke des Friedens vornehmen, und ein großes Liebesmahl als Friedensfest auf den rauchenden Walstätten mit heißen Tränen gefeiert wird. Nur die Religion kann Europa wieder aufwecken und die Völker sichern, und die Christenheit mit neuer Herrlichkeit sichtbar auf Erden in ihr altes, friedenstiftendes Amt installieren.

Haben die Nationen alles vom Menschen — nur nicht sein Herz? — sein heiliges Organ? Werden sie nicht Freunde, wie diese, an den Särgen ihrer Lieben, vergessen sie nicht alles Feindliche, wenn das göttliche Mitleid zu ihnen spricht — und Ein Unglück, Ein Jammer, Ein Gefühl ihre Augen mit Tränen füllte? Ergreift sie nicht Aufopferung und Hingebung mit Allgewalt, und sehnen sie sich nicht, Freunde und Bundesgenossen zu sein?

Wo ist jener alte, liebe, alleinseligmachende Glaube an die Regierung Gottes auf Erden, wo ist jenes himmlische Zutrauen der Menschen zueinander, jene süße Andacht bei den Ergießungen eines gottbegeisterten Gemüts, jener allesumarmende Geist der Christenheit?

Das Christentum ist dreifacher Gestalt. Eine ist das Zeugungselement der Religion als Freude an aller Religion. Eine das Mittlertum überhaupt als Glaube an die Allfähigkeit alles Irdischen, Wein und Brot des ewigen Lebens zu sein. Eine der Glaube an Christus, seine Mutter und die Heiligen. Wählt, welche ihr wollt, wählt alle drei, es ist gleichviel, ihr werdet damit Christen und Mitglieder einer einzigen, ewigen, unaussprechlich glücklichen Gemeinde.

Angewandtes, lebendiggewordenes Christentum war der alte katholische Glaube, die letzte dieser Gestalten. Seine Allgegenwart im Leben, seine Liebe zur Kunst, seine tiefe Humanität, die Unverbrüchlichkeit seiner Ehen, seine menschenfreundliche Mitteilsamkeit, seine Freude an der Armut, Gehorsam und Treue machen ihn als echte Religion unverkennbar und enthalten die Grundzüge seiner Verfassung.

Er ist gereinigt durch den Strom der Zeiten; in inniger unteilbarer Verbindung mit den beiden andern Gestalten des Christentums wird er ewig diesen Erdboden beglücken.

Seine zufällige Form ist so gut wie vernichtet, das alte Papsttum liegt im Grabe, und Rom ist zum zweitenmal eine Ruine geworden. Soll der Protestantismus nicht endlich aufhören und einer neuen, dauerhaften Kirche Platz machen? Die andern Weltteile warten auf Europas Versöhnung und Auferstehung, um sich anzuschließen und Mitbürger des Himmelreichs zu werden. Sollte es nicht in Europa bald eine Menge wahrhaft heiliger Gemüter wieder geben, sollten nicht alle wahrhafte Religionsverwandte voll Sehnsucht werden, den Himmel auf Erden zu erblicken? und gern zusammentreten und heilige Chöre anstimmen?

Die Christenheit muß wieder lebendig und wirksam werden und sich wieder eine sichtbare Kirche ohne Rücksicht auf Landesgrenzen bilden, die alle nach dem Überirdischen durstige Seelen in ihren Schoß aufnimmt und gern Vermittlerin der alten und neuen Welt wird.

Sie muß das alte Füllhorn des Segens wieder über die Völker ausgießen. Aus dem heiligen Schoße eines ehrwürdigen europäischen Konziliums wird die Christenheit aufstehn, und das Geschäft der Religionserweckung nach einem allumfassenden, göttlichen Plane betrieben werden. Keiner wird dann mehr protestieren gegen christlichen und weltlichen Zwang, denn das Wesen der Kirche wird echte Freiheit sein, und alle nötigen Reformen werden unter der Leitung derselben als friedliche und förmliche Staatsprozesse betrieben werden.

Wann und wann eher? danach ist nicht zu fragen. Nur Geduld, sie wird, sie muß kommen, die heilige Zeit des ewigen Friedens, wo das neue Jerusalem die Hauptstadt der Welt sein wird; und bis dahin seid heiter und mutig in den Gefahren der Zeit, Genossen meines Glaubens, verkündigt mit Wort und Tat das göttliche Evangelium, und bleibt dem wahrhaften, unendlichen Glauben treu bis in den Tod.

HYMNEN AN DIE NACHT

[Athenäumsdruck]

Welcher Lebendige, Sinnbegabte, liebt nicht vor allen Wundererscheinungen des verbreiteten Raums um ihn, das allerfreuliche Licht — mit seinen Farben, seinen Strahlen und Wogen; seiner milden Allgegenwart, als weckender Tag. Wie des Lebens innerste Seele atmet es der rastlosen Gestirne Riesenwelt, und schwimmt tanzend in seiner blauen Flut — atmet es der funkelnde, ewigruhende Stein, die sinnige, saugende Pflanze, und das wilde, brennende, vielgestaltete Tier — vor allen aber der herrliche Fremdling mit den sinnvollen Augen, dem schwebenden Gange, und den zartgeschlossenen, tonreichen Lippen. Wie ein König der irdischen Natur ruft es jede Kraft zu zahllosen Verwandlungen, knüpft und löst unendliche Bündnisse, hängt sein himmlisches Bild jedem irdischen Wesen um. — Seine Gegenwart allein offenbart die Wunderherrlichkeit der Reiche der Welt.

Abwärts wend ich mich zu der heiligen, unaussprechlichen, geheimnisvollen Nacht. Fernab liegt die Welt — in eine tiefe Gruft versenkt — wüst und einsam ist ihre Stelle. In den Saiten der Brust weht tiefe Wehmut. In Tautropfen will ich hinuntersinken und mit der Asche mich vermischen. — Fernen der Erinnerung, Wünsche der Jugend, der Kindheit Träume, des ganzen langen Lebens kurze Freuden und vergebliche Hoffnungen kommen in grauen Kleidern, wie Abendnebel nach der Sonne Untergang. In andern Räumen schlug die lustigen Gezelte das Licht auf. Sollte es nie zu seinen Kindern wiederkommen, die mit der Unschuld Glauben seiner harren?

Was quillt auf einmal so ahndungsvoll unterm Herzen, und verschluckt der Wehmut weiche Luft? Hast auch du ein Gefallen an uns, dunkle Nacht? Was hältst du unter deinem Mantel, das mir unsichtbar kräftig an die Seele geht? Köstlicher Balsam träuft aus deiner Hand, aus dem Bündel Mohn. Die schweren Flügel des Gemüts hebst du empor. Dunkel und unaussprechlich fühlen wir uns bewegt — ein ernstes Antlitz seh ich froh erschrocken, das sanft und andachtsvoll sich zu mir neigt, und unter unendlich verschlungenen Locken der Mutter liebe Jugend zeigt. Wie arm und kindisch dünkt mir das Licht nun — wie erfreulich und gesegnet des Tages Abschied. — Also nur darum, weil die Nacht dir abwendig macht die Dienenden, säetest du in des Raumes Weiten die leuchtenden Kugeln, zu verkünden deine Allmacht — deine Wiederkehr — in den Zeiten deiner Entfernung. Himm-

lischer, als jene blitzenden Sterne, dünken uns die unendlichen Augen, die die Nacht in uns geöffnet. Weiter sehn sie als die blässesten jener zahllosen Heere — unbedürftig des Lichts durchschaun sie die Tiefen eines liebenden Gemüts — was einen höhern Raum mit unsäglicher Wollust füllt. Preis der Weltkönigin, der hohen Verkündigerin heiliger Welten, der Pflegerin seliger Liebe — sie sendet mir dich — zarte Geliebte — liebliche Sonne der Nacht, — nun wach ich — denn ich bin Dein und Mein — du hast die Nacht mir zum Leben verkündet — mich zum Menschen gemacht — zehre mit Geisterglut meinen Leib, daß ich luftig mit dir inniger mich mische und dann ewig die Brautnacht währt.

2

Muß immer der Morgen wiederkommen? Endet nie des Irdischen Gewalt? Unselige Geschäftigkeit verzehrt den himmlischen Anflug der Nacht. Wird nie der Liebe geheimes Opfer ewig brennen? Zugemessen ward dem Lichte seine Zeit; aber zeitlos und raumlos ist der Nacht Herrschaft. — Ewig ist die Dauer des Schlafs. Heiliger Schlaf — beglükke zu selten nicht der Nacht Geweihte in diesem irdischen Tagewerk. Nur die Toren verkennen dich und wissen von keinem Schlafe, als dem Schatten, den du in jener Dämmerung der wahrhaften Nacht mitleidig auf uns wirfst. Sie fühlen dich nicht in der goldenen Flut der Trauben — in des Mandelbaums Wunderöl, und dem braunen Safte des Mohns. Sie wissen nicht, daß du es bist, der des zarten Mädchens Busen umschwebt und zum Himmel den Schoß macht — ahnden nicht, daß aus alten Geschichten du himmelöffnend entgegentrittst und den Schlüssel trägst zu den Wohnungen der Seligen, unendlicher Geheimnisse schweigender Bote.

3

Einst da ich bittre Tränen vergoß, da in Schmerz aufgelöst meine Hoffnung zerrann, und ich einsam stand am dürren Hügel, der in engen, dunkeln Raum die Gestalt meines Lebens barg — einsam, wie noch kein Einsamer war, von unsäglicher Angst getrieben — kraftlos, nur ein Gedanken des Elends noch. — Wie ich da nach Hülfe umherschaute, vorwärts nicht konnte und rückwärts nicht, und am fliehenden, verlöschten Leben mit unendlicher Sehnsucht hing: — da kam aus blauen Fernen — von den Höhen meiner alten Seligkeit ein Dämmerungsschauer — und mit einemmale riß das Band der Geburt — des Lichtes Fessel. Hin floh die irdische Herrlichkeit und meine Trauer mit ihr —

zusammen floß die Wehmut in eine neue, unergründliche Welt — du Nachtbegeisterung, Schlummer des Himmels kamst über mich — die Gegend hob sich sacht empor; über der Gegend schwebte mein entbundner, neugeborner Geist. Zur Staubwolke wurde der Hügel — durch die Wolke sah ich die verklärten Züge der Geliebten. In Ihren Augen ruhte die Ewigkeit — ich faßte Ihre Hände, und die Tränen wurden ein funkelndes, unzerreißliches Band. Jahrtausende zogen abwärts in die Ferne, wie Ungewitter. An Ihrem Halse weint ich dem neuen Leben entzückende Tränen. — Es war der erste, einzige Traum — und erst seitdem fühl ich ewigen, unwandelbaren Glauben an den Himmel der Nacht und sein Licht, die Geliebte.

4

Nun weiß ich, wenn der letzte Morgen sein wird — wenn das Licht nicht mehr die Nacht und die Liebe scheucht — wenn der Schlummer ewig und nur Ein unerschöpflicher Traum sein wird. Himmlische Müdigkeit fühl ich in mir. — Weit und ermüdend ward mir die Wallfahrt zum heiligen Grabe, drückend das Kreuz. Die kristallene Woge, die gemeinen Sinnen unvernehmlich, in des Hügels dunkeln Schoß quillt, an dessen Fuß die irdische Flut bricht, wer sie gekostet, wer oben stand auf dem Grenzgebürge der Welt, und hinübersah in das neue Land, in der Nacht Wohnsitz — wahrlich der kehrt nicht in das Treiben der Welt zurück, in das Land, wo das Licht in ewiger Unruh hauset.

Oben baut er sich Hütten, Hütten des Friedens, sehnt sich und liebt, schaut hinüber, bis die willkommenste aller Stunden hinunter ihn in den Brunnen der Quelle zieht — das Irdische schwimmt obenauf, wird von Stürmen zurückgeführt, aber was heilig durch der Liebe Berührung ward, rinnt aufgelöst in verborgenen Gängen auf das jenseitige Gebiet, wo es, wie Düfte, sich mit entschlummerten Lieben mischt.

Noch weckst du, muntres Licht den Müden zur Arbeit — flößest fröhliches Leben mir ein — aber du lockst mich von der Erinnerung moosigem Denkmal nicht. Gern will ich die fleißigen Hände rühren, überall umschaun, wo du mich brauchst — rühmen deines Glanzes volle Pracht — unverdrossen verfolgen deines künstlichen Werks schönen Zusammenhang — gern betrachten deiner gewaltigen, leuchtenden Uhr sinnvollen Gang — ergründen der Kräfte Ebenmaß und die Regeln des Wunderspiels unzähliger Räume und ihrer Zeiten. Aber getreu der Nacht bleibt mein geheimes Herz, und der schaffenden Liebe, ihrer Tochter. Kannst du mir zeigen ein ewig treues Herz? Hat deine Sonne freundliche Augen, die mich erkennen? Fassen deine Sterne

meine verlangende Hand? Geben mir wieder den zärtlichen Druck und das kosende Wort? Hast du mit Farben und leichtem Umriß Sie geziert — oder war Sie es, die deinem Schmuck höhere, liebere Bedeutung gab? Welche Wollust, welchen Genuß bietet dein Leben, die aufwögen des Todes Entzückungen? Trägt nicht alles, was uns begeistert, die Farbe der Nacht? Sie trägt dich mütterlich und ihr verdankst du all deine Herrlichkeit. Du verflögst in dir selbst — in endlosen Raum zergingst du, wenn sie dich nicht hielte, dich nicht bände, daß du warm würdest und flammend die Welt zeugtest. Wahrlich ich war, eh du warst — die Mutter schickte mit meinen Geschwistern mich, zu bewohnen deine Welt, sie zu heiligen mit Liebe, daß sie ein ewig angeschautes Denkmal werde — zu bepflanzen sie mit unverwelklichen Blumen. Noch reiften sie nicht diese göttlichen Gedanken — Noch sind der Spuren unserer Offenbarung wenig — Einst zeigt deine Uhr das Ende der Zeit, wenn du wirst wie unser einer, und voll Sehnsucht und Inbrunst auslöschest und stirbst. In mir fühl ich deiner Geschäftigkeit Ende — himmlische Freiheit, selige Rückkehr. In wilden Schmerzen erkenn ich deine Entfernung von unsrer Heimat, deinen Widerstand gegen den alten, herrlichen Himmel. Deine Wut und dein Toben ist vergebens. Unverbrennlich steht das Kreuz — eine Siegesfahne unsers Geschlechts.

Hinüber wall ich,
Und jede Pein
Wird einst ein Stachel
Der Wollust sein.
Noch wenig Zeiten,
So bin ich los,
Und liege trunken
Der Lieb' im Schoß.
Unendliches Leben
Wogt mächtig in mir
Ich schaue von oben
Herunter nach dir.
An jenem Hügel
Verlischt dein Glanz —

Ein Schatten bringet
Den kühlenden Kranz.
O! sauge, Geliebter,
Gewaltig mich an,
Daß ich entschlummern
Und lieben kann.
Ich fühle des Todes
Verjüngende Flut,
Zu Balsam und Äther
Verwandelt mein Blut —
Ich lebe bei Tage
Voll Glauben und Mut
Und sterbe die Nächte
In heiliger Glut.

Über der Menschen weitverbreitete Stämme herrschte vor Zeiten ein
eisernes Schicksal mit stummer Gewalt. Eine dunkle, schwere Binde
lag um ihre bange Seele — Unendlich war die Erde — der Götter Auf-
enthalt, und ihre Heimat. Seit Ewigkeiten stand ihr geheimnisvoller
Bau. Über des Morgens roten Bergen, in des Meeres heiligem Schoß
wohnte die Sonne, das allzündende, lebendige Licht.

Ein alter Riese trug die selige Welt. Fest unter Bergen lagen die Ur-
söhne der Mutter Erde. Ohnmächtig in ihrer zerstörenden Wut gegen
das neue herrliche Göttergeschlecht und dessen Verwandten, die fröh-
lichen Menschen. Des Meers dunkle, grüne Tiefe war einer Göttin Schoß.
In den kristallenen Grotten schwelgte ein üppiges Volk. Flüsse, Bäume,
Blumen und Tiere hatten menschlichen Sinn. Süßer schmeckte der Wein
von sichtbarer Jugendfülle geschenkt — ein Gott in den Trauben — eine
liebende, mütterliche Göttin, empor wachsend in vollen goldenen Gar-
ben — der Liebe heilger Rausch ein süßer Dienst der schönsten Götter-
frau — ein ewig buntes Fest der Himmelskinder und der Erdbewohner
rauschte das Leben, wie ein Frühling, durch die Jahrhunderte hin —
Alle Geschlechter verehrten kindlich die zarte, tausendfältige Flamme,
als das höchste der Welt. Ein Gedanke nur war es, Ein entsetzliches
Traumbild,

> Das furchtbar zu den frohen Tischen trat
> Und das Gemüt in wilde Schrecken hüllte.
> Hier wußten selbst die Götter keinen Rat,
> Der die beklommne Brust mit Trost erfüllte.
> Geheimnisvoll war dieses Unholds Pfad
> Des Wut kein Flehn und keine Gabe stillte;
> Es war der Tod, der dieses Lustgelag
> Mit Angst und Schmerz und Tränen unterbrach.
>
> Auf ewig nun von allem abgeschieden,
> Was hier das Herz in süßer Wollust regt,
> Getrennt von den Geliebten, die hinieden
> Vergebne Sehnsucht, langes Weh bewegt,
> Schien matter Traum dem Toten nur beschieden,
> Ohnmächtges Ringen nur ihm auferlegt.
> Zerbrochen war die Woge des Genusses
> Am Felsen des unendlichen Verdrusses.

Mit kühnem Geist und hoher Sinnenglut
Verschönte sich der Mensch die grause Larve,
Ein sanfter Jüngling löscht das Licht und ruht —
Sanft wird das Ende, wie ein Wehn der Harfe.
Erinnrung schmilzt in kühler Schattenflut,
So sang das Lied dem traurigen Bedarfe.
Doch unenträtselt blieb die ewge Nacht,
Das ernste Zeichen einer fernen Macht.

Zu Ende neigte die alte Welt sich. Des jungen Geschlechts Lustgarten verwelkte — hinauf in den freieren, wüsten Raum strebten die unkindlichen, wachsenden Menschen. Die Götter verschwanden mit ihrem Gefolge — Einsam und leblos stand die Natur. Mit eiserner Kette band sie die dürre Zahl und das strenge Maß. Wie in Staub und Lüfte zerfiel in dunkle Worte die unermeßliche Blüte des Lebens. Entflohn war der beschwörende Glauben, und die allverwandelnde, allverschwisternde Himmelsgenossin, die Phantasie. Unfreundlich blies ein kalter Nordwind über die erstarrte Flur, und die erstarrte Wunderheimat verflog in den Äther. Des Himmels Fernen füllten mit leuchtenden Welten sich. Ins tiefre Heiligtum, in des Gemüts höhern Raum zog mit ihren Mächten die Seele der Welt — zu walten dort bis zum Anbruch der tagenden Weltherrlichkeit. Nicht mehr war das Licht der Götter Aufenthalt und himmlisches Zeichen — den Schleier der Nacht warfen sie über sich. Die Nacht ward der Offenbarungen mächtiger Schoß — in ihn kehrten die Götter zurück — schlummerten ein, um in neuen herrlichern Gestalten auszugehn über die veränderte Welt. Im Volk, das vor allen verachtet zu früh reif und der seligen Unschuld der Jugend trotzig fremd geworden war, erschien mit niegesehenem Angesicht die neue Welt — In der Armut dichterischer Hütte — Ein Sohn der ersten Jungfrau und Mutter — Geheimnisvoller Umarmung unendliche Frucht. Des Morgenlands ahndende, blütenreiche Weisheit erkannte zuerst der neuen Zeit Beginn — Zu des Königs demütiger Wiege wies ihr ein Stern den Weg. In der weiten Zukunft Namen huldigten sie ihm mit Glanz und Duft, den höchsten Wundern der Natur. Einsam entfaltete das himmlische Herz sich zu einem Blütenkelch allmächtiger Liebe — des Vaters hohem Antlitz zugewandt und ruhend an dem ahndungsselgen Busen der lieblich ernsten Mutter. Mit vergötternder Inbrunst schaute das weissagende Auge des blühenden Kindes auf die Tage der Zukunft, nach seinen Geliebten, den Sprossen seines Götterstamms, unbekümmert über seiner Tage irdisches Schicksal. Bald sammelten die kindlichsten Gemüter von inniger Liebe wundersam ergriffen sich um ihn her. Wie Blumen keimte ein neues fremdes Leben in

seiner Nähe. Unerschöpfliche Worte und der Botschaften fröhlichste fielen wie Funken eines göttlichen Geistes von seinen freundlichen Lippen. Von ferner Küste, unter Hellas heiterm Himmel geboren, kam ein Sänger nach Palästina und ergab sein ganzes Herz dem Wunderkinde:

«Der Jüngling bist du, der seit langer Zeit
Auf unsern Gräbern steht in tiefen Sinnen;
Ein tröstlich Zeichen in der Dunkelheit —
Der höhern Menschheit freudiges Beginnen.
Was uns gesenkt in tiefe Traurigkeit
Zieht uns mit süßer Sehnsucht nun von hinnen.
Im Tode ward das ewge Leben kund,
Du bist der Tod und machst uns erst gesund.»

Der Sänger zog voll Freudigkeit nach Indostan — das Herz von süßer Liebe trunken; und schüttete in feurigen Gesängen es unter jenem milden Himmel aus, daß tausend Herzen sich zu ihm neigten, und die fröhliche Botschaft tausendzweigig emporwuchs. Bald nach des Sängers Abschied ward das köstliche Leben ein Opfer des menschlichen tiefen Verfalls — Er starb in jungen Jahren, weggerissen von der geliebten Welt, von der weinenden Mutter und seinen zagenden Freunden. Der unsäglichen Leiden dunkeln Kelch leerte der liebliche Mund — In entsetzlicher Angst nahte die Stunde der Geburt der neuen Welt. Hart rang er mit des alten Todes Schrecken — Schwer lag der Druck der alten Welt auf ihm. Noch einmal sah er freundlich nach der Mutter — da kam der ewigen Liebe lösende Hand — und er entschlief. Nur wenig Tage hing ein tiefer Schleier über das brausende Meer, über das bebende Land — unzählige Tränen weinten die Geliebten — Entsiegelt ward das Geheimnis — himmlische Geister hoben den uralten Stein vom dunkeln Grabe. Engel saßen bei dem Schlummernden — aus seinen Träumen zartgebildet — Erwacht in neuer Götterherrlichkeit erstieg er die Höhe der neugebornen Welt — begrub mit eigner Hand der Alten Leichnam in die verlaßne Höhle, und legte mit allmächtiger Hand den Stein, den keine Macht erhebt, darauf.

Noch weinen deine Lieben Tränen der Freude, Tränen der Rührung und des unendlichen Danks an deinem Grabe — sehn dich noch immer, freudig erschreckt, auferstehn — und sich mit dir; sehn dich weinen mit süßer Inbrunst an der Mutter seligem Busen, ernst mit den Freunden wandeln, Worte sagen, wie vom Baum des Lebens gebrochen; sehen dich eilen mit voller Sehnsucht in des Vaters Arm, bringend die junge Menschheit, und der goldnen Zukunft unversieglichen Becher. Die Mutter eilte bald dir nach — in himmlischem Triumph — Sie war

die Erste in der neuen Heimat bei dir. Lange Zeiten entflossen seitdem, und in immer höherm Glanze regte deine neue Schöpfung sich — und Tausende zogen aus Schmerzen und Qualen, voll Glauben und Sehnsucht und Treue dir nach — wallen mit dir und der himmlischen Jungfrau im Reiche der Liebe — dienen im Tempel des himmlischen Todes und sind in Ewigkeit dein.

Gehoben ist der Stein —
Die Menschheit ist erstanden —
Wir alle bleiben dein
Und fühlen keine Banden.
Der herbste Kummer fleucht
Vor deiner goldnen Schale,
Wenn Erd und Leben weicht
Im letzten Abendmahle.

Zur Hochzeit ruft der Tod —
Die Lampen brennen helle —
Die Jungfraun sind zur Stelle —
Um Öl ist keine Not —
Erklänge doch die Ferne
Von deinem Zuge schon,
Und ruften uns die Sterne
Mit Menschenzung' und Ton.

Nach dir, Maria, heben
Schon tausend Herzen sich.
In diesem Schattenleben
Verlangten sie nur dich.
Sie hoffen zu genesen
Mit ahndungsvoller Lust —
Drückst du sie, heilges Wesen,
An deine treue Brust.

So manche, die sich glühend
In bittrer Qual verzehrt
Und dieser Welt entfliehend
Nach dir sich hingekehrt;
Die hülfreich uns erschienen
In mancher Not und Pein —
Wir kommen nun zu ihnen
Um ewig da zu sein.

Nun weint an keinem Grabe,
Für Schmerz, wer liebend glaubt.
Der Liebe süße Habe
Wird keinem nicht geraubt —
Die Sehnsucht ihm zu lindern,
Begeistert ihn die Nacht —
Von treuen Himmelskindern
Wird ihm sein Herz bewacht.

Getrost, das Leben schreitet
Zum ewgen Leben hin;
Von innrer Glut geweitet
Verklärt sich unser Sinn.
Die Sternwelt wird zerfließen
Zum goldnen Lebenswein,
Wir werden sie genießen
Und lichte Sterne sein.

Die Lieb' ist frei gegeben,
Und keine Trennung mehr.
Es wogt das volle Leben
Wie ein unendlich Meer.
Nur Eine Nacht der Wonne —
Ein ewiges Gedicht —
Und unser aller Sonne
Ist Gottes Angesicht.

6

SEHNSUCHT NACH DEM TODE

Hinunter in der Erde Schoß,
Weg aus des Lichtes Reichen,
Der Schmerzen Wut und wilder Stoß
Ist froher Abfahrt Zeichen.
Wir kommen in dem engen Kahn
Geschwind am Himmelsufer an.

Gelobt sei uns die ewge Nacht,
Gelobt der ewge Schlummer.
Wohl hat der Tag uns warm gemacht,

Und welk der lange Kummer.
Die Lust der Fremde ging uns aus,
Zum Vater wollen wir nach Haus.

Was sollen wir auf dieser Welt
Mit unsrer Lieb' und Treue.
Das Alte wird hintangestellt,
Was soll uns dann das Neue.
O! einsam steht und tiefbetrübt,
Wer heiß und fromm die Vorzeit liebt.

Die Vorzeit, wo die Sinne licht
In hohen Flammen brannten,
Des Vaters Hand und Angesicht
Die Menschen noch erkannten.
Und hohen Sinns, einfältiglich
Noch mancher seinem Urbild glich.

Die Vorzeit, wo noch blütenreich
Uralte Stämme prangten,
Und Kinder für das Himmelreich
Nach Qual und Tod verlangten.
Und wenn auch Lust und Leben sprach,
Doch manches Herz für Liebe brach.

Die Vorzeit, wo in Jugendglut
Gott selbst sich kundgegeben
Und frühem Tod in Liebesmut
Geweiht sein süßes Leben.
Und Angst und Schmerz nicht von sich trieb,
Damit er uns nur teuer blieb.

Mit banger Sehnsucht sehn wir sie
In dunkle Nacht gehüllet,
In dieser Zeitlichkeit wird nie
Der heiße Durst gestillet.
Wir müssen nach der Heimat gehn,
Um diese heilge Zeit zu sehn.

Was hält noch unsre Rückkehr auf,
Die Liebsten ruhn schon lange.
Ihr Grab schließt unsern Lebenslauf,

Nun wird uns weh und bange.
Zu suchen haben wir nichts mehr —
Das Herz ist satt — die Welt ist leer.

Unendlich und geheimnisvoll
Durchströmt uns süßer Schauer —
Mir däucht, aus tiefen Fernen scholl
Ein Echo unsrer Trauer.
Die Lieben sehnen sich wohl auch
Und sandten uns der Sehnsucht Hauch.

Hinunter zu der süßen Braut,
Zu Jesus, dem Geliebten —
Getrost, die Abenddämmrung graut
Den Liebenden, Betrübten.
Ein Traum bricht unsre Banden los
Und senkt uns in des Vaters Schoß.

GEISTLICHE LIEDER

I

Was wär ich ohne dich gewesen?
Was würd' ich ohne dich nicht sein?
Zu Furcht und Ängsten auserlesen,
Ständ' ich in weiter Welt allein.
Nichts wüßt' ich sicher, was ich liebte,
Die Zukunft wär ein dunkler Schlund;
Und wenn mein Herz sich tief betrübte,
Wem tät ich meine Sorge kund?

Einsam verzehrt von Lieb' und Sehnen,
Erschien' mir nächtlich jeder Tag;
Ich folgte nur mit heißen Tränen
Dem wilden Lauf des Lebens nach.
Ich fände Unruh im Getümmel,
Und hoffnungslosen Gram zu Haus.
Wer hielte ohne Freund im Himmel,
Wer hielte da auf Erden aus?

Hat Christus sich mir kundgegeben,
Und bin ich seiner erst gewiß,
Wie schnell verzehrt ein lichtes Leben
Die bodenlose Finsternis.
Mit ihm bin ich erst Mensch geworden;
Das Schicksal wird verklärt durch ihn,
Und Indien muß selbst im Norden
Um den Geliebten fröhlich blühn.

Das Leben wird zur Liebesstunde,
Die ganze Welt spricht Lieb' und Lust.
Ein heilend Kraut wächst jeder Wunde,
Und frei und voll klopft jede Brust.
Für alle seine tausend Gaben
Bleib ich sein demutvolles Kind,
Gewiß ihn unter uns zu haben,
Wenn zwei auch nur versammelt sind.

O! geht hinaus auf allen Wegen,
Und holt die Irrenden herein,
Streckt jedem eure Hand entgegen,
Und ladet froh sie zu uns ein.
Der Himmel ist bei uns auf Erden,
Im Glauben schauen wir ihn an;
Die Eines Glaubens mit uns werden,
Auch denen ist er aufgetan.

Ein alter, schwerer Wahn von Sünde
War fest an unser Herz gebannt;
Wir irrten in der Nacht wie Blinde,
Von Reu und Lust zugleich entbrannt.
Ein jedes Werk schien uns Verbrechen,
Der Mensch ein Götterfeind zu sein,
Und schien der Himmel uns zu sprechen,
So sprach er nur von Tod und Pein.

Das Herz, des Lebens reiche Quelle,
Ein böses Wesen wohnte drin;
Und wards in unserm Geiste helle,
So war nur Unruh der Gewinn.
Ein eisern Band hielt an der Erde
Die bebenden Gefangnen fest;
Furcht vor des Todes Richterschwerte
Verschlang der Hoffnung Überrest.

Da kam ein Heiland, ein Befreier,
Ein Menschensohn, voll Lieb' und Macht
Und hat ein allbelebend Feuer
In unserm Innern angefacht.
Nun sahn wir erst den Himmel offen
Als unser altes Vaterland,
Wir konnten glauben nun und hoffen,
Und fühlten uns mit Gott verwandt.

Seitdem verschwand bei uns die Sünde,
Und fröhlich wurde jeder Schritt;
Man gab zum schönsten Angebinde
Den Kindern diesen Glauben mit;

Durch ihn geheiligt zog das Leben
Vorüber, wie ein selger Traum,
Und, ew'ger Lieb' und Lust ergeben,
Bemerkte man den Abschied kaum.

Noch steht in wunderbarem Glanze
Der heilige Geliebte hier,
Gerührt von seinem Dornenkranze
Und seiner Treue weinen wir.
Ein jeder Mensch ist uns willkommen,
Der seine Hand mit uns ergreift,
Und in sein Herz mit aufgenommen
Zur Frucht des Paradieses reift.

II

Fern im Osten wird es helle,
Graue Zeiten werden jung;
Aus der lichten Farbenquelle
Einen langen tiefen Trunk!
Alter Sehnsucht heilige Gewährung,
Süße Lieb' in göttlicher Verklärung.

Endlich kommt zur Erde nieder
Aller Himmel selges Kind,
Schaffend im Gesang weht wieder
Um die Erde Lebenswind,
Weht zu neuen ewig lichten Flammen
Längst verstiebte Funken hier zusammen.

Überall entspringt aus Grüften
Neues Leben, neues Blut,
Ewgen Frieden uns zu stiften,
Taucht er in die Lebensflut;
Steht mit vollen Händen in der Mitte
Liebevoll gewärtig jeder Bitte.

Lasse seine milden Blicke
Tief in deine Seele gehn,
Und von seinem ewgen Glücke

Sollst du dich ergriffen sehn.
Alle Herzen, Geister und die Sinnen
Werden einen neuen Tanz beginnen.

Greife dreist nach seinen Händen,
Präge dir sein Antlitz ein,
Mußt dich immer nach ihm wenden,
Blüte nach dem Sonnenschein;
Wirst du nur das ganze Herz ihm zeigen,
Bleibt er wie ein treues Weib dir eigen.

Unser ist sie nun geworden,
Gottheit, die uns oft erschreckt,
Hat im Süden und im Norden
Himmelskeime rasch geweckt.
Und so laßt im vollen Gottesgarten
Treu uns jede Knosp' und Blüte warten.

III

Wer einsam sitzt in seiner Kammer,
Und schwere, bittre Tränen weint,
Wem nur gefärbt von Not und Jammer
Die Nachbarschaft umher erscheint;

Wer in das Bild vergangner Zeiten
Wie tief in einen Abgrund sieht,
In welchen ihn von allen Seiten
Ein süßes Weh hinunter zieht; —

Es ist, als lägen Wunderschätze
Da unten für ihn aufgehäuft,
Nach deren Schloß in wilder Hetze
Mit atemloser Brust er greift.

Die Zukunft liegt in öder Dürre
Entsetzlich lang und bang vor ihm —
Er schweift umher, allein und irre,
Und sucht sich selbst mit Ungestüm.

Ich fall' ihm weinend in die Arme:
Auch mir war einst, wie dir, zu Mut,
Doch ich genas von meinem Harme,
Und weiß nun, wo man ewig ruht.

Dich muß, wie mich, ein Wesen trösten,
Das innig liebte, litt und starb;
Das selbst für die, die ihm am wehsten
Getan, mit tausend Freuden starb.

Er starb, und dennoch alle Tage
Vernimmst du seine Lieb' und ihn
Und kannst getrost in jeder Lage
Ihn zärtlich in die Arme ziehn.

Mit ihm kommt neues Blut und Leben
In dein erstorbenes Gebein —
Und wenn du ihm dein Herz gegeben,
So ist auch seines ewig dein.

Was du verlorst, hat er gefunden;
Du triffst bei ihm, was du geliebt:
Und ewig bleibt mit dir verbunden,
Was seine Hand dir wiedergibt.

IV

Unter tausend frohen Stunden,
So im Leben ich gefunden,
Blieb nur eine mir getreu;
Eine, wo in tausend Schmerzen
Ich erfuhr in meinem Herzen,
Wer für uns gestorben sei.

Meine Welt war mir zerbrochen,
Wie von einem Wurm gestochen
Welkte Herz und Blüte mir;
Meines Lebens ganze Habe,
Jeder Wunsch lag mir im Grabe,
Und zur Qual war ich noch hier.

Da ich so im stillen krankte,
Ewig weint' und wegverlangte,
Und nur blieb vor Angst und Wahn:
Ward mir plötzlich wie von oben
Weg des Grabes Stein gehoben,
Und mein Innres aufgetan.

Wen ich sah, und wen an seiner
Hand erblickte, frage keiner,
Ewig werd' ich dies nur sehn;
Und von allen Lebensstunden
Wird nur die wie meine Wunden
Ewig heiter, offen stehn.

V

Wenn ich ihn nur habe,
Wenn er mein nur ist,
Wenn mein Herz bis hin zum Grabe
Seine Treue nie vergißt:
Weiß ich nichts von Leide,
Fühle nichts als Andacht, Lieb' und Freude.

Wenn ich ihn nur habe,
Lass' ich alles gern,
Folg' an meinem Wanderstabe
Treugesinnt nur meinem Herrn;
Lasse still die Andern
Breite, lichte, volle Straßen wandern.

Wenn ich ihn nur habe,
Schlaf' ich fröhlich ein,
Ewig wird zu süßer Labe
Seines Herzens Flut mir sein,
Die mit sanftem Zwingen
Alles wird erweichen und durchdringen.

Wenn ich ihn nur habe,
Hab' ich auch die Welt;
Selig wie ein Himmelsknabe,

Der der Jungfrau Schleier hält.
Hingesenkt im Schauen
Kann mir vor dem Irdischen nicht grauen.

Wo ich ihn nur habe,
Ist mein Vaterland;
Und es fällt mir jede Gabe
Wie ein Erbteil in die Hand;
Längst vermißte Brüder
Find' ich nun in seinen Jüngern wieder.

VI

Wenn alle untreu werden,
So bleib' ich dir doch treu;
Daß Dankbarkeit auf Erden
Nicht ausgestorben sei.
Für mich umfing dich Leiden,
Vergingst für mich in Schmerz;
Drum geb' ich dir mit Freuden
Auf ewig dieses Herz.

Oft muß ich bitter weinen,
Daß du gestorben bist
Und mancher von den Deinen
Dich lebenslang vergißt.
Von Liebe nur durchdrungen
Hast du so viel getan,
Und doch bist du verklungen,
Und keiner denkt daran.

Du stehst voll treuer Liebe
Noch immer jedem bei,
Und wenn dir keiner bliebe,
So bleibst du dennoch treu;
Die treuste Liebe sieget,
Am Ende fühlt man sie,
Weint bitterlich und schmieget
Sich kindlich an dein Knie.

Ich habe dich empfunden,
O! lasse nicht von mir;
Laß innig mich verbunden
Auf ewig sein mit dir.
Einst schauen meine Brüder
Auch wieder himmelwärts,
Und sinken liebend nieder,
Und fallen dir ans Herz.

VII

HYMNE

Wenige wissen
Das Geheimnis der Liebe,
Fühlen Unersättlichkeit
Und ewigen Durst.
Des Abendmahls
Göttliche Bedeutung
Ist den irdischen Sinnen Rätsel;
Aber wer jemals
Von heißen, geliebten Lippen
Atem des Lebens sog,
Wem heilige Glut
In zitternde Wellen das Herz schmolz,
Wem das Auge aufging,
Daß er des Himmels
Unergründliche Tiefe maß,
Wird essen von seinem Leibe
Und trinken von seinem Blute
Ewiglich.

Wer hat des irdischen Leibes
Hohen Sinn erraten?
Wer kann sagen,
Daß er das Blut versteht?
Einst ist alles Leib,
Ein Leib,
In himmlischem Blute
Schwimmt das selige Paar. —

O! daß das Weltmeer
Schon errötete,
Und in duftiges Fleisch
Aufquölle der Fels!
Nie endet das süße Mahl,
Nie sättigt die Liebe sich.
Nicht innig, nicht eigen genug
Kann sie haben den Geliebten.
Von immer zärteren Lippen
Verwandelt wird das Genossene
Inniglicher und näher.

Heißere Wollust
Durchbebt die Seele.
Durstiger und hungriger
Wird das Herz:
Und so währet der Liebe Genuß
Von Ewigkeit zu Ewigkeit.
Hätten die Nüchternen
Einmal gekostet,
Alles verließen sie,
Und setzten sich zu uns
An den Tisch der Sehnsucht,
Der nie leer wird.
Sie erkennten der Liebe
Unendliche Fülle,
Und priesen die Nahrung
Von Leib und Blut.

VIII

Weinen muß ich, immer weinen:
Möcht' er einmal nur erscheinen,
Einmal nur von Ferne mir.
Heilge Wehmut! ewig währen
Meine Schmerzen, meine Zähren;
Gleich erstarren möcht ich hier.

Ewig seh ich ihn nur leiden,
Ewig bittend ihn verscheiden.
O! daß dieses Herz nicht bricht,

Meine Augen sich nicht schließen.
Ganz in Tränen zu zerfließen,
Dieses Glück verdient' ich nicht.

Weint denn keiner nicht von allen?
Soll sein Name so verhallen?
Ist die Welt auf einmal tot?
Werd' ich nie aus seinen Augen
Wieder Lieb' und Leben saugen?
Ist er nun auf ewig tot?

Tot — was kann, was soll das heißen?
O! so sagt mir doch ihr Weisen,
Sagt mir diese Deutung an.
Er ist stumm, und alle schweigen,
Keiner kann auf Erden zeigen,
Wo mein Herz ihn finden kann.

Nirgend kann ich hier auf Erden
Jemals wieder glücklich werden,
Alles ist ein düstrer Traum.
Ich bin auch mit ihm verschieden,
Läg' ich doch mit ihm in Frieden
Schon im unterirdschen Raum.

Du, sein Vater und der meine,
Sammle du doch mein Gebeine
Zu dem seinigen nur bald.
Grün wird bald sein Hügel stehen
Und der Wind darüber wehen,
Und verwesen die Gestalt.

Wenn sie seine Liebe wüßten,
Alle Menschen würden Christen,
Ließen alles andre stehn;
Liebten alle nur den Einen,
Würden alle mit mir weinen
Und in bitterm Weh vergehn.

IX

Ich sag' es jedem, daß er lebt
Und auferstanden ist,
Daß er in unsrer Mitte schwebt
Und ewig bei uns ist.

Ich sag' es jedem, jeder sagt
Es seinen Freunden gleich,
Daß bald an allen Orten tagt
Das neue Himmelreich.

Jetzt scheint die Welt dem neuen Sinn
Erst wie ein Vaterland;
Ein neues Leben nimmt man hin
Entzückt aus seiner Hand.

Hinunter in das tiefe Meer
Versank des Todes Graun,
Und jeder kann nun leicht und hehr
In seine Zukunft schaun.

Der dunkle Weg, den er betrat,
Geht in den Himmel aus,
Und wer nur hört auf seinen Rat,
Kommt auch in Vaters Haus.

Nun weint auch keiner mehr allhie,
Wenn Eins die Augen schließt,
Vom Wiedersehn, spät oder früh,
Wird dieser Schmerz versüßt.

Es kann zu jeder guten Tat
Ein jeder frischer glühn,
Denn herrlich wird ihm diese Saat
In schönern Fluren blühn.

Er lebt, und wird nun bei uns sein,
Wenn alles uns verläßt!
Und so soll dieser Tag uns sein
Ein Weltverjüngungsfest.

Es gibt so bange Zeiten,
Es gibt so trüben Mut,
Wo alles sich von weiten
Gespenstisch zeigen tut.

Es schleichen wilde Schrecken
So ängstlich leise her,
Und tiefe Nächte decken
Die Seele zentnerschwer.

Die sichern Stützen schwanken,
Kein Halt der Zuversicht;
Der Wirbel der Gedanken
Gehorcht dem Willen nicht.

Der Wahnsinn naht und locket
Unwiderstehlich hin.
Der Puls des Lebens stocket,
Und stumpf ist jeder Sinn.

Wer hat das Kreuz erhoben
Zum Schutz für jedes Herz?
Wer wohnt im Himmel droben,
Und hilft in Angst und Schmerz?

Geh zu dem Wunderstamme,
Gib stiller Sehnsucht Raum,
Aus ihm geht eine Flamme
Und zehrt den schweren Traum.

Ein Engel zieht dich wieder
Gerettet auf den Strand,
Und schaust voll Freuden nieder
In das gelobte Land.

Ich weiß nicht, was ich suchen könnte,
Wär jenes liebe Wesen mein,
Wenn er mich seine Freude nennte
Und bei mir wär', als wär' ich sein.

So Viele gehn umher und suchen
Mit wild verzerrtem Angesicht,
Sie heißen immer sich die Klugen,
Und kennen diesen Schatz doch nicht.

Der Eine denkt, er hat's ergriffen,
Und was er hat, ist nichts als Gold;
Der will die ganze Welt umschiffen,
Nichts als ein Name wird sein Sold.

Der läuft nach einem Siegerkranze
Und Der nach einem Lorbeerzweig,
Und so wird von verschiednem Glanze
Getäuscht ein jeder, keiner reich.

Hat er sich euch nicht kund gegeben?
Vergaßt ihr, wer für euch erblich?
Wer uns zu Lieb' aus diesem Leben
In bittrer Qual verachtet wich?

Habt ihr von ihm denn nichts gelesen,
Kein armes Wort von ihm gehört?
Wie himmlisch gut er uns gewesen,
Und welches Gut er uns beschert?

Wie er vom Himmel hergekommen,
Der schönsten Mutter hohes Kind?
Welch Wort die Welt von ihm vernommen,
Wie viel durch ihn genesen sind?

Wie er von Liebe nur beweget
Sich ganz uns hingegeben hat,
Und in die Erde sich geleget
Zum Grundstein einer Gottesstadt?

Kann diese Botschaft euch nicht rühren,
Ist so ein Mensch euch nicht genug,
Und öffnet ihr nicht eure Türen
Dem, der den Abgrund zu euch schlug?

Laßt ihr nicht alles willig fahren,
Tut gern auf jeden Wunsch Verzicht,
Wollt euer Herz nur ihm bewahren,
Wenn er euch seine Huld verspricht?

Nimm du mich hin, du Held der Liebe!
Du bist mein Leben, meine Welt,
Wenn nichts vom Irdischen mir bliebe,
So weiß ich, wer mich schadlos hält.

Du gibst mir meine Lieben wieder,
Du bleibst in Ewigkeit mir treu,
Anbetend sinkt der Himmel nieder,
Und dennoch wohnest du mir bei.

XII

Wo bleibst du Trost der ganzen Welt?
Herberg' ist dir schon längst bestellt.
Verlangend sieht ein jedes dich,
Und öffnet deinem Segen sich.

Geuß, Vater, ihn gewaltig aus,
Gib ihn aus deinem Arm heraus:
Nur Unschuld, Lieb' und süße Scham
Hielt ihn, daß er nicht längst schon kam.

Treib ihn von dir in unsern Arm,
Daß er von deinem Hauch noch warm;
In schweren Wolken sammle ihn
Und laß ihn so hernieder ziehn.

In kühlen Strömen send' ihn her,
In Feuerflammen lodre er,
In Luft und Öl, in Klang und Tau
Durchdring' er unsrer Erde Bau.

So wird der heil'ge Kampf gekämpft,
So wird der Hölle Grimm gedämpft,
Und ewig blühend geht allhier
Das alte Paradies herfür.

Die Erde regt sich, grünt und lebt,
Des Geistes voll ein jedes strebt
Den Heiland lieblich zu empfahn
Und beut die vollen Brüst' ihm an.

Der Winter weicht, ein neues Jahr
Steht an der Krippe Hochaltar.
Es ist das erste Jahr der Welt,
Die sich dies Kind erst selbst bestellt.

Die Augen sehn den Heiland wohl,
Und doch sind sie des Heilands voll,
Von Blumen wird sein Haupt geschmückt,
Aus denen er selbst holdselig blickt.

Er ist der Stern, er ist die Sonn',
Er ist des ewgen Lebens Bronn,
Aus Kraut und Stein und Meer und Licht
Schimmert sein kindlich Angesicht.

In allen Dingen sein kindlich Tun.
Seine heiße Liebe wird nimmer ruhn,
Er schmiegt sich seiner unbewußt
Unendlich fest an jede Brust.

Ein Gott für uns, ein Kind für sich
Liebt er uns all' herzinniglich,
Wird unsre Speis und unser Trank,
Treusinn ist ihm der liebste Dank.

Das Elend wächst je mehr und mehr,
Ein düstrer Gram bedrückt uns sehr,
Laß, Vater, den Geliebten gehn,
Mit uns wirst du ihn wieder sehn.

Wenn in bangen trüben Stunden
Unser Herz beinah verzagt,
Wenn von Krankheit überwunden
Angst in unserm Innern nagt;
Wir der Treugeliebten denken,
Wie sie Gram und Kummer drückt,
Wolken unsern Blick beschränken,
Die kein Hoffnungsstrahl durchblickt:

O! dann neigt sich Gott herüber,
Seine Liebe kommt uns nah,
Sehnen wir uns dann hinüber,
Steht sein Engel vor uns da,
Bringt den Kelch des frischen Lebens,
Lispelt Mut und Trost uns zu;
Und wir beten nicht vergebens
Auch für die Geliebten Ruh.

XIV

Wer einmal, Mutter, dich erblickt,
Wird vom Verderben nie bestrickt.
Trennung von dir muß ihn betrüben,
Ewig wird er dich brünstig lieben,
Und deiner Huld Erinnerung
Bleibt fortan seines Geistes höchster Schwung.

Ich mein' es herzlich gut mit dir.
Was mir gebricht, siehst du in mir.
Laß, süße Mutter, dich erweichen,
Einmal gib mir ein frohes Zeichen.
Mein ganzes Dasein ruht in dir,
Nur einen Augenblick sei du bei mir.

Oft, wenn ich träumte, sah ich dich
So schön, so herzensinniglich.
Der kleine Gott auf deinen Armen
Wollt' des Gespielen sich erbarmen;
Du aber hobst den hehren Blick
Und gingst in tiefe Wolkenpracht zurück.

Was hab' ich, Armer, dir getan?
Noch bet' ich dich voll Sehnsucht an.
Sind deine heiligen Kapellen
Nicht meines Lebens Ruhestellen?
Gebenedeite Königin
Nimm dieses Herz mit diesem Leben hin.

Du weißt, geliebte Königin,
Wie ich so ganz dein eigen bin.
Hab ich nicht schon seit langen Jahren
Im stillen deine Huld erfahren?
Als ich kaum meiner noch bewußt,
Sog ich schon Milch aus deiner selgen Brust.

Unzähligmal standst du bei mir,
Mit Kindeslust sah ich nach dir,
Dein Kindlein gab mir seine Hände,
Daß es dereinst mich wieder fände;
Du lächeltest voll Zärtlichkeit
Und küßtest mich, o himmelsüße Zeit!

Fern steht nun diese selge Welt,
Gram hat sich längst zu mir gesellt,
Betrübt bin ich umhergegangen,
Hab' ich mich denn so schwer vergangen?
Kindlich berühr' ich deinen Saum,
Erwecke mich aus diesem schweren Traum.

Darf nur ein Kind dein Antlitz schaun
Und deinem Beistand fest vertraun,
So löse doch des Alters Binde
Und mache mich zu deinem Kinde.
Die Kindeslieb' und Kindestreu
Wohnt mir von jener goldnen Zeit noch bei.

Ich sehe dich in tausend Bildern,
Maria, lieblich ausgedrückt,
Doch keins von allen kann dich schildern,
Wie meine Seele dich erblickt.

Ich weiß nur, daß der Welt Getümmel
Seitdem mir wie ein Traum verweht,
Und ein unnennbar süßer Himmel
Mir ewig im Gemüte steht.

HEINRICH VON OFTERDINGEN

EIN ROMAN

ZUEIGNUNG

Du hast in mir den edeln Trieb erregt
 Tief ins Gemüt der weiten Welt zu schauen;
 Mit deiner Hand ergriff mich ein Vertrauen,
 Das sicher mich durch alle Stürme trägt.

Mit Ahndungen hast du das Kind gepflegt,
 Und zogst mit ihm durch fabelhafte Auen;
 Hast, als das Urbild zartgesinnter Frauen,
 Des Jünglings Herz zum höchsten Schwung bewegt.

Was fesselt mich an irdische Beschwerden?
 Ist nicht mein Herz und Leben ewig Dein?
 Und schirmt mich Deine Liebe nicht auf Erden?

Ich darf für Dich der edlen Kunst mich weihn;
 Denn Du, Geliebte, willst die Muse werden,
 Und stiller Schutzgeist meiner Dichtung sein.

———

In ewigen Verwandlungen begrüßt
 Uns des Gesangs geheime Macht hienieden,
 Dort segnet sie das Land als ew'ger Frieden,
 Indes sie hier als Jugend uns umfließt.

Sie ist's, die Licht in unsre Augen gießt,
 Die uns den Sinn für jede Kunst beschieden,
 Und die das Herz der Frohen und der Müden
 In trunkner Andacht wunderbar genießt.

An ihrem vollen Busen trank ich Leben;
 Ich ward durch sie zu allem, was ich bin,
 Und durfte froh mein Angesicht erheben.

Noch schlummerte mein allerhöchster Sinn;
 Da sah ich sie als Engel zu mir schweben
 Und flog, erwacht, in ihrem Arm dahin.

DIE ERWARTUNG

Erstes Kapitel

Die Eltern lagen schon und schliefen, die Wanduhr schlug ihren einförmigen Takt, vor den klappernden Fenstern sauste der Wind; abwechselnd wurde die Stube hell von dem Schimmer des Mondes. Der Jüngling lag unruhig auf seinem Lager, und gedachte des Fremden und seiner Erzählungen. «Nicht die Schätze sind es, die ein so unaussprechliches Verlangen in mir geweckt haben», sagte er zu sich selbst; «fern ab liegt mir alle Habsucht: aber die blaue Blume sehn' ich mich zu erblicken. Sie liegt mir unaufhörlich im Sinn, und ich kann nichts anderes dichten und denken. So ist mir noch nie zumute gewesen: es ist, als hätt ich vorhin geträumt, oder ich wäre in eine andere Welt hinübergeschlummert; denn in der Welt, in der ich sonst lebte, wer hätte da sich um Blumen bekümmert, und gar von einer so seltsamen Leidenschaft für eine Blume hab ich damals nie gehört. Wo eigentlich nur der Fremde herkam? Keiner von uns hat je einen ähnlichen Menschen gesehn; doch weiß ich nicht, warum nur ich von seinen Reden so ergriffen worden bin; die andern haben ja das nämliche gehört, und keinem ist so etwas begegnet. Daß ich auch nicht einmal von meinem wunderlichen Zustande reden kann! Es ist mir oft so entzückend wohl, und nur dann, wenn ich die Blume nicht recht gegenwärtig habe, befällt mich so ein tiefes, inniges Treiben: das kann und wird keiner verstehn. Ich glaubte, ich wäre wahnsinnig, wenn ich nicht so klar und hell sähe und dächte, mir ist seitdem alles viel bekannter. Ich hörte einst von alten Zeiten reden; wie da die Tiere und Bäume und Felsen mit den Menschen gesprochen hätten. Mir ist gerade so, als wollten sie allaugenblicklich anfangen, und als könnte ich es ihnen ansehen, was sie mir sagen wollten. Es muß noch viel Worte geben, die ich nicht weiß: wüßte ich mehr, so könnte ich viel besser alles begreifen. Sonst tanzte ich gern; jetzt denke ich lieber nach der Musik.» Der Jüngling verlor sich allmählich in süßen Phantasien und entschlummerte. Da träumte ihm erst von unabsehlichen Fernen, und wilden, unbekannten Gegenden. Er wanderte über Meere mit unbegreiflicher Leichtigkeit; wunderliche Tiere sah er; er lebte mit mannigfaltigen Menschen, bald im Kriege, in wildem Getümmel, in stillen Hütten. Er geriet in Gefangenschaft und die schmählichste Not. Alle Empfindungen stiegen bis zu einer niegekannten Höhe in ihm. Er durchlebte ein unendlich buntes Leben; starb und kam wieder, liebte bis zur höchsten

Leidenschaft, und war dann wieder auf ewig von seiner Geliebten getrennt. Endlich gegen Morgen, wie draußen die Dämmerung anbrach, wurde es stiller in seiner Seele, klarer und bleibender wurden die Bilder. Es kam ihm vor, als ginge er in einem dunkeln Walde allein. Nur selten schimmerte der Tag durch das grüne Netz. Bald kam er vor eine Felsenschlucht, die bergan stieg. Er mußte über bemooste Steine klettern, die ein ehemaliger Strom herunter gerissen hatte. Je höher er kam, desto lichter wurde der Wald. Endlich gelangte er zu einer kleinen Wiese, die am Hange des Berges lag. Hinter der Wiese erhob sich eine hohe Klippe, an deren Fuß er eine Öffnung erblickte, die der Anfang eines in den Felsen gehauenen Ganges zu sein schien. Der Gang führte ihn gemächlich eine Zeitlang eben fort, bis zu einer großen Weitung, aus der ihm schon von fern ein helles Licht entgegen glänzte. Wie er hineintrat, ward er einen mächtigen Strahl gewahr, der wie aus einem Springquell bis an die Decke des Gewölbes stieg, und oben in unzählige Funken zerstäubte, die sich unten in einem großen Becken sammelten; der Strahl glänzte wie entzündetes Gold; nicht das mindeste Geräusch war zu hören, eine heilige Stille umgab das herrliche Schauspiel. Er näherte sich dem Becken, das mit unendlichen Farben wogte und zitterte. Die Wände der Höhle waren mit dieser Flüssigkeit überzogen, die nicht heiß, sondern kühl war, und an den Wänden nur ein mattes, bläuliches Licht von sich warf. Er tauchte seine Hand in das Becken und benetzte seine Lippen. Es war, als durchdränge ihn ein geistiger Hauch, und er fühlte sich innigst gestärkt und erfrischt. Ein unwiderstehliches Verlangen ergriff ihn sich zu baden, er entkleidete sich und stieg in das Becken. Es dünkte ihn, als umflösse ihn eine Wolke des Abendrots; eine himmlische Empfindung überströmte sein Inneres; mit inniger Wollust strebten unzählbare Gedanken in ihm sich zu vermischen; neue, niegesehene Bilder entstanden, die auch ineinanderflossen und zu sichtbaren Wesen um ihn wurden, und jede Welle des lieblichen Elements schmiegte sich wie ein zarter Busen an ihn. Die Flut schien eine Auflösung reizender Mädchen, die an dem Jünglinge sich augenblicklich verkörperten.

Berauscht von Entzücken und doch jedes Eindrucks bewußt, schwamm er gemach dem leuchtenden Strome nach, der aus dem Becken in den Felsen hineinfloß. Eine Art von süßem Schlummer befiel ihn, in welchem er unbeschreibliche Begebenheiten träumte, und woraus ihn eine andere Erleuchtung weckte. Er fand sich auf einem weichen Rasen am Rande einer Quelle, die in die Luft hinausquoll und sich darin zu verzehren schien. Dunkelblaue Felsen mit bunten Adern erhoben sich in einiger Entfernung; das Tageslicht, das ihn umgab, war heller und milder als das gewöhnliche, der Himmel war schwarzblau und völlig

rein. Was ihn aber mit voller Macht anzog, war eine hohe lichtblaue Blume, die zunächst an der Quelle stand, und ihn mit ihren breiten, glänzenden Blättern berührte. Rund um sie her standen unzählige Blumen von allen Farben, und der köstlichste Geruch erfüllte die Luft. Er sah nichts als die blaue Blume, und betrachtete sie lange mit unnennbarer Zärtlichkeit. Endlich wollte er sich ihr nähern, als sie auf einmal sich zu bewegen und zu verändern anfing; die Blätter wurden glänzender und schmiegten sich an den wachsenden Stengel, die Blume neigte sich nach ihm zu, und die Blütenblätter zeigten einen blauen ausgebreiteten Kragen, in welchem ein zartes Gesicht schwebte. Sein süßes Staunen wuchs mit der sonderbaren Verwandlung, als ihn plötzlich die Stimme seiner Mutter weckte, und er sich in der elterlichen Stube fand, die schon die Morgensonne vergoldete. Er war zu entzückt, um unwillig über diese Störung zu sein; vielmehr bot er seiner Mutter freundlich guten Morgen und erwiderte ihre herzliche Umarmung.

«Du Langschläfer», sagte der Vater, «wie lange sitze ich schon hier, und feile. Ich habe deinetwegen nichts hämmern dürfen; die Mutter wollte den lieben Sohn schlafen lassen. Aufs Frühstück habe ich auch warten müssen. Klüglich hast du den Lehrstand erwählt, für den wir wachen und arbeiten. Indes ein tüchtiger Gelehrter, wie ich mir habe sagen lassen, muß auch Nächte zu Hülfe nehmen, um die großen Werke der weisen Vorfahren zu studieren.» — «Lieber Vater», antwortete Heinrich, «werdet nicht unwillig über meinen langen Schlaf, den Ihr sonst nicht an mir gewohnt seid. Ich schlief erst spät ein, und habe viele unruhige Träume gehabt, bis zuletzt ein anmutiger Traum mir erschien, den ich lange nicht vergessen werde, und von dem mich dünkt, als sei es mehr als bloßer Traum gewesen.» — «Lieber Heinrich», sprach die Mutter, «du hast dich gewiß auf den Rücken gelegt, oder beim Abendsegen fremde Gedanken gehabt. Du siehst auch noch ganz wunderlich aus. Iß und trink, daß du munter wirst.»

Die Mutter ging hinaus, der Vater arbeitete emsig fort und sagte: «Träume sind Schäume, mögen auch die hochgelahrten Herren davon denken, was sie wollen, und du tust wohl, wenn du dein Gemüt von dergleichen unnützen und schädlichen Betrachtungen abwendest. Die Zeiten sind nicht mehr, wo zu den Träumen göttliche Gesichte sich gesellten, und wir können und werden es nicht begreifen, wie es jenen auserwählten Männern, von denen die Bibel erzählt, zumute gewesen ist. Damals muß es eine andere Beschaffenheit mit den Träumen gehabt haben, so wie mit den menschlichen Dingen.

In dem Alter der Welt, wo wir leben, findet der unmittelbare Verkehr mit dem Himmel nicht mehr statt. Die alten Geschichten und

Schriften sind jetzt die einzigen Quellen, durch die uns eine Kenntnis von der überirdischen Welt, soweit wir sie nötig haben, zuteil wird; und statt jener ausdrücklichen Offenbarungen redet jetzt der heilige Geist mittelbar durch den Verstand kluger und wohlgesinnter Männer und durch die Lebensweise und die Schicksale frommer Menschen zu uns. Unsre heutigen Wunderbilder haben mich nie sonderlich erbaut, und ich habe nie jene großen Taten geglaubt, die unsre Geistlichen davon erzählen. Indes mag sich daran erbauen, wer will, und ich hüte mich wohl jemanden in seinem Vertrauen irre zu machen.» — «Aber, lieber Vater, aus welchem Grunde seid Ihr so den Träumen entgegen, deren seltsame Verwandlungen und leichte zarte Natur doch unser Nachdenken gewißlich rege machen müssen? Ist nicht jeder, auch der verworrenste Traum, eine sonderliche Erscheinung, die auch ohne noch an göttliche Schickung dabei zu denken, ein bedeutsamer Riß in den geheimnisvollen Vorhang ist, der mit tausend Falten in unser Inneres hereinfällt? In den weisesten Büchern findet man unzählige Traum-geschichten von glaubhaften Menschen, und erinnert Euch nur noch des Traums, den uns neulich der ehrwürdige Hofkaplan erzählte, und der Euch selbst so merkwürdig vorkam.

Aber, auch ohne diese Geschichten, wenn Ihr zuerst in Eurem Le-ben einen Traum hättet, wie würdet Ihr nicht erstaunen, und Euch die Wunderbarkeit dieser uns nur alltäglich gewordenen Begebenheit ge-wiß nicht abstreiten lassen! Mich dünkt der Traum eine Schutzwehr gegen die Regelmäßigkeit und Gewöhnlichkeit des Lebens, eine freie Erholung der gebundenen Phantasie, wo sie alle Bilder des Lebens durcheinanderwirft, und die beständige Ernsthaftigkeit des erwachse-nen Menschen durch ein fröhliches Kinderspiel unterbricht. Ohne die Träume würden wir gewiß früher alt, und so kann man den Traum, wenn auch nicht als unmittelbar von oben gegeben, doch als eine gött-liche Mitgabe, einen freundlichen Begleiter auf der Wallfahrt zum heiligen Grabe betrachten. Gewiß ist der Traum, den ich heute Nacht träumte, kein unwirksamer Zufall in meinem Leben gewesen, denn ich fühle es, daß er in meine Seele wie ein weites Rad hineingreift, und sie in mächtigem Schwunge forttreibt.»

Der Vater lächelte freundlich und sagte, indem er die Mutter, die eben hereintrat, ansah: «Mutter, Heinrich kann die Stunde nicht ver-leugnen, durch die er in der Welt ist. In seinen Reden kocht der feurige welsche Wein, den ich damals von Rom mitgebracht hatte, und der unsern Hochzeitabend verherrlichte. Damals war ich auch noch ein andrer Kerl. Die südliche Luft hatte mich aufgetaut, von Mut und Lust floß ich über, und du warst auch ein heißes köstliches Mädchen. Bei deinem Vater gings damals herrlich zu; Spielleute und Sänger waren

weit und breit herzugekommen, und lange war in Augsburg keine lustigere Hochzeit gefeiert worden.»

«Ihr spracht vorhin von Träumen», sagte die Mutter, «weißt du wohl, daß du mir damals auch von einem Traume erzähltest, den du in Rom gehabt hattest, und der dich zuerst auf den Gedanken gebracht, zu uns nach Augsburg zu kommen, und um mich zu werben?» – «Du erinnerst mich eben zur rechten Zeit», sagte der Alte; «ich habe diesen seltsamen Traum ganz vergessen, der mich damals lange genug beschäftigte; aber eben er ist mir ein Beweis dessen, was ich von den Träumen gesagt habe. Es ist unmöglich einen geordneteren und helleren zu haben; noch jetzt entsinne ich mich jedes Umstandes ganz genau; und doch, was hat er bedeutet? Daß ich von dir träumte, und mich bald darauf von Sehnsucht ergriffen fühlte, dich zu besitzen, war ganz natürlich: denn ich kannte dich schon. Dein freundliches holdes Wesen hatte mich gleich anfangs lebhaft gerührt, und nur die Lust nach der Fremde hielt damals meinen Wunsch nach deinem Besitz noch zurück. Um die Zeit des Traums war meine Neugierde schon ziemlich gestillt, und nun konnte die Neigung leichter durchdringen.»

«Erzählt uns doch jenen seltsamen Traum», sagte der Sohn. – «Ich war eines Abends», fing der Vater an, «umhergestreift. Der Himmel war rein, und der Mond bekleidete die alten Säulen und Mauern mit seinem bleichen schauerlichen Lichte. Meine Gesellen gingen den Mädchen nach, und mich trieb das Heimweh und die Liebe ins Freie. Endlich ward ich durstig und ging ins erste beste Landhaus hinein, um einen Trunk Wein oder Milch zu fordern. Ein alter Mann kam heraus, der mich wohl für einen verdächtigen Besuch halten mochte. Ich trug ihm mein Anliegen vor; und als er erfuhr, daß ich ein Ausländer und ein Deutscher sei, lud er mich freundlich in die Stube und brachte eine Flasche Wein. Er hieß mich niedersetzen, und fragte mich nach meinem Gewerbe. Die Stube war voll Bücher und Altertümer. Wir gerieten in ein weitläuftiges Gespräch; er erzählte mir viel von alten Zeiten, von Malern, Bildhauern und Dichtern. Noch nie hatte ich so davon reden hören. Es war mir, als sei ich in einer neuen Welt ans Land gestiegen. Er wies mir Siegelsteine und andre alte Kunstarbeiten; dann las er mir mit lebendigem Feuer herrliche Gedichte vor, und so verging die Zeit, wie ein Augenblick. Noch jetzt heitert mein Herz sich auf, wenn ich mich des bunten Gewühls der wunderlichen Gedanken und Empfindungen erinnere, die mich in dieser Nacht erfüllten. In den heidnischen Zeiten war er wie zu Hause, und sehnte sich mit unglaublicher Inbrunst in dies graue Altertum zurück. Endlich wies er mir eine Kammer an, wo ich den Rest der Nacht zubringen könnte, weil es schon zu spät sei, um noch zurückzukehren. Ich schlief bald, und da dünkte

michs, ich sei in meiner Vaterstadt und wanderte aus dem Tore. Es war, als müßte ich irgendwohin gehn, um etwas zu bestellen, doch wußte ich nicht wohin, und was ich verrichten solle. Ich ging nach dem Harze mit überaus schnellen Schritten, und wohl war mir, als sei es zur Hochzeit. Ich hielt mich nicht auf dem Wege, sondern immer feldein durch Tal und Wald, und bald kam ich an einen hohen Berg. Als ich oben war, sah ich die Goldne Aue vor mir, und überschaute Thüringen weit und breit, also daß kein Berg in der Nähe umher mir die Aussicht wehrte. Gegenüber lag der Harz mit seinen dunklen Bergen, und ich sah unzählige Schlösser, Klöster und Ortschaften. Wie mir nun da recht wohl innerlich ward, fiel mir der alte Mann ein, bei dem ich schlief, und es gedäuchte mir, als sei das vor geraumer Zeit geschehn, daß ich bei ihm gewesen sei. Bald gewahrte ich eine Stiege, die in den Berg hinein ging, und ich machte mich hinunter. Nach langer Zeit kam ich in eine große Höhle, da saß ein Greis in einem langen Kleide vor einem eisernen Tische, und schaute unverwandt nach einem wunderschönen Mädchen, die in Marmor gehauen vor ihm stand. Sein Bart war durch den eisernen Tisch gewachsen und bedeckte seine Füße. Er sah ernst und freundlich aus, und gemahnte mich wie ein alter Kopf, den ich den Abend bei dem Manne gesehn hatte. Ein glänzendes Licht war in der Höhle verbreitet. Wie ich so stand und den Greis ansah, klopfte mir plötzlich mein Wirt auf die Schulter, nahm mich bei der Hand und führte mich durch lange Gänge mit sich fort. Nach einer Weile sah ich von weitem eine Dämmerung, als wollte das Tageslicht einbrechen. Ich eilte darauf zu, und befand mich bald auf einem grünen Plane; aber es schien mir alles ganz anders als in Thüringen. Ungeheure Bäume mit großen glänzenden Blättern verbreiteten weit umher Schatten. Die Luft war sehr heiß und doch nicht drückend. Überall Quellen und Blumen, und unter allen Blumen gefiel mir *eine* ganz besonders, und es kam mir vor, als neigten sich die andern gegen sie.»

«Ach! liebster Vater, sagt mir doch, welche Farbe sie hatte», rief der Sohn mit heftiger Bewegung.

«Das entsinne ich mich nicht mehr, so genau ich mir auch sonst alles eingeprägt habe.»

«War sie nicht blau?»

«Es kann sein», fuhr der Alte fort, ohne auf Heinrichs seltsame Heftigkeit Achtung zu geben. «Soviel weiß ich nur noch, daß mir ganz unaussprechlich zumute war, und ich mich lange nicht nach meinem Begleiter umsah. Wie ich mich endlich zu ihm wandte, bemerkte ich daß er mich aufmerksam betrachtete und mir mit inniger Freude zulächelte. Auf welche Art ich von diesem Orte wegkam, erinnere ich mich nicht mehr. Ich war wieder oben auf dem Berge. Mein Begleiter

stand bei mir, und sagte: ‹Du hast das Wunder der Welt gesehn. Es steht bei dir, das glücklichste Wesen auf der Welt und noch über das ein berühmter Mann zu werden. Nimm wohl in acht, was ich dir sage: wenn du am Tage Johannis gegen Abend wieder hierher kommst, und Gott herzlich um das Verständnis dieses Traumes bittest, so wird dir das höchste irdische Los zuteil werden; dann gib nur acht, auf ein blaues Blümchen, was du hier oben finden wirst, brich es ab, und überlaß dich dann demütig der himmlischen Führung.› Ich war darauf im Traume unter den herrlichsten Gestalten und Menschen, und unendliche Zeiten gaukelten mit mannigfaltigen Veränderungen vor meinen Augen vorüber. Wie gelöst war meine Zunge, und was ich sprach, klang wie Musik. Darauf ward alles wieder dunkel und eng und gewöhnlich; ich sah deine Mutter mit freundlichem, verschämten Blick vor mir; sie hielt ein glänzendes Kind in den Armen, und reichte mir es hin, als auf einmal das Kind zusehends wuchs, immer heller und glänzender ward, und sich endlich mit blendendweißen Flügeln über uns erhob, uns beide in seinen Arm nahm, und so hoch mit uns flog, daß die Erde nur wie eine goldene Schüssel mit dem saubersten Schnitzwerk aussah. Dann erinnere ich mir nur, daß wieder jene Blume und der Berg und der Greis vorkamen; aber ich erwachte bald darauf und fühlte mich von heftiger Liebe bewegt. Ich nahm Abschied von meinem gastfreien Wirt, der mich bat, ihn oft wieder zu besuchen, was ich ihm zusage, und auch Wort gehalten haben würde, wenn ich nicht bald darauf Rom verlassen hätte, und ungestüm nach Augsburg gereist wäre.»

ZWEITES KAPITEL

Johannis war vorbei, die Mutter hatte längst einmal nach Augsburg ins väterliche Haus kommen und dem Großvater den noch unbekannten lieben Enkel mitbringen sollen. Einige gute Freunde des alten Ofterdingen, ein paar Kaufleute, mußten in Handelsgeschäften dahin reisen. Da faßte die Mutter den Entschluß, bei dieser Gelegenheit jenen Wunsch auszuführen, und es lag ihr dies um so mehr am Herzen, weil sie seit einiger Zeit merkte, daß Heinrich weit stiller und in sich gekehrter war als sonst. Sie glaubte, er sei mißmütig oder krank, und eine weite Reise, der Anblick neuer Menschen und Länder, und wie sie verstohlen ahndete, die Reize einer jungen Landsmännin würden die trübe Laune ihres Sohnes vertreiben, und wieder einen so teilnehmenden und lebensfrohen Menschen aus ihm machen, wie er sonst gewesen. Der Alte willigte in den Plan der Mutter, und Heinrich war

über die Maßen erfreut, in ein Land zu kommen, was er schon lange, nach den Erzählungen seiner Mutter und mancher Reisenden, wie ein irdisches Paradies sich gedacht, und wohin er oft vergeblich sich gewünscht hatte.

Heinrich war eben zwanzig Jahre alt geworden. Er war nie über die umliegenden Gegenden seiner Vaterstadt hinausgekommen; die Welt war ihm nur aus Erzählungen bekannt. Wenig Bücher waren ihm zu Gesichte gekommen. Bei der Hofhaltung des Landgrafen ging es nach der Sitte der damaligen Zeiten einfach und still zu; und die Pracht und Bequemlichkeit des fürstlichen Lebens dürfte sich schwerlich mit den Annehmlichkeiten messen, die in spätern Zeiten ein bemittelter Privatmann sich und den Seinigen ohne Verschwendung verschaffen konnte. Dafür war aber der Sinn für die Gerätschaften und Habseligkeiten, die der Mensch zum mannigfachen Dienst seines Lebens um sich her versammelt, desto zarter und tiefer. Sie waren den Menschen werter und merkwürdiger. Zog schon das Geheimnis der Natur und die Entstehung ihrer Körper den ahndenden Geist an: so erhöhte die seltnere Kunst ihrer Bearbeitung, die romantische Ferne, aus der man sie erhielt, und die Heiligkeit ihres Altertums, da sie sorgfältiger bewahrt, oft das Besitztum mehrerer Nachkommenschaften wurden, die Neigung zu diesen stummen Gefährten des Lebens. Oft wurden sie zu dem Rang von geweihten Pfändern eines besondern Segens und Schicksals erhoben, und das Wohl ganzer Reiche und weitverbreiteter Familien hing an ihrer Erhaltung. Eine *liebliche* Armut schmückte diese Zeiten mit einer eigentümlichen ernsten und unschuldigen Einfalt; und die sparsam verteilten Kleinodien glänzten desto bedeutender in dieser Dämmerung, und erfüllten ein sinniges Gemüt mit wunderbaren Erwartungen. Wenn es wahr ist, daß erst eine geschickte Verteilung von Licht, Farbe und Schatten die verborgene Herrlichkeit der sichtbaren Welt offenbart, und sich hier ein neues höheres Auge aufzutun scheint: so war damals überall eine ähnliche Verteilung und Wirtschaftlichkeit wahrzunehmen; da hingegen die neuere wohlhabendere Zeit das einförmige und unbedeutendere Bild eines allgemeinen Tages darbietet. In allen Übergängen scheint, wie in einem Zwischenreiche, eine höhere, geistliche Macht durchbrechen zu wollen; und wie auf der Oberfläche unseres Wohnplatzes die an unterirdischen und überirdischen Schätzen reichsten Gegenden in der Mitte zwischen den wilden, unwirtlichen Urgebirgen und den unermeßlichen Ebenen liegen, so hat sich auch zwischen den rohen Zeiten der Barbarei und dem kunstreichen, vielwissenden und begüterten Weltalter eine tiefsinnige und romantische Zeit niedergelassen, die unter schlichtem Kleide eine höhere Gestalt verbirgt. Wer wandelt nicht gern im Zwielichte, wenn

die Nacht am Lichte und das Licht an der Nacht in höhere Schatten und Farben zerbricht; und also vertiefen wir uns willig in die Jahre, wo Heinrich lebte und jetzt neuen Begebenheiten mit vollem Herzen entgegenging. Er nahm Abschied von seinen Gespielen und seinem Lehrer, dem alten weisen Hofkaplan, der Heinrichs fruchtbare Anlagen kannte, und ihn mit gerührtem Herzen und einem stillen Gebete entließ. Die Landgräfin war seine Patin; er war oft auf der Wartburg bei ihr gewesen. Auch jetzt beurlaubte er sich bei seiner Beschützerin, die ihm gute Lehren und eine goldene Halskette verehrte, und mit freundlichen Äußerungen von ihm schied.

In wehmütiger Stimmung verließ Heinrich seinen Vater und seine Geburtsstadt. Es ward ihm jetzt erst deutlich, was Trennung sei; die Vorstellungen von der Reise waren nicht von dem sonderbaren Gefühle begleitet gewesen, was er jetzt empfand, als zuerst seine bisherige Welt von ihm gerissen und er wie auf ein fremdes Ufer gespült ward. Unendlich ist die jugendliche Trauer bei dieser ersten Erfahrung der Vergänglichkeit der irdischen Dinge, die dem unerfahrnen Gemüt so notwendig, und unentbehrlich, so fest verwachsen mit dem eigentümlichsten Dasein und so unveränderlich, wie dieses, vorkommen müssen. Eine erste Ankündigung des Todes, bleibt die erste Trennung unvergeßlich, und wird, nachdem sie lange wie ein nächtliches Gesicht den Menschen beängstigt hat, endlich bei abnehmender Freude an den Erscheinungen des Tages, und zunehmender Sehnsucht nach einer bleibenden sichern Welt, zu einem freundlichen Wegweiser und einer tröstenden Bekanntschaft. Die Nähe seiner Mutter tröstete den Jüngling sehr. Die alte Welt schien noch nicht ganz verloren, und er umfaßte sie mit doppelter Innigkeit. Es war früh am Tage, als die Reisenden aus den Toren von Eisenach fortritten, und die Dämmerung begünstigte Heinrichs gerührte Stimmung. Je heller es ward, desto bemerklicher wurden ihm die neuen unbekannten Gegenden; und als auf einer Anhöhe die verlassene Landschaft von der aufgehenden Sonne auf einmal erleuchtet wurde, so fielen dem überraschten Jüngling alte Melodien seines Innern in den trüben Wechsel seiner Gedanken ein. Er sah sich an der Schwelle der Ferne, in die er oft vergebens von den nahen Bergen geschaut, und die er sich mit sonderbaren Farben ausgemalt hatte. Er war im Begriff, sich in ihre blaue Flut zu tauchen. Die Wunderblume stand vor ihm, und er sah nach Thüringen, welches er jetzt hinter sich ließ, mit der seltsamen Ahndung hinüber, als werde er nach langen Wanderungen von der Weltgegend her, nach welcher sie jetzt reisten, in sein Vaterland zurückkommen, und als reise er daher diesem eigentlich zu. Die Gesellschaft, die anfänglich aus ähnlichen Ursachen still gewesen war, fing nachgerade an

aufzuwachen, und sich mit allerhand Gesprächen und Erzählungen die Zeit zu verkürzen. Heinrichs Mutter glaubte ihren Sohn aus den Träumereien reißen zu müssen, in denen sie ihn versunken sah, und fing an ihm von ihrem Vaterlande zu erzählen, von dem Hause ihres Vaters und dem fröhlichen Leben in Schwaben. Die Kaufleute stimmten mit ein, und bekräftigten die mütterlichen Erzählungen, rühmten die Gastfreiheit des alten Schwaning, und konnten nicht aufhören, die schönen Landsmänninnen ihrer Reisegefährtin zu preisen. «Ihr tut wohl», sagten sie, «daß Ihr Euren Sohn dorthin führt. Die Sitten Eures Vaterlandes sind milder und gefälliger. Die Menschen wissen das Nützliche zu befördern, ohne das Angenehme zu verachten. Jedermann sucht seine Bedürfnisse auf eine gesellige und reizende Art zu befriedigen. Der Kaufmann befindet sich wohl dabei, und wird geehrt. Die Künste und Handwerke vermehren und veredeln sich, den Fleißigen dünkt die Arbeit leichter, weil sie ihm zu mannigfachen Annehmlichkeiten verhilft, und er, indem er eine einförmige Mühe übernimmt, sicher ist, die bunten Früchte mannigfacher und belohnender Beschäftigungen dafür mitzugenießen. Geld, Tätigkeit und Waren erzeugen sich gegenseitig, und treiben sich in raschen Kreisen, und das Land und die Städte blühen auf. Je eifriger der Erwerbfleiß die Tage benutzt, desto ausschließlicher ist der Abend den reizenden Vergnügungen der schönen Künste und des geselligen Umgangs gewidmet. Das Gemüt sehnt sich nach Erholung und Abwechselung, und wo sollte es diese auf eine anständigere und reizendere Art finden, als in der Beschäftigung mit den freien Spielen und Erzeugnissen seiner edelsten Kraft, des bildenden Tiefsinns. Nirgends hört man so anmutige Sänger, findet so herrliche Maler, und nirgends sieht man auf den Tanzsälen leichtere Bewegungen und lieblichere Gestalten. Die Nachbarschaft von Welschland zeigt sich in dem ungezwungenen Betragen und den einnehmenden Gesprächen. Euer Geschlecht darf die Gesellschaften schmücken, und ohne Furcht vor Nachrede mit holdseligem Bezeigen einen lebhaften Wetteifer, seine Aufmerksamkeit zu fesseln, erregen. Die rauhe Ernsthaftigkeit und die wilde Ausgelassenheit der Männer macht einer milden Lebendigkeit und sanfter bescheidner Freude Platz, und die Liebe wird in tausendfachen Gestalten der leitende Geist der glücklichen Gesellschaften. Weit entfernt, daß Ausschweifungen und unziemende Grundsätze dadurch sollten herbeigelockt werden, scheint es, als flöhen die bösen Geister die Nähe der Anmut, und gewiß sind in ganz Deutschland keine unbescholtenere Mädchen und keine treuere Frauen, als in Schwaben.

Ja, junger Freund, in der klaren warmen Luft des südlichen Deutschlands werdet Ihr Eure ernste Schüchternheit wohl ablegen; die fröhli-

chen Mädchen werden Euch wohl geschmeidig und gesprächig machen. Schon Euer Name, als Fremder, und Eure nahe Verwandtschaft mit dem alten Schwaning, der die Freude jeder fröhlichen Gesellschaft ist, werden die reizenden Augen der Mädchen auf sich ziehn; und wenn Ihr Eurem Großvater folgt, so werdet Ihr gewiß unsrer Vaterstadt eine ähnliche Zierde in einer holdseligen Frau mitbringen, wie Euer Vater.» Mit freundlichem Erröten dankte Heinrichs Mutter für das schöne Lob ihres Vaterlandes, und die gute Meinung von ihren Landsmänninnen, und der gedankenvolle Heinrich hatte nicht umhin gekonnt, aufmerksam und mit innigem Wohlgefallen der Schilderung des Landes, dessen Anblick ihm bevorstand, zuzuhören. «Wenn Ihr auch», fuhren die Kaufleute fort, «die Kunst Eures Vaters nicht ergreifen, und lieber, wie wir gehört haben, Euch mit gelehrten Dingen befassen wollt: so braucht Ihr nicht Geistlicher zu werden, und Verzicht auf die schönsten Genüsse dieses Lebens zu leisten. Es ist eben schlimm genug, daß die Wissenschaften in den Händen eines so von dem weltlichen Leben abgesonderten Standes, und die Fürsten von so ungeselligen und wahrhaft unerfahrenen Männern beraten sind. In der Einsamkeit, in welcher sie nicht selbst teil an den Weltgeschäften nehmen, müssen ihre Gedanken eine unnütze Wendung erhalten, und können nicht auf die wirklichen Vorfälle passen. In Schwaben trefft Ihr auch wahrhaft kluge und erfahrne Männer unter den Laien; und Ihr mögt nun wählen, welchen Zweig menschlicher Kenntnisse Ihr wollt: so wird es Euch nicht an den besten Lehrern und Ratgebern fehlen.» Nach einer Weile sagte Heinrich, dem bei dieser Rede sein Freund der Hofkaplan in den Sinn gekommen war: «Wenn ich bei meiner Unkunde von der Beschaffenheit der Welt Euch auch eben nicht abfällig sein kann, in dem was ihr von der Unfähigkeit der Geistlichen zu Führung und Beurteilung weltlicher Angelegenheiten behauptet: so ist mirs doch wohl erlaubt, euch an unsern trefflichen Hofkaplan zu erinnern, der gewiß ein Muster eines weisen Mannes ist, und dessen Lehren und Ratschläge mir unvergessen sein werden.»

«Wir ehren», erwiderten die Kaufleute, «diesen trefflichen Mann von ganzem Herzen; aber dennoch können wir nur insofern Eurer Meinung Beifall geben, daß er ein weiser Mann sei, wenn Ihr von jener Weisheit sprecht, die einen Gott wohlgefälligen Lebenswandel angeht. Haltet Ihr ihn für ebenso weltklug, als er in den Sachen des Heils geübt und unterrichtet ist: so erlaubt uns, daß wir Euch nicht beistimmen. Doch glauben wir, daß dadurch der heilige Mann nichts von seinem verdienten Lobe verliert; da er viel zu vertieft in der Kunde der überirdischen Welt ist, als daß er nach Einsicht und Ansehn in irdischen Dingen streben sollte.»

«Aber», sagte Heinrich, «sollte nicht jene höhere Kunde ebenfalls geschickt machen, recht unparteiisch den Zügel menschlicher Angelegenheiten zu führen? sollte nicht jene kindliche unbefangene Einfalt sicherer den richtigen Weg durch das Labyrinth der hiesigen Begebenheiten treffen als die durch Rücksicht auf eigenen Vorteil irregeleitete und gehemmte, von der unerschöpflichen Zahl neuer Zufälle und Verwickelungen geblendete Klugheit? Ich weiß nicht, aber mich dünkt, ich sähe zwei Wege um zur Wissenschaft der menschlichen Geschichte zu gelangen. Der eine, mühsam und unabsehlich, mit unzähligen Krümmungen, der Weg der Erfahrung; der andere, fast *ein* Sprung nur, der Weg der innern Betrachtung. Der Wanderer des ersten muß eins aus dem andern in einer langwierigen Rechnung finden, wenn der andere die Natur jeder Begebenheit und jeder Sache gleich unmittelbar anschaut, und sie in ihrem lebendigen, mannigfaltigen Zusammenhange betrachten, und leicht mit allen übrigen, wie Figuren auf einer Tafel, vergleichen kann. Ihr müßt verzeihen, wenn ich wie aus kindischen Träumen vor euch rede: nur das Zutrauen zu eurer Güte und das Andenken meines Lehrers, der den zweiten Weg mir als seinen eignen von weitem gezeigt hat, machte mich so dreist.»

«Wir gestehen Euch gern», sagten die gutmütigen Kaufleute, «daß wir Eurem Gedankengange nicht zu folgen vermögen: doch freut es uns, daß Ihr so warm Euch des trefflichen Lehrers erinnert, und seinen Unterricht wohl gefaßt zu haben scheint.

Es dünkt uns, Ihr habt Anlage zum Dichter. Ihr sprecht so geläufig von den Erscheinungen Eures Gemüts, und es fehlt Euch nicht an gewählten Ausdrücken und passenden Vergleichungen. Auch neigt Ihr Euch zum Wunderbaren, als dem Elemente der Dichter.»

«Ich weiß nicht», sagte Heinrich, «wie es kommt. Schon oft habe ich von Dichtern und Sängern sprechen gehört, und habe noch nie einen gesehn. Ja, ich kann mir nicht einmal einen Begriff von ihrer sonderbaren Kunst machen, und doch habe ich eine große Sehnsucht davon zu hören. Es ist mir, als würde ich manches besser verstehen, was jetzt nur dunkle Ahndung in mir ist. Von Gedichten ist oft erzählt worden, aber nie habe ich eins zu sehen bekommen, und mein Lehrer hat nie Gelegenheit gehabt, Kenntnisse von dieser Kunst einzuziehn. Alles, was er mir davon gesagt hat, habe ich nicht deutlich begreifen können. Doch meinte er immer, es sei eine edle Kunst, der ich mich ganz ergeben würde, wenn ich sie einmal kennen lernte. In alten Zeiten sei sie weit gemeiner gewesen, und habe jedermann einige Wissenschaft davon gehabt, jedoch einer vor dem andern. Sie sei noch mit andern verlorengegangenen herrlichen Künsten verschwistert gewesen. Die Sänger hätte göttliche Gunst hoch geehrt, so daß sie, begeistert durch

unsichtbaren Umgang, himmlische Weisheit auf Erden in lieblichen Tönen verkündigen können.»

Die Kaufleute sagten darauf: «Wir haben uns freilich nie um die Geheimnisse der Dichter bekümmert, wenn wir gleich mit Vergnügen ihrem Gesange zugehört. Es mag wohl wahr sein, daß eine besondere Gestirnung dazu gehört, wenn ein Dichter zur Welt kommen soll; denn es ist gewiß eine recht wunderbare Sache mit dieser Kunst. Auch sind die andern Künste gar sehr davon unterschieden, und lassen sich weit eher begreifen. Bei den Malern und Tonkünstlern kann man leicht einsehn, wie es zugeht, und mit Fleiß und Geduld läßt sich beides lernen. Die Töne liegen schon in den Saiten, und es gehört nur eine Fertigkeit dazu, diese zu bewegen, um jene in einer reizenden Folge aufzuwecken. Bei den Bildern ist die Natur die herrlichste Lehrmeisterin. Sie erzeugt unzählige schöne und wunderliche Figuren, gibt die Farben, das Licht und den Schatten, und so kann eine geübte Hand, ein richtiges Auge, und die Kenntnis von der Bereitung und Vermischung der Farben, die Natur auf das vollkommenste nachahmen. Wie natürlich ist daher auch die Wirkung dieser Künste, das Wohlgefallen an ihren Werken, zu begreifen. Der Gesang der Nachtigall, das Sausen des Windes, und die herrlichen Lichter, Farben und Gestalten gefallen uns, weil sie unsere Sinne angenehm beschäftigen; und da unsere Sinne dazu von der Natur, die auch jenes hervorbringt, so eingerichtet sind, so muß uns auch die künstliche Nachahmung der Natur gefallen. Die Natur will selbst auch einen Genuß von ihrer großen Künstlichkeit haben, und darum hat sie sich in Menschen verwandelt, wo sie nun selber sich über ihre Herrlichkeit freut, das Angenehme und Liebliche von den Dingen absondert, und es auf solche Art allein hervorbringt, daß sie es auf mannigfaltigere Weise, und zu allen Zeiten und allen Orten haben und genießen kann. Dagegen ist von der Dichtkunst sonst nirgends äußerlich etwas anzutreffen. Auch schafft sie nichts mit Werkzeugen und Händen; das Auge und das Ohr vernehmen nichts davon: denn das bloße Hören der Worte ist nicht die eigentliche Wirkung dieser geheimen Kunst. Es ist alles innerlich, und wie jene Künstler die äußern Sinne mit angenehmen Empfindungen erfüllen, so erfüllt der Dichter das inwendige Heiligtum des Gemüts mit neuen, wunderbaren und gefälligen Gedanken. Er weiß jene geheimen Kräfte in uns nach Belieben zu erregen, und gibt uns durch Worte eine unbekannte herrliche Welt zu vernehmen. Wie aus tiefen Höhlen steigen alte und künftige Zeiten, unzählige Menschen, *wunderbare* Gegenden und die seltsamsten Begebenheiten in uns herauf, und entreißen uns der bekannten Gegenwart. Man hört fremde Worte und weiß doch, was sie bedeuten sollen. Eine magische Gewalt üben die Sprüche des Dichters aus; auch

'die gewöhnlichen Worte kommen in reizenden Klängen vor, und berauschen die festgebannten Zuhörer.»

«Ihr verwandelt meine Neugierde in heiße Ungeduld», sagte Heinrich. «Ich bitte euch, erzählt mir von allen Sängern, die ihr gehört habt. Ich kann nicht genug von diesen besonderen Menschen hören. Mir ist auf einmal, als hätte ich irgendwo schon davon in meiner tiefsten Jugend reden hören, doch kann ich mich schlechterdings nichts mehr davon entsinnen. Aber mir ist das, was ihr sagt, so klar, so bekannt, und ihr macht mir ein außerordentliches Vergnügen mit euren schönen Beschreibungen.»

«Wir erinnern uns selbst gern», fuhren die Kaufleute fort, «mancher frohen Stunden, die wir in Welschland, Frankreich und Schwaben in der Gesellschaft von Sängern zugebracht haben, und freuen uns, daß Ihr so lebhaften Anteil an unsern Reden nehmet. Wenn man so in Gebürgen reist, spricht es sich mit doppelter Annehmlichkeit, und die Zeit vergeht spielend. Vielleicht ergötzt es Euch, einige artige Geschichten von Dichtern zu hören, die wir auf unsern Reisen erfuhren. Von den Gesängen selbst, die wir gehört haben, können wir wenig sagen, da die Freude und der Rausch des Augenblicks das Gedächtnis hindert viel zu behalten, und die unaufhörlichen Handelsgeschäfte manches Andenken auch wieder verwischt haben.

In alten Zeiten muß die ganze Natur lebendiger und sinnvoller gewesen sein als heutzutage. Wirkungen, die jetzt kaum noch die Tiere zu bemerken scheinen, und die Menschen eigentlich allein noch empfinden und genießen, bewegten damals leblose Körper; und so war es möglich, daß kunstreiche Menschen allein Dinge möglich machten und Erscheinungen hervorbrachten, die uns jetzt völlig unglaublich und fabelhaft dünken. So sollen vor uralten Zeiten in den Ländern des jetzigen Griechischen Kaisertums, wie uns Reisende berichtet, die diese Sagen noch dort unter dem gemeinen Volke angetroffen haben, Dichter gewesen sein, die durch den seltsamen Klang wunderbarer Werkzeuge das geheime Leben der Wälder, die in den Stämmen verborgenen Geister aufgeweckt, in wüsten, veröderen Gegenden den toten Pflanzensamen erregt, und blühende Gärten hervorgerufen, grausame Tiere gezähmt und verwilderte Menschen zu Ordnung und Sitte gewöhnt, sanfte Neigungen und Künste des Friedens in ihnen rege gemacht, reißende Flüsse in milde Gewässer verwandelt, und selbst die totesten Steine in regelmäßige tanzende Bewegungen hingerissen haben. Sie sollen zugleich Wahrsager und Priester, Gesetzgeber und Ärzte gewesen sein, indem selbst die höhern Wesen durch ihre zauberische Kunst herabgezogen worden sind, und sie in den Geheimnissen der Zukunft unterrichtet, das Ebenmaß und die natürliche Einrichtung aller Dinge, auch

die innern Tugenden und Heilkräfte der Zahlen, Gewächse und aller Kreaturen, ihnen offenbart. Seitdem sollen, wie die Sage lautet, erst die mannigfaltigen Töne und die sonderbaren Sympathien und Ordnungen in die Natur gekommen sein, indem vorher alles wild, unordentlich und feindselig gewesen ist. Seltsam ist nur hiebei, daß zwar diese schönen Spuren, zum Andenken der Gegenwart jener wohltätigen Menschen, geblieben sind, aber entweder ihre Kunst, oder jene zarte Gefühligkeit der Natur verloren gegangen ist. In diesen Zeiten hat es sich unter andern einmal zugetragen, daß einer jener sonderbaren Dichter oder mehr Tonkünstler — wiewohl die Musik und Poesie wohl ziemlich eins sein mögen und vielleicht ebenso zusammengehören wie Mund und Ohr, da der erste nur ein bewegliches und antwortendes Ohr ist — daß also dieser Tonkünstler übers Meer in ein fremdes Land reisen wollte. Er war reich an schönen Kleinodien und köstlichen Dingen, die ihm aus Dankbarkeit verehrt worden waren. Er fand ein Schiff am Ufer, und die Leute darin schienen bereitwillig, ihn für den verheißenen Lohn nach der verlangten Gegend zu fahren. Der Glanz und die Zierlichkeit seiner Schätze reizten aber bald ihre Habsucht so sehr, daß sie untereinander verabredeten, sich seiner zu bemächtigen, ihn ins Meer zu werfen und nachher seine Habe untereinander zu verteilen. Wie sie also mitten im Meere waren, fielen sie über ihn her, und sagten ihm, daß er sterben müsse, weil sie beschlossen hätten, ihn ins Meer zu werfen. Er bat sie auf die rührendste Weise um sein Leben, bot ihnen seine Schätze zum Lösegeld an, und prophezeite ihnen großes Unglück, wenn sie ihren Vorsatz ausführen würden. Aber weder das eine, noch das andere konnte sie bewegen: denn sie fürchteten sich, daß er ihre bösliche Tat einmal verraten möchte. Da er sie nun einmal so fest entschlossen sah, bat er sie ihm wenigstens zu erlauben, daß er noch vor seinem Ende seinen Schwanengesang spielen dürfe, dann wolle er mit seinem schlichten hölzernen Instrumente, vor ihren Augen freiwillig ins Meer springen. Sie wußten recht wohl, daß wenn sie seinen Zaubergesang hörten, ihre Herzen erweicht und sie von Reue ergriffen werden würden; daher nahmen sie sich vor, ihm zwar diese letzte Bitte zu gewähren, während des Gesanges aber sich die Ohren fest zu verstopfen, daß sie nichts davon vernähmen, und so bei ihrem Vorhaben bleiben könnten. Dies geschah. Der Sänger stimmte einen herrlichen, unendlich rührenden Gesang an. Das ganze Schiff tönte mit, die Wellen klangen, die Sonne und die Gestirne erschienen zugleich am Himmel, und aus den grünen Fluten tauchten tanzende Scharen von Fischen und Meerungeheuern hervor. Die Schiffer standen feindselig allein mit festverstopften Ohren, und warteten voll Ungeduld auf das Ende des Liedes. Bald war es vorüber. Da sprang der Sänger

mit heitrer Stirn in den dunkeln Abgrund hin, sein wundertätiges Werkzeug im Arm. Er hatte kaum die glänzenden Wogen berührt, so hob sich der breite Rücken eines dankbaren Untiers unter ihm hervor, und es schwamm schnell mit dem erstaunten Sänger davon. Nach kurzer Zeit hatte es mit ihm die Küste erreicht, nach der er hingewollt hatte, und setzte ihn sanft im Schilfe nieder. Der Dichter sang seinem Retter ein frohes Lied, und ging dankbar von dannen. Nach einiger Zeit ging er einmal am Ufer des Meers allein, und klagte in süßen Tönen über seine verlorenen Kleinode, die ihm als Erinnerungen glücklicher Stunden und als Zeichen der Liebe und Dankbarkeit so wert gewesen waren. Indem er so sang, kam plötzlich sein alter Freund im Meere fröhlich daher gerauscht, und ließ aus seinem Rachen die geraubten Schätze auf den Sand fallen. Die Schiffer hatten, nach des Sängers Sprunge, sich sogleich in seine Hinterlassenschaft zu teilen angefangen. Bei dieser Teilung war Streit unter ihnen entstanden, und hatte sich in einen mörderischen Kampf geendigt, der den meisten das Leben gekostet; die wenigen, die übrig geblieben, hatten allein das Schiff nicht regieren können, und es war bald auf den Strand geraten, wo es scheiterte und unterging. Sie brachten mit genauer Not das Leben davon, und kamen mit leeren Händen und zerrissenen Kleidern ans Land, und so kehrten durch die Hülfe des dankbaren Meertiers, das die Schätze im Meere aufsuchte, dieselben in die Hände ihres alten Besitzers zurück.»

DRITTES KAPITEL

«Eine andere Geschichte», fuhren die Kaufleute nach einer Pause fort, «die freilich nicht so wunderbar und auch aus späterer Zeiten ist, wird Euch vielleicht doch gefallen und Euch mit den Wirkungen jener wunderbaren Kunst noch bekannter machen. Ein alter König hielt einen glänzenden Hof. Weit und breit strömten Menschen herzu, um teil an der Herrlichkeit seines Lebens zu haben, und es gebrach weder den täglichen Festen an Überfluß köstlicher Waren des Gaumens, noch an Musik, prächtigen Verzierungen und Trachten, und tausend abwechselnden Schauspielen und Zeitvertreiben, noch endlich an sinnreicher Anordnung, an klugen, gefälligen, und unterrichteten Männern zur Unterhaltung und Beseelung der Gespräche, und an schöner, anmutiger Jugend von beiden Geschlechtern, die die eigentliche Seele reizender Feste ausmachen. Der alte König, der sonst ein strenger und ernster Mann war, hatte zwei Neigungen, die der wahre Anlaß dieser prächtigen Hofhaltung waren, und denen sie ihre schöne Einrichtung zu danken hatte. Eine war die Zärtlichkeit für seine Tochter, die ihm

als Andenken seiner früh verstorbenen Gemahlin und als ein unaussprechlich liebenswürdiges Mädchen unendlich teuer war, und für die er gern alle Schätze der Natur und alle Macht des menschlichen Geistes aufgeboten hätte, um ihr einen Himmel auf Erden zu verschaffen. Die andere war eine wahre Leidenschaft für die Dichtkunst und ihre Meister. Er hatte von Jugend auf die Werke der Dichter mit innigem Vergnügen gelesen, an ihre Sammlung aus allen Sprachen großen Fleiß und große Summen gewendet, und von jeher den Umgang der Sänger über alles geschätzt. Von allen Enden zog er sie an seinen Hof und überhäufte sie mit Ehren. Er ward nicht müde, ihren Gesängen zuzuhören, und vergaß oft die wichtigsten Angelegenheiten, ja die Bedürfnisse des Lebens über einem neuen, hinreißenden Gesange. Seine Tochter war unter Gesängen aufgewachsen, und ihre ganze Seele war ein zartes Lied geworden, ein einfacher Ausdruck der Wehmut und Sehnsucht. Der wohltätige Einfluß der beschützten und geehrten Dichter zeigte sich im ganzen Lande, besonders aber am Hofe. Man genoß das Leben mit langsamen, kleinen Zügen wie einen köstlichen Trank, und mit desto reinerem Wohlbehagen, da alle widrige gehässige Leidenschaften, wie Mißtöne von der sanften harmonischen Stimmung verscheucht wurden, die in allen Gemütern herrschend war. Frieden der Seele und innres seliges Anschauen einer selbst geschaffenen, glücklichen Welt war das Eigentum dieser wunderbaren Zeit geworden, und die Zwietracht erschien nur in den alten Sagen der Dichter, als eine ehemalige Feindin der Menschen. Es schien, als hätten die Geister des Gesanges ihrem Beschützer kein lieblicheres Zeichen der Dankbarkeit geben können als seine Tochter, die alles besaß, was die süßeste Einbildungskraft nur in der zarten Gestalt eines Mädchens vereinigen konnte. Wenn man sie an den schönen Festen unter einer Schar reizender Gespielen, im weißen glänzenden Gewande erblickte, wie sie den Wettgesängen der begeisterten Sänger mit tiefem Lauschen zuhörte, und errötend einen duftenden Kranz auf die Locken des Glücklichen drückte, dessen Lied den Preis gewonnen hatte: so hielt man sie für die sichtbare Seele jener herrlichen Kunst, die jene Zaubersprüche beschworen hätten, und hörte auf sich über die Entzückungen und Melodien der Dichter zu wundern.

Mitten in diesem irdischen Paradiese schien jedoch ein geheimnisvolles Schicksal zu schweben. Die einzige Sorge der Bewohner dieser Gegenden betraf die Vermählung der aufblühenden Prinzessin, von der die Fortdauer dieser seligen Zeiten und das Verhängnis des ganzen Landes abhing. Der König ward immer älter. Ihm selbst schien diese Sorge lebhaft am Herzen zu liegen, und doch zeigte sich keine Aussicht zu einer Vermählung für sie, die allen Wünschen angemessen

gewesen wäre. Die heilige Ehrfurcht für das königliche Haus erlaubte keinem Untertan, an die Möglichkeit zu denken, die Prinzessin zu besitzen. Man betrachtete sie wie ein überirdisches Wesen, und alle Prinzen aus andern Ländern, die sich mit Ansprüchen auf sie am Hofe gezeigt hatten, schienen so tief unter ihr zu sein, daß kein Mensch auf den Einfall kam, die Prinzessin oder der König werde die Augen auf einen unter ihnen richten. Das Gefühl des Abstandes hatte sie auch allmählich alle verscheucht, und das ausgesprengte Gerücht des ausschweifenden Stolzes dieser königlichen Familie schien andern alle Lust zu benehmen, sich ebenfalls gedemütigt zu sehn. Ganz ungegründet war auch dieses Gerücht nicht. Der König war bei aller Milde beinah unwillkürlich in ein Gefühl der Erhabenheit geraten, was ihm jeden Gedanken an die Verbindung seiner Tochter mit einem Manne von niedrigerem Stande und dunklerer Herkunft unmöglich oder unerträglich machte. Ihr hoher, einziger Wert hatte jenes Gefühl in ihm immer mehr bestätigt. Er war aus einer uralten morgenländischen Königsfamilie entsprossen. Seine Gemahlin war der letzte Zweig der Nachkommenschaft des berühmten Helden Rustan gewesen. Seine Dichter hatten ihm unaufhörlich von seiner Verwandtschaft mit den ehemaligen übermenschlichen Beherrschern der Welt vorgesungen, und in dem Zauberspiegel ihrer Kunst war ihm der Abstand seiner Herkunft von dem Ursprunge der andern Menschen, die Herrlichkeit seines Stammes noch heller erschienen, so daß es ihn dünkte, nur durch die edlere Klasse der Dichter mit dem übrigen Menschengeschlechte zusammenzuhängen. Vergebens sah er sich mit voller Sehnsucht nach einem zweiten Rustan um, indem er fühlte, daß das Herz seiner aufblühenden Tochter, der Zustand seines Reichs, und sein zunehmendes Alter ihre Vermählung in aller Absicht sehr wünschenswert machten.

Nicht weit von der Hauptstadt lebte auf einem abgelegenen Landgute ein alter Mann, der sich ausschließlich mit der Erziehung seines einzigen Sohnes beschäftigte, und nebenher den Landleuten in wichtigen Krankheiten Rat erteilte. Der junge Mensch war ernst und ergab sich einzig der Wissenschaft der Natur, in welcher ihn sein Vater von Kindheit auf unterrichtete. Aus fernen Gegenden war der Alte vor mehreren Jahren in dies friedliche und blühende Land gezogen, und begnügte sich, den wohltätigen Frieden, den der König um sich verbreitete, in der Stille zu genießen. Er benutzte sie, die Kräfte der Natur zu erforschen, und diese hinreißenden Kenntnisse seinem Sohne mitzuteilen, der viel Sinn dafür verriet und dessen tiefem Gemüt die Natur bereitwillig ihre Geheimnisse anvertraute. Die Gestalt des jungen Menschen schien gewöhnlich und unbedeutend, wenn man nicht einen höhern Sinn für die geheimere Bildung seines edlen Gesichts und die unge-

wöhnliche Klarheit seiner Augen mitbrachte. Je länger man ihn ansah, desto anziehender ward er, und man konnte sich kaum wieder von ihm trennen, wenn man seine sanfte, eindringende Stimme und seine anmutige Gabe zu sprechen hörte. Eines Tages hatte die Prinzessin, deren Lustgärten an den Wald stießen, der das Landgut des Alten in einem kleinen Tale verbarg, sich allein zu Pferde in den Wald begeben, um desto ungestörter ihren Phantasien nachhängen und einige schöne Gesänge sich wiederholen zu können. Die Frische des hohen Waldes lockte sie immer tiefer in seine Schatten, und so kam sie endlich an das Landgut, wo der Alte mit seinem Sohne lebte. Es kam ihr die Lust an, Milch zu trinken, sie stieg ab, band ihr Pferd an einen Baum, und trat in das Haus, um sich einen Trunk Milch auszubitten. Der Sohn war gegenwärtig, und erschrak beinah über diese zauberhafte Erscheinung eines majestätischen weiblichen Wesens, das mit allen Reizen der Jugend und Schönheit geschmückt, und von einer unbeschreiblich anziehenden Durchsichtigkeit der zartesten, unschuldigsten und edelsten Seele beinah vergöttlicht wurde. Während er eilte ihre wie Geistergesang tönende Bitte zu erfüllen, trat ihr der Alte mit bescheidner Ehrfurcht entgegen, und lud sie ein, an dem einfachen Herde, der mitten im Hause stand, und auf welchem eine leichte blaue Flamme ohne Geräusch emporspielte, Platz zu nehmen. Es fiel ihr, gleich beim Eintritt, der mit tausend seltenen Sachen gezierte Hausraum, die Ordnung und Reinlichkeit des Ganzen, und eine seltsame Heiligkeit des Ortes auf, deren Eindruck noch durch den schlicht gekleideten ehrwürdigen Greis und den bescheidnen Anstand des Sohnes erhöhet wurde. Der Alte hielt sie gleich für eine zum Hof gehörige Person, wozu ihre kostbare Tracht, und ihr edles Betragen ihm Anlaß genug gab. Während der Abwesenheit des Sohnes befragte sie ihn um einige Merkwürdigkeiten, die ihr vorzüglich in die Augen fielen, worunter besonders einige alte, sonderbare Bilder waren, die neben ihrem Sitze auf dem Herde standen, und er war bereitwillig sie auf eine anmutige Art damit bekannt zu machen. Der Sohn kam bald mit einem Kruge voll frischer Milch zurück, und reichte ihr denselben mit ungekünsteltem und ehrfurchtsvollem Wesen. Nach einigen anziehenden Gesprächen mit beiden, dankte sie auf die lieblichste Weise für die freundliche Bewirtung, bat errötend den Alten um die Erlaubnis, wiederkommen und seine lehrreichen Gespräche über die vielen wunderbaren Sachen genießen zu dürfen, und ritt zurück, ohne ihren Stand verraten zu haben, da sie merkte, daß Vater und Sohn sie nicht kannten. Ohnerachtet die Hauptstadt so nahe lag, hatten beide, in ihre Forschungen vertieft, das Gewühl der Menschen zu vermeiden gesucht, und es war dem Jüngling nie eine Lust angekommen, den Festen des Hofes beizu-

wohnen; besonders da er seinen Vater höchstens auf eine Stunde zu verlassen pflegte, um zuweilen im Walde nach Schmetterlingen, Käfern und Pflanzen umherzugehen, und die Eingebungen des stillen Naturgeistes durch den Einfluß seiner mannigfaltigen äußeren Lieblichkeiten zu vernehmen. Dem Alten, der Prinzessin und dem Jüngling war die einfache Begebenheit des Tages gleich wichtig. Der Alte hatte leicht den neuen tiefen Eindruck bemerkt, den die Unbekannte auf seinen Sohn machte. Er kannte diesen genug, um zu wissen, daß jeder tiefe Eindruck bei ihm ein lebenslänglicher sein würde. Seine Jugend und die Natur seines Herzens mußten die erste Empfindung dieser Art zur unüberwindlichen Neigung machen. Der Alte hatte lange eine solche Begebenheit herannahen sehen. Die hohe Liebenswürdigkeit der Erscheinung flößte ihm unwillkürlich eine innige Teilnahme ein, und sein zuversichtliches Gemüt entfernte alle Besorgnisse über die Entwickelung dieses sonderbaren Zufalls. Die Prinzessin hatte sich nie in einem ähnlichen Zustande befunden, wie der war, in welchem sie langsam nach Hause ritt. Es konnte, vor der einzigen helldunklen wunderbar beweglichen Empfindung einer neuen Welt, kein eigentlicher Gedanke in ihr entstehen. Ein magischer Schleier dehnte sich in weiten Falten um ihr klares Bewußtsein. Es war ihr, als würde sie sich, wenn er aufgeschlagen würde, in einer überirdischen Welt befinden. Die Erinnerung an die Dichtkunst, die bisher ihre ganze Seele beschäftigt hatte, war zu einem fernen Gesange geworden, der ihren seltsam lieblichen Traum mit den ehemaligen Zeiten verband. Wie sie zurück in den Palast kam, erschrak sie beinah über seine Pracht und sein buntes Leben, noch mehr aber bei der Bewillkommnung ihres Vaters, dessen Gesicht zum ersten Male in ihrem Leben eine scheue Ehrfurcht in ihr erregte. Es schien ihr eine unabänderliche Notwendigkeit, nichts von ihrem Abenteuer zu erwähnen. Man war ihre schwärmerische Ernsthaftigkeit, ihren in Phantasien und tiefes Sinnen verlornen Blick schon zu gewohnt, um etwas Außerordentliches darin zu bemerken. Es war ihr jetzt nicht mehr so lieblich zumute; sie schien sich unter lauter Fremden, und eine sonderbare Bänglichkeit begleitete sie bis an den Abend, wo das frohe Lied eines Dichters, der die Hoffnung pries, und von den Wundern des Glaubens an die Erfüllung unsrer Wünsche mit hinreißender Begeisterung sang, sie mit süßem Trost erfüllte und in die angenehmsten Träume wiegte. Der Jüngling hatte sich gleich nach ihrem Abschiede in den Wald verloren. An der Seite des Weges war er in Gebüschen bis an die Pforten des Gartens ihr gefolgt, und dann auf dem Wege zurückgegangen. Wie er so ging, sah er zu seinen Füßen einen hellen Glanz. Er bückte sich danach und hob einen dunkelroten Stein auf, der auf der einen Seite außerordentlich funkelte, und auf

der andern eingegrabene unverständliche Chiffern zeigte. Er erkannte ihn für einen kostbaren Karfunkel, und glaubte ihn in der Mitte des Halsbandes an der Unbekannten bemerkt zu haben. Er eilte mit beflügelten Schritten nach Hause, als wäre sie noch dort, und brachte den Stein seinem Vater. Sie wurden einig, daß der Sohn den andern Morgen auf dem Weg zurückgehn und warten sollte, ob der Stein gesucht würde, wo er ihn dann zurückgeben könnte; sonst wollten sie ihn bis zu einem zweiten Besuche der Unbekannten aufheben, um ihr selbst ihn zu überreichen. Der Jüngling betrachtete fast die ganze Nacht den Karfunkel und fühlte gegen Morgen ein unwiderstehliches Verlangen, einige Worte auf den Zettel zu schreiben, in welchen er den Stein einwickelte. Er wußte selbst nicht genau, was er sich bei den Worten dachte, die er hinschrieb:

> Es ist dem Stein ein rätselhaftes Zeichen
> Tief eingegraben in sein glühend Blut,
> Er ist mit einem Herzen zu vergleichen,
> In dem das Bild der Unbekannten ruht.
> Man sieht um jenen tausend Funken streichen,
> Um dieses woget eine lichte Flut.
> In jenem liegt des Glanzes Licht begraben,
> Wird dieses auch das Herz des Herzens haben?

Kaum daß der Morgen anbrach, so begab er sich schon auf den Weg, und eilte der Pforte des Gartens zu.

Unterdessen hatte die Prinzessin abends beim Auskleiden den teuren Stein in ihrem Halsbande vermißt, der ein Andenken ihrer Mutter und noch dazu ein Talisman war, dessen Besitz ihr die Freiheit ihrer Person sicherte, indem sie damit nie in fremde Gewalt ohne ihren Willen geraten konnte.

Dieser Verlust befremdete sie mehr, als daß er sie erschreckt hätte. Sie erinnerte sich, ihn gestern bei dem Spazierritt noch gehabt zu haben, und glaubte fest, daß er entweder im Hause des Alten, oder auf dem Rückwege im Walde verloren gegangen sein müsse; der Weg war ihr noch in frischem Andenken, und so beschloß sie gleich früh den Stein aufzusuchen, und ward bei diesem Gedanken so heiter, daß es fast das Ansehn gewann, als sei sie gar nicht unzufrieden mit dem Verluste, weil er Anlaß gäbe jenen Weg sogleich noch einmal zu machen. Mit dem Tage ging sie durch den Garten nach dem Walde, und weil sie eilfertiger ging als gewöhnlich, so fand sie es ganz natürlich, daß ihr das Herz lebhaft schlug, und ihr die Brust beklomm. Die Sonne fing eben an, die Wipfel der alten Bäume zu vergolden, die sich mit

sanftem Flüstern bewegten, als wollten sie sich gegenseitig aus nächtlichen Gesichtern erwecken, um die Sonne gemeinschaftlich zu begrüßen, als die Prinzessin durch ein fernes Geräusch veranlaßt, den Weg hinunter und den Jüngling auf sich zueilen sah, der in demselben Augenblick ebenfalls sie bemerkte.

Wie angefesselt blieb er eine Weile stehn, und blickte unverwandt sie an, gleichsam um sich zu überzeugen, daß ihre Erscheinung wirklich und keine Täuschung sei. Sie begrüßten sich mit einem zurückgehaltenen Ausdruck von Freude, als hätten sie sich schon lange gekannt und geliebt. Noch ehe die Prinzessin die Ursache ihres frühen Spazierganges ihm entdecken konnte, überreichte er ihr mit Erröten und Herzklopfen den Stein in dem beschriebenen Zettel. Es war, als ahndete die Prinzessin den Inhalt der Zeilen. Sie nahm ihn stillschweigend mit zitternder Hand und hing ihm zur Belohnung für seinen glücklichen Fund beinah unwillkürlich eine goldne Kette um, die sie um den Hals trug. Beschämt kniete er vor ihr und konnte, da sie sich nach seinem Vater erkundigte, einige Zeit keine Worte finden. Sie sagte ihm halbleise, und mit niedergeschlagenen Augen, daß sie bald wieder zu ihnen kommen, und die Zusage des Vaters sie mit seinen Seltenheiten bekannt zu machen, mit vieler Freude benutzen würde.

Sie dankte dem Jünglinge noch einmal mit ungewöhnlicher Innigkeit und ging hierauf langsam, ohne sich umzusehen, zurück. Der Jüngling konnte kein Wort vorbringen. Er neigte sich ehrfurchtsvoll und sah ihr lange nach, bis sie hinter den Bäumen verschwand. Nach dieser Zeit vergingen wenig Tage bis zu ihrem zweiten Besuche, dem bald mehrere folgten. Der Jüngling ward unvermerkt ihr Begleiter bei diesen Spaziergängen. Er holte sie zu bestimmten Stunden am Garten ab, und brachte sie dahin zurück. Sie beobachtete ein unverbrüchliches Stillschweigen über ihren Stand, so zutraulich sie auch sonst gegen ihren Begleiter wurde, dem bald kein Gedanke in ihrer himmlischen Seele verborgen blieb. Es war, als flößte ihr die Erhabenheit ihrer Herkunft eine geheime Furcht ein. Der Jüngling gab ihr ebenfalls seine ganze Seele. Vater und Sohn hielten sie für ein vornehmes Mädchen vom Hofe. Sie hing an dem Alten mit der Zärtlichkeit einer Tochter. Ihre Liebkosungen gegen ihn waren die entzückenden Vorboten ihrer Zärtlichkeit gegen den Jüngling. Sie ward bald einheimisch in dem wunderbaren Hause; und wenn sie dem Alten und dem Sohne, der zu ihren Füßen saß, auf ihrer Laute reizende Lieder mit einer überirdischen Stimme vorsang, und letzteren in dieser lieblichen Kunst unterrichtete: so erfuhr sie dagegen von seinen begeisterten Lippen die Enträtselung der überall verbreiteten Naturgeheimnisse. Er lehrte ihr, wie durch wundervolle Sympathie die Welt entstanden sei, und die Ge-

stirne sich zu melodischen Reigen vereinigt hätten. Die Geschichte der
Vorwelt ging durch seine heiligen Erzählungen in ihrem Gemüt auf;
und wie entzückt war sie, wenn ihr Schüler, in der Fülle seiner Einge-
bungen, die Laute ergriff und mit unglaublicher Gelehrigkeit in die
wundervollsten Gesänge ausbrach. Eines Tages, wo ein besonders küh-
ner Schwung sich seiner Seele in ihrer Gesellschaft bemächtigt hatte,
und die mächtige Liebe auf dem Rückwege ihre jungfräuliche Zurück-
haltung mehr als gewöhnlich überwand, so daß sie beide ohne selbst
zu wissen wie einander in die Arme sanken, und der erste glühende
Kuß sie auf ewig zusammenschmelzte, fing mit einbrechender Däm-
merung ein gewaltiger Sturm in den Gipfeln der Bäume plötzlich zu
toben an. Drohende Wetterwolken zogen mit tiefem nächtlichen Dun-
kel über sie her. Er eilte sie in Sicherheit vor dem fürchterlichen Unge-
witter und den brechenden Bäumen zu bringen: aber er verfehlte in
der Nacht und voll Angst wegen seiner Geliebten den Weg, und ge-
riet immer tiefer in den Wald hinein. Seine Angst wuchs, wie er seinen
Irrtum bemerkte. Die Prinzessin dachte an das Schrecken des Königs
und des Hofes; eine unnennbare Ängstlichkeit fuhr zuweilen, wie ein
zerstörender Strahl, durch ihre Seele, und nur die Stimme ihres Ge-
liebten, der ihr unaufhörlich Trost zusprach, gab ihr Mut und Zutrau-
en zurück, und erleichterte ihre beklommne Brust. Der Sturm wütete
fort; alle Bemühungen den Weg zu finden waren vergeblich, und sie
priesen sich beide glücklich, bei der Erleuchtung eines Blitzes eine nahe
Höhle an dem steilen Abhang eines waldigen Hügels zu entdecken,
wo sie eine sichere Zuflucht gegen die Gefahren des Ungewitters zu
finden hofften, und eine Ruhestätte für ihre erschöpften Kräfte. Das
Glück begünstigte ihre Wünsche. Die Höhle war trocken und mit rein-
lichem Moose bewachsen. Der Jüngling zündete schnell ein Feuer von
Reisern und Moos an, woran sie sich trocknen konnten, und die bei-
den Liebenden sahen sich nun auf eine wunderbare Weise von der
Welt entfernt, aus einem gefahrvollen Zustande gerettet, und auf ei-
nem bequemen, warmen Lager allein nebeneinander.

Ein wilder Mandelstrauch hing mit Früchten beladen in die Höhle
hinein, und ein nahes Rieseln ließ sie frisches Wasser zur Stillung ihres
Durstes finden. Die Laute hatte der Jüngling mitgenommen, und sie
gewährte ihnen jetzt eine aufheiternde und beruhigende Unterhaltung
bei dem knisternden Feuer. Eine höhere Macht schien den Knoten
schneller lösen zu wollen, und brachte sie unter sonderbaren Umstän-
den in diese romantische Lage. Die Unschuld ihrer Herzen, die zauber-
hafte Stimmung ihrer Gemüter und die verbundene unwiderstehliche
Macht ihrer süßen Leidenschaft und ihrer Jugend ließ sie bald die Welt
und ihre Verhältnisse vergessen, und wiegte sie unter dem Brautge-

sange des Sturms und den Hochzeitfackeln der Blitze in den süßesten Rausch ein, der je ein sterbliches Paar beseligt haben mag. Der Anbruch des lichten blauen Morgens war für sie das Erwachen in einer neuen seligen Welt. Ein Strom heißer Tränen, der jedoch bald aus den Augen der Prinzessin hervorbrach, verriet ihrem Geliebten die erwachenden tausendfachen Bekümmernisse ihres Herzens. Er war in dieser Nacht um mehrere Jahre älter, aus einem Jünglinge zum Manne geworden. Mit überschwenglicher Begeisterung tröstete er seine Geliebte, erinnerte sie an die Heiligkeit der wahrhaften Liebe, und an den hohen Glauben, den sie einflöße, und bat sie, die heiterste Zukunft von dem Schutzgeist ihres Herzens mit Zuversicht zu erwarten. Die Prinzessin fühlte die Wahrheit seines Trostes, und entdeckte ihm, sie sei die Tochter des Königs, und nur bange wegen des Stolzes und der Bekümmernisse ihres Vaters. Nach langen reiflichen Überlegungen wurden sie über die zu fassende Entschließung einig, und der Jüngling machte sich sofort auf den Weg, um seinen Vater aufzusuchen, und diesen mit ihrem Plane bekannt zu machen. Er versprach in kurzem wieder bei ihr zu sein, und verließ sie beruhigt und in süßen Vorstellungen der künftigen Entwickelung dieser Begebenheiten. Der Jüngling hatte bald seines Vaters Wohnung erreicht, und der Alte war sehr erfreut, ihn unverletzt ankommen zu sehen. Er erfuhr nun die Geschichte und den Plan der Liebenden, und bezeigte sich nach einigem Nachdenken bereitwillig, ihn zu unterstützen. Sein Haus lag ziemlich versteckt, und hatte einige unterirdische Zimmer, die nicht leicht aufzufinden waren. Hier sollte die Wohnung der Prinzessin sein. Sie ward also in der Dämmerung abgeholt, und mit tiefer Rührung von dem Alten empfangen. Sie weinte nachher oft in der Einsamkeit, wenn sie ihres traurigen Vaters gedachte: doch verbarg sie ihren Kummer vor ihrem Geliebten, und sagte es nur dem Alten, der sie freundlich tröstete, und ihr die nahe Rückkehr zu ihrem Vater vorstellte.

Unterdes war man am Hofe in große Bestürzung geraten, als abends die Prinzessin vermißt wurde. Der König war ganz außer sich, und schickte überall Leute aus, sie zu suchen. Kein Mensch wußte sich ihr Verschwinden zu erklären. Keinem kam ein heimliches Liebesverständnis in die Gedanken, und so ahndete man keine Entführung, da ohnedies kein Mensch weiter fehlte. Auch nicht zu der entferntesten Vermutung war Grund da. Die ausgeschickten Boten kamen unverrichteter Sache zurück, und der König fiel in tiefe Traurigkeit. Nur wenn abends seine Sänger vor ihn kamen und schöne Lieder mitbrachten, war es, als ließe sich die alte Freude wieder vor ihm blicken; seine Tochter dünkte ihm nah, und er schöpfte Hoffnung, sie bald wiederzusehen. War er aber wieder allein, so zerriß es ihm von neuem das

Herz und er weinte laut. Dann gedachte er bei sich selbst: Was hilft mir nun alle die Herrlichkeit, und meine hohe Geburt? Nun bin ich doch elender als die andern Menschen. Meine Tochter kann mir nichts ersetzen. Ohne sie sind auch die Gesänge nichts als leere Worte und Blendwerk. Sie war der Zauber, der ihnen Leben und Freude, Macht und Gestalt gab. Wollt' ich doch lieber, ich wäre der geringste meiner Diener. Dann hätte ich meine Tochter noch; auch wohl einen Eidam dazu und Enkel, die mir auf den Knien säßen: dann wäre ich ein anderer König als jetzt. Es ist nicht die Krone und das Reich, was einen König macht. Es ist jenes volle, überfließende Gefühl der Glückseligkeit, der Sättigung mit irdischen Gütern, jenes Gefühl der überschwenglichen Gnüge. So werd' ich nun für meinen Übermut bestraft. Der Verlust meiner Gattin hat mich noch nicht genug erschüttert. Nun hab' ich auch ein grenzenloses Elend. So klagte der König in den Stunden der heißesten Sehnsucht. Zuweilen brach auch seine alte Strenge und sein Stolz wieder hervor. Er zürnte über seine Klagen; wie ein König wollte er dulden und schweigen. Er meinte dann, er leide mehr, als alle anderen, und gehöre ein großer Schmerz zum Königtum; aber wenn es dann dämmerte, und er in die Zimmer seiner Tochter trat, und sah ihre Kleider hängen, und ihre kleinern Habseligkeiten stehn, als habe sie eben das Zimmer verlassen: so vergaß er seine Vorsätze, gebärdete sich wie ein trübseliger Mensch, und rief seine geringsten Diener um Mitleid an. Die ganze Stadt und das ganze Land weinten und klagten von ganzem Herzen mit ihm. Sonderlich war es, daß eine Sage umherging, die Prinzessin lebe noch, und werde bald mit einem Gemahl wiederkommen. Kein Mensch wußte, woher die Sage kam: aber alles hing sich mit frohem Glauben daran, und sah mit ungeduldiger Erwartung ihrer baldigen Wiederkunft entgegen. So vergingen mehrere Monden, bis das Frühjahr wieder herankam. ‹Was gilts›, sagten einige in wunderlichem Mute, ‹nun kommt auch die Prinzessin wieder.› Selbst der König ward heitrer und hoffnungsvoller. Die Sage dünkte ihm wie die Verheißung einer gütigen Macht. Die ehemaligen Feste fingen wieder an, und es schien zum völligen Aufblühen der alten Herrlichkeit nur noch die Prinzessin zu fehlen. Eines Abends, da es gerade jährig wurde, daß sie verschwand, war der ganze Hof im Garten versammelt. Die Luft war warm und heiter; ein leiser Wind tönte nur oben in den alten Wipfeln, wie die Ankündigung eines fernen fröhlichen Zuges. Ein mächtiger Springquell stieg zwischen den vielen Fackeln mit zahllosen Lichtern hinauf in die Dunkelheit der tönenden Wipfel, und begleitete mit melodischem Plätschern die mannigfaltigen Gesänge, die unter den Bäumen hervorklangen. Der König saß auf einem köstlichen Teppich, und um ihn her war der Hof in festlichen

Kleidern versammelt. Eine zahlreiche Menge erfüllte den Garten, und umgab das prachtvolle Schauspiel. Der König saß eben in tiefen Gedanken. Das Bild seiner verlornen Tochter stand mit ungewöhnlicher Klarheit vor ihm; er gedachte der glücklichen Tage, die um diese Zeit im vergangenen Jahre ein plötzliches Ende nahmen. Eine heiße Sehnsucht übermannte ihn, und es flossen häufige Tränen von seinen ehrwürdigen Wangen; doch empfand er eine ungewöhnliche Heiterkeit. Es dünkte ihm das traurige Jahr nur ein schwerer Traum zu sein, und er hob die Augen auf, gleichsam um ihre hohe, heilige, entzückende Gestalt unter den Menschen und den Bäumen aufzusuchen. Eben hatten die Dichter geendigt, und eine tiefe Stille schien das Zeichen der allgemeinen Rührung zu sein, denn die Dichter hatten die Freuden des Wiedersehns, den Frühling und die Zukunft besungen, wie sie die Hoffnung zu schmücken pflegt.

Plötzlich wurde die Stille durch leise Laute einer unbekannten schönen Stimme unterbrochen, die von einer uralten Eiche herzukommen schienen. Alle Blicke richteten sich dahin, und man sah einen Jüngling in einfacher, aber fremder Tracht stehen, der eine Laute im Arm hielt, und ruhig in seinem Gesange fortfuhr, indem er jedoch, wie der König seinen Blick nach ihm wandte, eine tiefe Verbeugung machte. Die Stimme war außerordentlich schön, und der Gesang trug ein fremdes, wunderbares Gepräge. Er handelte von dem Ursprunge der Welt, von der Entstehung der Gestirne, der Pflanzen, Tiere und Menschen, von der allmächtigen Sympathie der Natur, von der uralten goldenen Zeit und ihren Beherrscherinnen, der Liebe und Poesie, von der Erscheinung des Hasses und der Barbarei und ihren Kämpfen mit jenen wohltätigen Göttinnen, und endlich von dem zukünftigen Triumph der letztern, dem Ende der Trübsale, der Verjüngung der Natur und der Wiederkehr eines ewigen goldenen Zeitalters. Die alten Dichter traten selbst von Begeisterung hingerissen, während des Gesanges näher um den seltsamen Fremdling her. Ein niegefühltes Entzücken ergriff die Zuschauer, und der König selbst fühlte sich wie auf einem Strom des Himmels weggetragen. Ein solcher Gesang war nie vernommen worden, und alle glaubten, ein himmlisches Wesen sei unter ihnen erschienen, besonders da der Jüngling unterm Singen immer schöner, immer herrlicher, und seine Stimme immer gewaltiger zu werden schien. Die Luft spielte mit seinen goldenen Locken. Die Laute schien sich unter seinen Händen zu beseelen, und sein Blick schien trunken in eine geheimere Welt hinüberzuschauen. Auch die Kinderunschuld und Einfalt seines Gesichts schien allen übernatürlich. Nun war der herrliche Gesang geendigt. Die bejahrten Dichter drückten den Jüngling mit Freudentränen an ihre Brust. Ein stilles inniges Jauchzen ging

durch die Versammlung. Der König kam gerührt auf ihn zu. Der Jüngling warf sich ihm bescheiden zu Füßen. Der König hob ihn auf, umarmte ihn herzlich, und hieß ihn sich eine Gabe ausbitten. Da bat er mit glühenden Wangen den König, noch ein Lied gnädig anzuhören, und dann über seine Bitte zu entscheiden. Der König trat einige Schritte zurück und der Fremdling fing an:

> Der Sänger geht auf rauhen Pfaden,
> Zerreißt in Dornen sein Gewand;
> Er muß durch Fluß und Sümpfe baden,
> Und keins reicht hülfreich ihm die Hand.
> Einsam und pfadlos fließt in Klagen
> Jetzt über sein ermattet Herz;
> Er kann die Laute kaum noch tragen,
> Ihn übermannt ein tiefer Schmerz.

> ‹Ein traurig Los ward mir beschieden,
> Ich irre ganz verlassen hier,
> Ich brachte allen Lust und Frieden,
> Doch keiner teilte sie mit mir.
> Es wird ein jeder seiner Habe
> Und seines Lebens froh durch mich;
> Doch weisen sie mit karger Gabe
> Des Herzens Forderung von sich.

> Man läßt mich ruhig Abschied nehmen,
> Wie man den Frühling wandern sieht;
> Es wird sich keiner um ihn grämen,
> Wenn er betrübt von dannen zieht.
> Verlangend sehn sie nach den Früchten,
> Und wissen nicht, daß er sie sät;
> Ich kann den Himmel für sie dichten,
> Doch meiner denkt nicht *ein* Gebet.

> Ich fühle dankbar Zaubermächte
> An diese Lippen festgebannt.
> O! knüpfte nur an meine Rechte
> Sich auch der Liebe Zauberband.
> Es kümmert keine sich des Armen,
> Der dürftig aus der Ferne kam;
> Welch Herz wird sein sich noch erbarmen
> Und lösen seinen tiefen Gram?›

Er sinkt im hohen Grase nieder,
Und schläft mit nassen Wangen ein;
Da schwebt der hohe Geist der Lieder
In die beklemmte Brust hinein:
‹Vergiß anjetzt, was du gelitten,
In kurzem schwindet deine Last,
Was du umsonst gesucht in Hütten,
Das wirst du finden im Palast.

Du nahst dem höchsten Erdenlohne,
Bald endigt der verschlungne Lauf;
Der Myrtenkranz wird eine Krone,
Dir setzt die treuste Hand sie auf.
Ein Herz voll Einklang ist berufen
Zur Glorie um einen Thron;
Der Dichter steigt auf rauhen Stufen
Hinan, und wird des Königs Sohn.›

So weit war er in seinem Gesange gekommen, und ein sonderbares
Erstaunen hatte sich der Versammlung bemächtigt, als während die-
ser Strophen ein alter Mann mit einer verschleierten weiblichen Ge-
stalt von edlem Wuchse, die ein wunderschönes Kind auf dem Arme
trug, das freundlich in der fremden Versammlung umhersah, und lä-
chelnd nach dem blitzenden Diadem des Königs die kleinen Händchen
streckte, zum Vorschein kamen, und sich hinter den Sänger stellten,
aber das Staunen wuchs, als plötzlich aus den Gipfeln der alten Bäume,
der Lieblingsadler des Königs, den er immer um sich hatte, mit einer
goldenen Stirnbinde, die er aus seinen Zimmern entwandt haben muß-
te, herabflog, und sich auf das Haupt des Jünglings niederließ, so daß
die Binde sich um seine Locken schlug. Der Fremdling erschrak einen
Augenblick; der Adler flog an die Seite des Königs, und ließ die Binde
zurück. Der Jüngling reichte sie dem Kinde, das darnach verlangte,
ließ sich auf ein Knie gegen den König nieder, und fuhr in seinem Ge-
sange mit bewegter Stimme fort:

Der Sänger fährt aus schönen Träumen
Mit froher Ungeduld empor;
Er wandelt unter hohen Bäumen
Zu des Palastes ehrnem Tor.
Die Mauern sind wie Stahl geschliffen,
Doch sie erklimmt sein Lied geschwind,
Es steigt von Lieb' und Weh ergriffen
Zu ihm hinab des Königs Kind.

Die Liebe drückt sie fest zusammen,
Der Klang der Panzer treibt sie fort;
Sie lodern auf in süßen Flammen,
Im nächtlich stillen Zufluchtsort.
Sie halten furchtsam sich verborgen,
Weil sie der Zorn des Königs schreckt;
Und werden nun von jedem Morgen
Zu Schmerz und Lust zugleich erweckt.

Der Sänger spricht mit sanften Klängen
Der neuen Mutter Hoffnung ein;
Da tritt, gelockt von den Gesängen,
Der König in die Kluft hinein.
Die Tochter reicht in goldnen Locken
Den Enkel von der Brust ihm hin;
Sie sinken reuig und erschrocken,
Und mild zergeht sein strenger Sinn.

Der Liebe weicht und dem Gesange
Auch auf dem Thron ein Vaterherz,
Und wandelt bald in süßem Drange
Zu ewger Lust den tiefen Schmerz.
Die Liebe gibt, was sie entrissen,
Mit reichem Wucher bald zurück,
Und unter den Versöhnungsküssen
Entfaltet sich ein himmlisch Glück.

Geist des Gesangs, komm du hernieder,
Und steh auch jetzt der Liebe bei;
Bring die verlorne Tochter wieder,
Daß ihr der König Vater sei! —
Daß er mit Freuden sie umschließet,
Und seines Enkels sich erbarmt,
Und wenn das Herz ihm überfließet,
Den Sänger auch als Sohn umarmt.

Der Jüngling hob mit bebender Hand bei diesen Worten, die sanft in
den dunklen Gängen verhallten, den Schleier. Die Prinzessin fiel mit
einem Strom von Tränen zu den Füßen des Königs, und hielt ihm das
schöne Kind hin. Der Sänger kniete mit gebeugtem Haupte an ihrer
Seite. Eine ängstliche Stille schien jeden Atem festzuhalten. Der Kö-
nig war einige Augenblicke sprachlos und ernst; dann zog er die Prin-

zessin an seine Brust, drückte sie lange fest an sich und weinte laut. Er hob nun auch den Jüngling zu sich auf, und umschloß ihn mit herzlicher Zärtlichkeit. Ein helles Jauchzen flog durch die Versammlung, die sich dicht zudrängte. Der König nahm das Kind und reichte es mit rührender Andacht gen Himmel; dann begrüßte er freundlich den Alten. Unendliche Freudentränen flossen. In Gesänge brachen die Dichter aus, und der Abend ward ein heiliger Vorabend dem ganzen Lande, dessen Leben fortan nur *ein* schönes Fest war. Kein Mensch weiß, wo das Land hingekommen ist. Nur in Sagen heißt es, daß Atlantis von mächtigen Fluten den Augen entzogen worden sei.»

VIERTES KAPITEL

Einige Tagereisen waren ohne die mindeste Unterbrechung geendigt. Der Weg war fest und trocken, die Witterung erquickend und heiter, und die Gegenden, durch die sie kamen, fruchtbar, bewohnt und mannigfaltig. Der furchtbare Thüringer Wald lag im Rücken; die Kaufleute hatten den Weg öfterer gemacht, waren überall mit den Leuten bekannt, und erfuhren die gastfreiste Aufnahme. Sie vermieden die abgelegenen und durch Räubereien bekannten Gegenden, und nahmen, wenn sie ja gezwungen waren, solche zu durchreisen, ein hinlängliches Geleite mit. Einige Besitzer benachbarter Bergschlösser standen mit den Kaufleuten in gutem Vernehmen. Sie wurden besucht und bei ihnen nachgefragt, ob sie Bestellungen nach Augsburg zu machen hätten. Eine freundliche Bewirtung ward ihnen zuteil, und die Frauen und Töchter drängten sich mit herzlicher Neugier um die Fremdlinge. Heinrichs Mutter gewann sie bald durch ihre gutmütige Bereitwilligkeit und Teilnahme. Man war erfreut eine Frau aus der Residenzstadt zu sehn, die eben so willig die Neuigkeiten der Mode, als die Zubereitung einiger schmackhafter Schüsseln mitteilte. Der junge Ofterdingen ward von Rittern und Frauen wegen seiner Bescheidenheit und seines ungezwungenen milden Betragens gepriesen, und die letztern verweilten gern auf seiner einnehmenden Gestalt, die wie das einfache Wort eines Unbekannten war, das man fast überhört, bis längst nach seinem Abschiede es seine tiefe unscheinbare Knospe immer mehr auftut, und endlich eine herrliche Blume in allem Farbenglanze dichtverschlungener Blätter zeigt, so daß man es nie vergißt, nicht müde wird es zu wiederholen, und einen unversieglichen immer gegenwärtigen Schatz daran hat. Man besinnt sich nun genauer auf den Unbekannten, und ahndet und ahndet, bis es auf einmal klar wird, daß es ein Bewohner der höhern Welt gewesen sei. — Die Kaufleute erhielten eine große

Menge Bestellungen, und man trennte sich gegenseitig mit herzlichen Wünschen, einander bald wiederzusehn. Auf einem dieser Schlösser, wo sie gegen Abend hinkamen, ging es fröhlich zu. Der Herr des Schlosses war ein alter Kriegsmann, der die Muße des Friedens und die Einsamkeit seines Aufenthalts mit öftern Gelagen feierte und unterbrach, und außer dem Kriegsgetümmel und der Jagd keinen andern Zeitvertreib kannte, als den gefüllten Becher.

Er empfing die Ankommenden mit brüderlicher Herzlichkeit, mitten unter lärmenden Genossen. Die Mutter ward zur Hausfrau geführt. Die Kaufleute und Heinrich mußten sich an die lustige Tafel setzen, wo der Becher tapfer umherging. Heinrichen ward auf vieles Bitten in Rücksicht seiner Jugend das jedesmalige Bescheidtun erlassen, dagegen die Kaufleute sich nicht faul finden, sondern sich den alten Frankenwein tapfer schmecken ließen. Das Gespräch lief über ehmalige Kriegsabenteuer hin. Heinrich hörte mit großer Aufmerksamkeit den neuen Erzählungen zu. Die Ritter sprachen vom Heiligen Lande, von den Wundern des Heiligen Grabes, von den Abenteuern ihres Zuges, und ihrer Seefahrt, von den Sarazenen, in deren Gewalt einige geraten gewesen waren, und dem fröhlichen und wunderbaren Leben im Felde und im Lager. Sie äußerten mit großer Lebhaftigkeit ihren Unwillen, jene himmlische Geburtsstätte der Christenheit noch im frevelhaften Besitz der Ungläubigen zu wissen. Sie erhoben die großen Helden, die sich eine ewige Krone durch ihr tapfres, unermüdliches Bezeigen gegen dieses ruchlose Volk erworben hätten. Der Schloßherr zeigte das kostbare Schwert, was er einem Anführer derselben mit eigner Hand abgenommen, nachdem er sein Kastell erobert, ihn getötet, und seine Frau und Kinder zu Gefangenen gemacht, welches ihm der Kaiser in seinem Wappen zu führen vergönnet hatte. Alle besahen das prächtige Schwert, auch Heinrich nahm es in seine Hand, und fühlte sich von einer kriegerischen Begeisterung ergriffen. Er küßte es mit inbrünstiger Andacht. Die Ritter freuten sich über seinen Anteil. Der Alte umarmte ihn, und munterte ihn auf, auch seine Hand auf ewig der Befreiung des Heiligen Grabes zu widmen, und das wundertätige Kreuz auf seine Schultern befestigen zu lassen. Er war überrascht, und seine Hand schien sich nicht von dem Schwerte losmachen zu können. «Besinne dich, mein Sohn», rief der alte Ritter. «Ein neuer Kreuzzug ist vor der Tür. Der Kaiser selbst wird unsere Scharen in das Morgenland führen. Durch ganz Europa schallt von neuem der Ruf des Kreuzes, und heldenmütige Andacht regt sich aller Orten. Wer weiß, ob wir nicht übers Jahr in der großen weltherrlichen Stadt Jerusalem als frohe Sieger beieinander sitzen, und uns bei vaterländischem Wein an unsere Heimat erinnern. Du kannst auch bei mir ein morgenländisches Mädchen sehn.

Sie dünken uns Abendländern gar anmutig, und wenn du das Schwert gut zu führen verstehst, so kann es dir an schönen Gefangenen nicht fehlen.» Die Ritter sangen mit lauter Stimme den Kreuzgesang, der damals in ganz Europa gesungen wurde:

Das Grab steht unter wilden Heiden;
Das Grab, worin der Heiland lag,
Muß Frevel und Verspottung leiden
Und wird entheiligt jeden Tag.
Es klagt heraus mit dumpfer Stimme:
«Wer rettet mich von diesem Grimme!»

Wo bleiben seine Heldenjünger?
Verschwunden ist die Christenheit!
Wer ist des Glaubens Wiederbringer?
Wer nimmt das Kreuz in dieser Zeit?
Wer bricht die schimpflichsten der Ketten,
Und wird das Heilge Grab erretten?

Gewaltig geht auf Land und Meeren
In tiefer Nacht ein heilger Sturm;
Die trägen Schläfer aufzustören,
Umbraust er Lager, Stadt und Turm,
Ein Klaggeschrei um alle Zinnen:
«Auf, träge Christen, zieht von hinnen.»

Es lassen Engel aller Orten
Mit ernstem Antlitz stumm sich sehn,
Und Pilger sieht man vor den Pforten
mit kummervollen Wangen stehn;
Sie klagen mit den bängsten Tönen
Die Grausamkeit der Sarazenen.

Es bricht ein Morgen, rot und trübe,
Im weiten Land der Christen an.
Der Schmerz der Wehmut und der Liebe
Verkündet sich bei jedermann.
Ein jedes greift nach Kreuz und Schwerte
Und zieht entflammt von seinem Herde.

Ein Feuereifer tobt im Heere,
Das Grab des Heilands zu befrein.
Sie eilen fröhlich nach dem Meere,

Um bald auf heilgem Grund zu sein.
Auch Kinder kommen noch gelaufen
Und mehren den geweihten Haufen.

Hoch weht das Kreuz im Siegspaniere,
Und alte Helden stehn voran.
Des Paradieses selge Türe
Wird frommen Kriegern aufgetan;
Ein jeder will das Glück genießen
Sein Blut für Christus zu vergießen.

Zum Kampf ihr Christen! Gottes Scharen
Ziehn mit in das Gelobte Land.
Bald wird der Heiden Grimm erfahren
Des Christengottes Schreckenshand.
Wir waschen bald in frohem Mute
Das Heilige Grab mit Heidenblute.

Die heilge Jungfrau schwebt, getragen
Von Engeln, ob der wilden Schlacht,
Wo jeder, den das Schwert geschlagen,
In ihrem Mutterarm erwacht.
Sie neigt sich mit verklärter Wange
Herunter zu dem Waffenklange.

Hinüber zu der heilgen Stätte!
Des Grabes dumpfe Stimme tönt!
Bald wird mit Sieg und mit Gebete
Die Schuld der Christenheit versöhnt!
Das Reich der Heiden wird sich enden,
Ist erst das Grab in unsern Händen.

Heinrichs ganze Seele war in Aufruhr, das Grab kam ihm wie eine
bleiche, edle, jugendliche Gestalt vor, die auf einem großen Stein mit-
ten unter wildem Pöbel säße, und auf eine entsetzliche Weise gemiß-
handelt würde, als wenn sie mit kummervollem Gesichte nach einem
Kreuze blicke, was im Hintergrunde mit lichten Zügen schimmerte und
sich in den bewegten Wellen eines Meeres unendlich vervielfältigte.

Seine Mutter schickte eben herüber, um ihn zu holen, und der Haus-
frau des Ritters vorzustellen. Die Ritter waren in ihr Gelag und ihre
Vorstellungen des bevorstehenden Zuges vertieft, und bemerkten nicht,
daß Heinrich sich entfernte. Er fand seine Mutter in traulichem Ge-
spräch mit der alten, gutmütigen Frau des Schlosses, die ihn freund-

lich bewillkommte. Der Abend war heiter; die Sonne begann sich zu neigen, und Heinrich, der sich nach Einsamkeit sehnte, und von der goldenen Ferne gelockt wurde, die durch die engen, tiefen Bogenfenster in das düstre Gemach hineintrat, erhielt leicht die Erlaubnis, sich außerhalb des Schlosses besehen zu dürfen. Er eilte ins Freie, sein ganzes Gemüt war rege, er sah von der Höhe des alten Felsen zunächst in das waldige Tal, durch das ein Bach herunterstürzte und einige Mühlen trieb, deren Geräusch man kaum aus der gewaltigen Tiefe vernehmen konnte, und dann in eine unabsehliche Ferne von Bergen, Wäldern und Niederungen, und seine innere Unruhe wurde besänftigt. Das kriegerische Getümmel verlor sich, und es blieb nur eine klare bilderreiche Sehnsucht zurück. Er fühlte, daß ihm eine Laute mangelte, so wenig er auch wußte, wie sie eigentlich gebaut sei, und welche Wirkung sie hervorbringe. Das heitere Schauspiel des herrlichen Abends wiegte ihn in sanfte Phantasien: die Blume seines Herzens ließ sich zuweilen wie ein Wetterleuchten in ihm sehn. — Er schweifte durch das wilde Gebüsch und kletterte über bemooste Felsenstücke, als auf einmal aus einer nahen Tiefe ein zarter eindringender Gesang einer weiblichen Stimme von wunderbaren Tönen begleitet, erwachte. Es war ihm gewiß, daß es eine Laute sei; er blieb verwunderungsvoll stehen, und hörte in gebrochner deutscher Aussprache folgendes Lied:

> Bricht das matte Herz noch immer
> Unter fremdem Himmel nicht?
> Kommt der Hoffnung bleicher Schimmer
> Immer mir noch zu Gesicht?
> Kann ich wohl noch Rückkehr wähnen?
> Stromweis stürzen meine Tränen,
> Bis mein Herz in Kummer bricht.
>
> Könnt ich dir die Myrten zeigen
> Und der Zeder dunkles Haar!
> Führen dich zum frohen Reigen
> Der geschwisterlichen Schar!
> Sähst du im gestickten Kleide,
> Stolz im köstlichen Geschmeide
> Deine Freundin, wie sie war.
>
> Edle Jünglinge verneigen
> Sich mit heißem Blick vor ihr;
> Zärtliche Gesänge steigen
> Mit dem Abendstern zu mir.

Dem Geliebten darf man trauen;
Ewge Lieb' und Treu den Frauen,
Ist der Männer Losung hier.

Hier, wo um kristallne Quellen
Liebend sich der Himmel legt,
Und mit heißen Balsamwellen
Um den Hain zusammenschlägt,
Der in seinen Lustgebieten,
Unter Früchten, unter Blüten
Tausend bunte Sänger hegt.

Fern sind jene Jugendträume!
Abwärts liegt das Vaterland!
Längst gefällt sind jene Bäume,
Und das alte Schloß verbrannt.
Fürchterlich, wie Meereswogen
Kam ein rauhes Heer gezogen,
Und das Paradies verschwand.

Fürchterliche Gluten flossen
In die blaue Luft empor,
Und es drang auf stolzen Rossen
Eine wilde Schar ins Tor.
Säbel klirrten, unsre Brüder,
Unser Vater kam nicht wieder,
Und man riß uns wild hervor.

Meine Augen wurden trübe;
Fernes, mütterliches Land,
Ach, sie blieben dir voll Liebe
Und voll Sehnsucht zugewandt!
Wäre nicht dies Kind vorhanden,
Längst hätt' ich des Lebens Banden
Aufgelöst mit kühner Hand.

Heinrich hörte das Schluchzen eines Kindes und eine tröstende Stimme.
Er stieg tiefer durch das Gebüsch hinab und fand ein bleiches, abge-
härmtes Mädchen unter einer alten Eiche sitzen. Ein schönes Kind hing
weinend an ihrem Halse, auch ihre Tränen flossen, und eine Laute lag
neben ihr auf dem Rasen. Sie erschrak ein wenig, als sie den fremden
Jüngling erblickte, der mit wehmütigem Gesicht sich ihr näherte.

«Ihr habt wohl meinen Gesang gehört», sagte sie freundlich. «Euer Gesicht dünkt mir bekannt, laßt mich besinnen — Mein Gedächtnis ist schwach geworden, aber Euer Anblick erweckt in mir eine sonderbare Erinnerung aus frohen Zeiten. O! mir ist, als glicht Ihr einem meiner Brüder, der noch vor unserm Unglück von uns schied, und nach Persien zu einem berühmten Dichter zog. Vielleicht lebt er noch, und besingt traurig das Schicksal seiner Geschwister. Wüßt ich nur noch einige seiner herrlichen Lieder, die er uns hinterließ! Er war edel und zärtlich, und kannte kein größeres Glück als seine Laute.» Das Kind war ein Mädchen von zehn bis zwölf Jahren, das den fremden Jüngling aufmerksam betrachtete und sich fest an den Busen der unglücklichen Zulima schmiegte. Heinrichs Herz war von Mitleid durchdrungen; er tröstete die Sängerin mit freundlichen Worten, und bat sie, ihm umständlicher ihre Geschichte zu erzählen. Sie schien es nicht ungern zu tun. Heinrich setzte sich ihr gegenüber und vernahm ihre von häufigen Tränen unterbrochne Erzählung. Vorzüglich hielt sie sich bei dem Lobe ihrer Landsleute und ihres Vaterlandes auf. Sie schilderte den Edelmut derselben, und ihre reine starke Empfänglichkeit für die Poesie des Lebens und die wunderbare, geheimnisvolle Anmut der Natur. Sie beschrieb die romantischen Schönheiten der fruchtbaren arabischen Gegenden, die wie glückliche Inseln in unwegsamen Sandwüsteneien lägen, wie Zufluchtsstätte der Bedrängten und Ruhebedürftigen, wie Kolonien des Paradieses, voll frischer Quellen, die über dichten Rasen und funkelnde Steine durch alte, ehrwürdige Haine rieselten, voll bunter Vögel mit melodischen Kehlen und anziehend durch mannigfaltige Überbleibsel ehemaliger denkwürdiger Zeiten. «Ihr würdet mit Verwunderung», sagte sie, «die buntfarbigen, hellen, seltsamen Züge und Bilder auf den alten Steinplatten sehn. Sie scheinen so bekannt und nicht ohne Ursach so wohl erhalten zu sein. Man sinnt und sinnt, einzelne Bedeutungen ahnet man, und wird um so begieriger, den tiefsinnigen Zusammenhang dieser uralten Schrift zu erraten. Der unbekannte Geist derselben erregt ein ungewöhnliches Nachdenken, und wenn man auch ohne den gewünschten Fund von dannen geht, so hat man doch tausend merkwürdige Entdeckungen in sich selbst gemacht, die dem Leben einen neuen Glanz und dem Gemüt eine lange, belohnende Beschäftigung geben. Das Leben auf einem längst bewohnten und ehemals schon durch Fleiß, Tätigkeit und Neigung verherrlichten Boden hat einen besondern Reiz. Die Natur scheint dort menschlicher und verständlicher geworden, eine dunkle Erinnerung unter der durchsichtigen Gegenwart wirft die Bilder der Welt mit scharfen Umrissen zurück, und so genießt man eine doppelte Welt, die eben dadurch das Schwere und Gewaltsame verliert und die zauberische Dichtung und

Fabel unserer Sinne wird. Wer weiß, ob nicht auch ein unbegreiflicher Einfluß der ehemaligen, jetzt unsichtbaren Bewohner mit ins Spiel kommt, und vielleicht ist es dieser dunkle Zug, der die Menschen aus neuen Gegenden, sobald eine gewisse Zeit ihres Erwachens kömmt, mit so zerstörender Ungeduld nach der alten Heimat ihres Geschlechts treibt, und sie Gut und Blut an den Besitz dieser Länder zu wagen anregt.» Nach einer Pause fuhr sie fort: «Glaubt ja nicht, was man euch von den Grausamkeiten meiner Landsleute erzählt hat. Nirgends wurden Gefangene großmütiger behandelt, und auch eure Pilger nach Jerusalem wurden mit Gastfreundschaft aufgenommen, nur daß sie selten derselben wert waren. Die meisten waren nichtsnutzige, böse Menschen, die ihre Wallfahrten mit Bubenstücken bezeichneten, und dadurch freilich oft gerechter Rache in die Hände fielen. Wie ruhig hätten die Christen das Heilige Grab besuchen können, ohne nötig zu haben, einen fürchterlichen, unnützen Krieg anzufangen, der alles erbittert, unendliches Elend verbreitet, und auf immer das Morgenland von Europa getrennt hat. Was lag an dem Namen des Besitzers? Unsere Fürsten ehrten andachtsvoll das Grab eures Heiligen, den auch wir für einen göttlichen Propheten halten; und wie schön hätte sein heiliges Grab die Wiege eines glücklichen Einverständnisses, der Anlaß ewiger wohltätiger Bündnisse werden können!»

Der Abend war unter ihren Gesprächen herbeigekommen. Es fing an Nacht zu werden, und der Mond hob sich aus dem feuchten Walde mit beruhigendem Glanz herauf. Sie stiegen langsam nach dem Schlosse; Heinrich war voll Gedanken, die kriegerische Begeisterung war gänzlich verschwunden. Er merkte eine wunderliche Verwirrung in der Welt; der Mond zeigte ihm das Bild eines tröstenden Zuschauers und erhob ihn über die Unebenheiten der Erdoberfläche, die in der Höhe so unbeträchtlich erschienen, so wild und unersteiglich sie auch dem Wanderer vorkamen. Zulima ging still neben ihm her, und führte das Kind. Heinrich trug die Laute. Er suchte die sinkende Hoffnung seiner Begleiterin, ihr Vaterland dereinst wiederzusehn, zu beleben, indem er innerlich einen heftigen Beruf fühlte, ihr Retter zu sein, ohne zu wissen, auf welche Art es geschehen könne. Eine besondere Kraft schien in seinen einfachen Worten zu liegen, denn Zulima empfand eine ungewohnte Beruhigung und dankte ihm für seine Zusprache auf die rührendste Weise. Die Ritter waren noch bei ihren Bechern und die Mutter in häuslichen Gesprächen. Heinrich hatte keine Lust, in den lärmenden Saal zurückzugehn. Er fühlte sich müde, und begab sich bald mit seiner Mutter in das angewiesene Schlafgemach. Er erzählte ihr vor dem Schlafengehn, was ihm begegnet sei, und schlief bald zu unterhaltenden Träumen ein. Die Kaufleute hatten sich auch zeitig fortbegeben,

und waren früh wieder munter. Die Ritter lagen in tiefer Ruhe, als sie abreisten; die Hausfrau aber nahm zärtlichen Abschied. Zulima hatte wenig geschlafen, eine innere Freude hatte sie wach erhalten; sie erschien beim Abschiede, und bediente die Reisenden demütig und emsig. Als sie Abschied nahmen, brachte sie mit vielen Tränen ihre Laute zu Heinrich, und bat mit rührender Stimme, sie zu Zulimas Andenken mitzunehmen. «Es war meines Bruders Laute», sagte sie, «der sie mir beim Abschied schenkte; es ist das einzige Besitztum, was ich gerettet habe. Sie schien Euch gestern zu gefallen, und Ihr laßt mir ein unschätzbares Geschenk zurück, süße Hoffnung. Nehmt dieses geringe Zeichen meiner Dankbarkeit, und laßt es ein Pfand Eures Andenkens an die arme Zulima sein. Wir werden uns gewiß wiedersehn, und dann bin ich vielleicht glücklicher.» Heinrich weinte; er weigerte sich, diese ihr so unentbehrliche Laute anzunehmen: «Gebt mir», sagte er, «das goldene Band mit den unbekannten Buchstaben aus Euren Haaren, wenn es nicht ein Andenken Eurer Eltern oder Geschwister ist, und nehmt dagegen einen Schleier an, den mir meine Mutter gern abtreten wird.» Sie wich endlich dem Zureden und gab ihm das Band, indem sie sagte: «Es ist mein Name in den Buchstaben meiner Muttersprache, den ich in bessern Zeiten selbst in dieses Band gestickt habe. Betrachtet es gern, und denkt, daß es eine lange, kummervolle Zeit meine Haare festgehalten hat, und mit seiner Besitzerin verbleicht ist.» Heinrichs Mutter zog den Schleier heraus, und reichte ihr ihn hin, indem sie sie an sich zog und weinend umarmte. —

FÜNFTES KAPITEL

Nach einigen Tagereisen kamen sie an ein Dorf, am Fuße einiger spitzen Hügel, die von tiefen Schluchten unterbrochen waren. Die Gegend war übrigens fruchtbar und angenehm, ohngeachtet die Rücken der Hügel ein totes, abschreckendes Ansehn hatten. Das Wirtshaus war reinlich, die Leute bereitwillig, und eine Menge Menschen, teils Reisende, teils bloße Trinkgäste, saßen in der Stube, und unterhielten sich von allerhand Dingen.

Unsre Reisenden gesellten sich zu ihnen, und mischten sich in die Gespräche. Die Aufmerksamkeit der Gesellschaft war vorzüglich auf einen alten Mann gerichtet, der in fremder Tracht an einem Tische saß und freundlich die neugierigen Fragen beantwortete, die an ihn geschahen. Er kam aus fremden Landen, hatte sich heute früh die Gegend umher genau betrachtet, und erzählte nun von seinem Gewerbe und seinen heutigen Entdeckungen. Die Leute nannten ihn einen

Schatzgräber. Er sprach aber sehr bescheiden von seinen Kenntnissen und seiner Macht, doch trugen seine Erzählungen das Gepräge der Seltsamkeit und Neuheit. Er erzählte, daß er aus Böhmen gebürtig sei. Von Jugend auf habe er eine heftige Neugierde gehabt zu wissen, was in den Bergen verborgen sein müsse, wo das Wasser in den Quellen herkomme, und wo das Gold und Silber und die köstlichen Steine gefunden würden, die den Menschen so unwiderstehlich an sich zögen. Er habe in der nahen Klosterkirche oft diese festen Lichter an den Bildern und Reliquien betrachtet, und nur gewünscht, daß sie zu ihm reden könnten, um ihm von ihrer geheimnisvollen Herkunft zu erzählen. Er habe wohl zuweilen gehört, daß sie aus weit entlegenen Ländern kämen; doch habe er immer gedacht, warum es nicht auch in diesen Gegenden solche Schätze und Kleinodien geben könne. Die Berge seien doch nicht umsonst so weit im Umfange und erhaben und so fest verwahrt; auch habe es ihm verdünkt, wie wenn er zuweilen auf den Gebirgen glänzende und flimmernde Steine gefunden hätte. Er sei fleißig in den Felsenritzen und Höhlen umhergeklettert, und habe sich mit unaussprechlichem Vergnügen in diesen uralten Hallen und Gewölben umgesehn. — Endlich sei ihm einmal ein Reisender begegnet, der zu ihm gesagt, er müsse ein Bergmann werden, da könne er die Befriedigung seiner Neugier finden. In Böhmen gäbe es Bergwerke. Er solle nur immer an dem Flusse hinuntergehn, nach zehn bis zwölf Tagen werde er in Eula sein, und dort dürfe er nur sprechen, daß er gern ein Bergmann werden wolle. Er habe sich dies nicht zweimal sagen lassen, und sich gleich den andern Tag auf den Weg gemacht. «Nach einem beschwerlichen Gange von mehreren Tagen», fuhr er fort, «kam ich nach Eula. Ich kann euch nicht sagen, wie herrlich mir zumute ward, als ich von einem grünen Hügel die Haufen von Steinen erblickte, die mit grünen Gebüschen durchwachsen waren, auf denen bretterne Hütten standen, und als ich aus dem Tal unten die Rauchwolken über den Wald heraufziehn sah. Ein fernes Getöse vermehrte meine Erwartungen, und mit unglaublicher Neugierde und voll stiller Andacht stand ich bald auf einem solchen Haufen, den man Halde nennt, vor den dunklen Tiefen, die im Innern der Hütten steil in den Berg hineinführten. Ich eilte nach dem Tale und begegnete bald einigen schwarzgekleideten Männern mit Lampen, die ich nicht mit Unrecht für Bergleute hielt, und mit schüchterner Ängstlichkeit ihnen mein Anliegen vortrug. Sie hörten mich freundlich an, und sagten mir, daß ich nur hinunter nach den Schmelzhütten gehn und nach dem Steiger fragen sollte, welcher den Anführer und Meister unter ihnen vorstellt; dieser werde mir Bescheid geben, ob ich angenommen werden möge. Sie meinten, daß ich meinen Wunsch wohl erreichen würde, und lehr-

ten mich den üblichen Gruß ‹Glück auf›, womit ich den Steiger anreden sollte. Voll fröhlicher Erwartungen setzte ich meinen Weg fort, und konnte nicht aufhören, den neuen bedeutungsvollen Gruß mir beständig zu wiederholen. Ich fand einen alten, ehrwürdigen Mann, der mich mit vieler Freundlichkeit empfing, und nachdem ich ihm meine Geschichte erzählt, und ihm meine große Lust, seine seltne, geheimnisvolle Kunst zu erlernen, bezeugt hatte, bereitwillig versprach, mir meinen Wunsch zu gewähren. Ich schien ihm zu gefallen, und er behielt mich in seinem Hause. Den Augenblick konnte ich kaum erwarten, wo ich in die Grube fahren und mich in der reizenden Tracht sehn würde. Noch denselben Abend brachte er mir ein Grubenkleid, und erklärte mir den Gebrauch einiger Werkzeuge, die in einer Kammer aufbewahrt waren.

Abends kamen Bergleute zu ihm, und ich verfehlte kein Wort von ihren Gesprächen, so unverständlich und fremd mir sowohl die Sprache, als der größte Teil des Inhalts ihrer Erzählungen vorkam. Das wenige jedoch, was ich zu begreifen glaubte, erhöhte die Lebhaftigkeit meiner Neugierde, und beschäftigte mich des Nachts in seltsamen Träumen. Ich erwachte beizeiten und fand mich bei meinem neuen Wirte ein, bei dem sich allmählich die Bergleute versammelten, um seine Verordnungen zu vernehmen. Eine Nebenstube war zu einer kleinen Kapelle vorgerichtet. Ein Mönch erschien und las eine Messe, nachher sprach er ein feierliches Gebet, worin er den Himmel anrief, die Bergleute in seine heilige Obhut zu nehmen, sie bei ihren gefährlichen Arbeiten zu unterstützen, vor Anfechtungen und Tücken böser Geister sie zu schützen, und ihnen reiche Anbrüche zu bescheren. Ich hatte nie mit mehr Inbrunst gebetet und nie die hohe Bedeutung der Messe lebhafter empfunden. Meine künftigen Genossen kamen mir wie unterirdische Helden vor, die tausend Gefahren zu überwinden hätten, aber auch ein beneidenswertes Glück an ihren wunderbaren Kenntnissen besäßen, und in dem ernsten, stillen Umgange mit den uralten Felsensöhnen der Natur, in ihren dunkeln, wunderbaren Kammern, zum Empfängnis himmlischer Gaben und zur freudigen Erhebung über die Welt und ihre Bedrängnisse ausgerüstet würden. Der Steiger gab mir nach geendigtem Gottesdienst eine Lampe und ein kleines hölzernes Kruzifix, und ging mit mir nach dem Schachte, wie wir die schroffen Eingänge in die unterirdischen Gebäude zu nennen pflegen. Er lehrte mich die Art des Hinabsteigens, machte mich mit den notwendigen Vorsichtigkeitsregeln, sowie mit den Namen der mannigfaltigen Gegenstände und Teile bekannt. Er fuhr voraus, und schurrte auf dem runden Balken hinunter, indem er sich mit der einen Hand an einem Seil anhielt, das in einem Knoten an einer Seitenstange fortglitschte, und

mit der andern die brennende Lampe trug; ich folgte seinem Beispiel, und wir gelangten so mit ziemlicher Schnelle bald in eine beträchtliche Tiefe. Mir war seltsam feierlich zumute, und das vordere Licht funkelte wie ein glücklicher Stern, der mir den Weg zu den verborgenen Schatzkammern der Natur zeigte. Wir kamen unten in einen Irrgarten von Gängen, und mein freundlicher Meister ward nicht müde meine neugierigen Fragen zu beantworten, und mich über seine Kunst zu unterrichten. Das Rauschen des Wassers, die Entfernung von der bewohnten Oberfläche, die Dunkelheit und Verschlungenheit der Gänge, und das entfernte Geräusch der arbeitenden Bergleute ergötzte mich ungemein, und ich fühlte nun mit Freuden mich im vollen Besitz dessen, was von jeher mein sehnlichster Wunsch gewesen war. Es läßt sich auch diese volle Befriedigung eines angebornen Wunsches, diese wundersame Freude an Dingen, die ein näheres Verhältnis zu unserm geheimen Dasein haben mögen, zu Beschäftigungen, für die man von der Wiege an bestimmt und ausgerüstet ist, nicht erklären und beschreiben. Vielleicht daß sie jedem andern gemein, unbedeutend und abschreckend vorgekommen wären; aber mir schienen sie so unentbehrlich zu sein, wie die Luft der Brust und die Speise dem Magen. Mein alter Meister freute sich über meine innige Lust, und verhieß mir, daß ich bei diesem Fleiße und dieser Aufmerksamkeit es weit bringen und ein tüchtiger Bergmann werden würde. Mit welcher Andacht sah ich zum erstenmal in meinem Leben am sechzehnten März, vor nunmehr fünfundvierzig Jahren, den König der Metalle in zarten Blättchen zwischen den Spalten des Gesteins. Es kam mir vor, als sei er hier wie in festen Gefängnissen eingesperrt und glänze freundlich dem Bergmann entgegen, der mit soviel Gefahren und Mühseligkeiten sich den Weg zu ihm durch die starken Mauern gebrochen, um ihn an das Licht des Tages zu fördern, damit er an königlichen Kronen und Gefäßen und an heiligen Reliquien zu Ehren gelangen, und in geachteten und wohlverwahrten Münzen, mit Bildnissen geziert, die Welt beherrschen und leiten möge. Von der Zeit an blieb ich in Eula, und stieg allmählich bis zum Häuer, welches der eigentliche Bergmann ist, der die Arbeiten auf dem Gestein betreibt, nachdem ich anfänglich bei der Ausförderung der losgehauenen Stufen in Körben angestellt gewesen war.»

Der alte Bergmann ruhte ein wenig von seiner Erzählung aus, und trank, indem ihm seine aufmerksamen Zuhörer ein fröhliches ‹Glück auf!› zubrachten. Heinrichen erfreuten die Reden des alten Mannes ungemein, und er war sehr geneigt noch mehr von ihm zu hören.

Die Zuhörer unterhielten sich von den Gefahren und Seltsamkeiten des Bergbaus, und erzählten wunderbare Sagen, über die der Alte oft

lächelte, und freundlich ihre sonderbaren Vorstellungen zu berichtigen bemüht war.

Nach einer Weile sagte Heinrich: «Ihr mögt seitdem viel seltsame Dinge gesehn und erfahren haben; hoffentlich hat Euch nie Eure gewählte Lebensart gereut? Wärt Ihr nicht so gefällig und erzählet uns, wie es Euch seitdem ergangen, und auf welcher Reise Ihr jetzt begriffen seid? Es scheint, als hättet Ihr Euch weiter in der Welt umgesehn, und gewiß darf ich vermuten, daß Ihr jetzt mehr als einen gemeinen Bergmann vorstellt.» — «Es ist mir selber lieb», sagte der Alte, «mich der verflossenen Zeiten zu erinnern, in denen ich Anlässe finde, mich der göttlichen Barmherzigkeit und Güte zu erfreun. Das Geschick hat mich durch ein frohes und heitres Leben geführt, und es ist kein Tag vorübergegangen, an welchem ich mich nicht mit dankbarem Herzen zur Ruhe gelegt hätte. Ich bin immer glücklich in meinen Verrichtungen gewesen, und unser aller Vater im Himmel hat mich vor dem Bösen behütet, und in Ehren grau werden lassen. Nächst ihm habe ich alles meinem alten Meister zu verdanken, der nun lange zu seinen Vätern versammelt ist, und an den ich nie ohne Tränen denken kann. Er war ein Mann aus der alten Zeit nach dem Herzen Gottes. Mit tiefen Einsichten war er begabt, und doch kindlich und demütig in seinem Tun. Durch ihn ist das Bergwerk in großen Flor gekommen, und hat dem Herzoge von Böhmen zu ungeheuren Schätzen verholfen. Die ganze Gegend ist dadurch bevölkert und wohlhabend, und ein blühendes Land geworden. Alle Bergleute verehrten ihren Vater in ihm, und solange Eula steht, wird auch sein Name mit Rührung und Dankbarkeit genannt werden. Er war seiner Geburt nach Lausitzer und hieß Werner. Seine einzige Tochter war noch ein Kind, wie ich zu ihm ins Haus kam. Meine Emsigkeit, meine Treue, und meine leidenschaftliche Anhänglichkeit an ihn, gewannen mir seine Liebe mit jedem Tage mehr. Er gab mir seinen Namen und machte mich zu seinem Sohne. Das kleine Mädchen ward nachgerade ein wackres, muntres Geschöpf, deren Gesicht so freundlich glatt und weiß war, wie ihr Gemüt. Der Alte sagte mir oft, wenn er sah, daß sie mir zugetan war, daß ich gern mit ihr schäkerte, und kein Auge von den ihrigen verwandte, die so blau und offen wie der Himmel waren, und wie die Kristalle glänzten: wenn ich ein rechtlicher Bergmann werden würde, wolle er sie mir nicht versagen; und er hielt Wort. — Den Tag, wie ich Häuer wurde, legte er seine Hände auf uns und segnete uns als Braut und Bräutigam ein, und wenig Wochen darauf führte ich sie als meine Frau auf meine Kammer. Denselben Tag hieb ich in der Frühschicht noch als Lehrhäuer, eben wie die Sonne oben aufging, eine reiche Ader an. Der Herzog schickte mir eine goldene Kette mit seinem Bildnis auf einer großen

Münze, und versprach mir den Dienst meines Schwiegervaters. Wie glücklich war ich, als ich sie am Hochzeittage meiner Braut um den Hals hängen konnte, und aller Augen auf sie gerichtet waren. Unser alte[r] Vater erlebte noch einige muntre Enkel, und die Anbrüche seines Herbstes waren reicher, als er gedacht hatte. Er konnte mit Freudigkeit seine Schicht beschließen, und aus der dunkeln Grube dieser Welt fahren, um in Frieden auszuruhen, und den großen Lohntag zu erwarten.»

«Herr», sagte der Alte, indem er sich zu Heinrichen wandte, und einige Tränen aus den Augen trocknete, «der Bergbau muß von Gott gesegnet werden! denn es gibt keine Kunst, die ihre Teilhaber glücklicher und edler machte, die mehr den Glauben an eine himmlische Weisheit und Fügung erweckte, und die Unschuld und Kindlichkeit des Herzens reiner erhielte, als der Bergbau. Arm wird der Bergmann geboren, und arm gehet er wieder dahin. Er begnügt sich zu wissen, wo die metallischen Mächte gefunden werden, und sie zu Tage zu fördern; aber ihr blendender Glanz vermag nichts über sein lautres Herz. Unentzündet von gefährlichem Wahnsinn, freut er sich mehr über ihre wunderlichen Bildungen, und die Seltsamkeiten ihrer Herkunft und ihrer Wohnungen, als über ihren alles verheißenden Besitz. Sie haben für ihn keinen Reiz mehr, wenn sie Waren geworden sind, und er sucht sie lieber unter tausend Gefahren und Mühseligkeiten in den Festen der Erde, als daß er ihrem Rufe in die Welt folgen, und auf der Oberfläche des Bodens durch täuschende, hinterlistige Künste nach ihnen trachten sollte. Jene Mühseligkeiten erhalten sein Herz frisch und seinen Sinn wacker; er genießt seinen kärglichen Lohn mit inniglichem Danke, und steigt jeden Tag mit verjüngter Lebensfreude aus den dunkeln Grüften seines Berufs. Nur Er kennt die Reize des Lichts und der Ruhe, die Wohltätigkeit der freien Luft und Aussicht um sich her; nur ihm schmeckt Trank und Speise recht erquicklich und andächtig, wie der Leib des Herrn; und mit welchem liebevollen und empfänglichen Gemüt tritt er nicht unter seines Gleichen, oder herzt seine Frau und Kinder, und ergötzt sich dankbar an der schönen Gabe des traulichen Gesprächs!

Sein einsames Geschäft sondert ihn vom Tage und dem Umgange mit Menschen einen großen Teil seines Lebens ab. Er gewöhnt sich nicht zu einer stumpfen Gleichgültigkeit gegen diese überirdischen tiefsinnigen Dinge und behält die kindliche Stimmung, in der ihm alles mit seinem eigentümlichen Geiste und in seiner ursprünglichen bunten Wunderbarkeit erscheint. Die Natur will nicht der ausschließliche Besitz eines einzigen sein. Als Eigentum verwandelte sie sich in ein böses Gift, was die Ruhe verscheucht, und die verderbliche Lust, alles in die-

sen Kreis des Besitzers zu ziehn, mit einem Gefolge von unendlichen Sorgen und wilden Leidenschaften herbeilockt. So untergräbt sie heimlich den Grund des Eigentümers, und begräbt ihn bald in den einbrechenden Abgrund, um aus Hand in Hand zu gehen, und so ihre Neigung, allen anzugehören, allmählich zu befriedigen.

Wie ruhig arbeitet dagegen der arme genügsame Bergmann in seinen tiefen Einöden, entfernt von dem unruhigen Tumult des Tages, und einzig von Wißbegier und Liebe zur Eintracht beseelt. Er gedenkt in seiner Einsamkeit mit inniger Herzlichkeit seiner Genossen und seiner Familie, und fühlt immer erneuert die gegenseitige Unentbehrlichkeit und Blutsverwandtschaft der Menschen. Sein Beruf lehrt ihn unermüdliche Geduld, und läßt nicht zu, daß sich seine Aufmerksamkeit in unnütze Gedanken zerstreue. Er hat mit einer wunderlichen harten und unbiegsamen Macht zu tun, die nur durch hartnäckigen Fleiß und beständige Wachsamkeit zu überwinden ist. Aber welches köstliche Gewächs blüht ihm auch in diesen schauerlichen Tiefen, das wahrhaftige Vertrauen zu seinem himmlischen Vater, dessen Hand und Vorsorge ihm alle Tage in unverkennbaren Zeichen sichtbar wird. Wie unzählige Mal habe ich nicht vor Ort gesessen, und bei dem Schein meiner Lampe das schlichte Kruzifix mit der innigsten Andacht betrachtet! da habe ich erst den heiligen Sinn dieses rätselhaften Bildnisses recht gefaßt, und den edelsten Gang meines Herzens erschürft, der mir eine ewige Ausbeute gewährt hat.»

Der Alte fuhr nach einer Weile fort und sagte: «Wahrhaftig, das muß ein göttlicher Mann gewesen sein, der den Menschen zuerst die edle Kunst des Bergbaus gelehrt, und in dem Schoße der Felsen dieses ernste Sinnbild des menschlichen Lebens verborgen hat. Hier ist der Gang mächtig und gebrech, aber arm, dort drückt ihn der Felsen in eine armselige, unbedeutende Kluft zusammen, und gerade hier brechen die edelsten Geschicke ein. Andre Gänge verunedlen ihn, bis sich ein verwandter Gang freundlich mit ihm schart, und seinen Wert unendlich erhöht. Oft zerschlägt er sich vor dem Bergmann in tausend Trümmern: aber der Geduldige läßt sich nicht schrecken, er verfolgt ruhig seinen Weg, und sieht seinen Eifer belohnt, indem er ihn bald wieder in neuer Mächtigkeit und Höflichkeit ausrichtet. Oft lockt ihn ein betrügliches Trum aus der wahren Richtung; aber bald erkennt er den falschen Weg, und bricht mit Gewalt querfeldein, bis er den wahren erzführenden Gang wiedergefunden hat. Wie bekannt wird hier nicht der Bergmann mit allen Launen des Zufalls, wie sicher aber auch, daß Eifer und Beständigkeit die einzigen untrüglichen Mittel sind, sie zu bemeistern, und die von ihnen hartnäckig verteidigten Schätze zu heben.»

«Es fehlt Euch gewiß nicht», sagte Heinrich, «an ermunternden Liedern. Ich sollte meinen daß Euch Euer Beruf unwillkürlich zu Gesängen begeistern und die Musik eine willkommne Begleiterin der Bergleute sein müßte.»

«Da habt Ihr wahr gesprochen», erwiderte der Alte; «Gesang und Zitherspiel gehört zum Leben des Bergmanns, und kein Stand kann mit mehr Vergnügen die Reize derselben genießen, als der unsrige. Musik und Tanz sind eigentliche Freuden des Bergmanns; sie sind wie ein fröhliches Gebet, und die Erinnerungen und Hoffnungen desselben helfen die mühsame Arbeit erleichtern und die lange Einsamkeit verkürzen.

Wenn es Euch gefällt, so will ich Euch gleich einen Gesang zum besten geben, der fleißig in meiner Jugend gesungen wurde.

> Der ist der Herr der Erde,
> Wer ihre Tiefen mißt,
> Und jeglicher Beschwerde
> In ihrem Schoß vergißt.
>
> Wer ihrer Felsenglieder
> Geheimen Bau versteht,
> Und unverdrossen nieder
> Zu ihrer Werkstatt geht.
>
> Er ist mit ihr verbündet,
> Und inniglich vertraut,
> Und wird von ihr entzündet,
> Als wär sie seine Braut.
>
> Er sieht ihr alle Tage
> Mit neuer Liebe zu,
> Und scheut nicht Fleiß und Plage,
> Sie läßt ihm keine Ruh.
>
> Die mächtigen Geschichten
> Der längst verfloßnen Zeit,
> Ist sie ihm zu berichten
> Mit Freundlichkeit bereit.
>
> Der Vorwelt heilge Lüfte
> Umwehn sein Angesicht,
> Und in die Nacht der Klüfte
> Strahlt ihm ein ewges Licht.

Er trifft auf allen Wegen
Ein wohlbekanntes Land,
Und gern kommt sie entgegen
Den Werken seiner Hand.

Ihm folgen die Gewässer
Hülfreich den Berg hinauf;
Und alle Felsenschlösser,
Tun ihr Schätz' ihm auf.

Er führt des Goldes Ströme
In seines Königs Haus,
Und schmückt die Diademe
Mit edlen Steinen aus.

Zwar reicht er treu dem König
Den glückbegabten Arm,
Doch fragt er nach ihm wenig
Und bleibt mit Freuden arm.

Sie mögen sich erwürgen
Am Fuß um Gut und Geld,
Er bleibt auf den Gebürgen
Der frohe Herr der Welt.»

Heinrichen gefiel das Lied ungemein, und er bat den Alten, ihm noch eins mitzuteilen. Der Alte war auch gleich bereit und sagte: «Ich weiß noch ein wunderliches Lied, was wir selbst nicht wissen, wo es her ist.

Es brachte es ein reisender Bergmann mit, der weit herkam, und ein sonderlicher Rutengänger war. Das Lied fand großen Beifall, weil es so seltsamlich klang, beinah so dunkel und unverständlich wie die Musik selbst, aber eben darum auch so unbegreiflich anzog, und im wachenden Zustande wie ein Traum unterhielt.

Ich kenne wo ein festes Schloß,
Ein stiller König wohnt darinnen
Mit einem wunderlichen Troß;
Doch steigt er nie auf seine Zinnen.
Verborgen ist sein Lustgemach,
Und unsichtbare Wächter lauschen;
Nur wohlbekannte Quellen rauschen
Zu ihm herab vom bunten Dach.

Was ihre hellen Augen sahn
In der Gestirne weiten Sälen,
Das sagen sie ihm treulich an
Und können sich nicht satt erzählen.
Er badet sich in ihrer Flut,
Wäscht sauber seine zarten Glieder
Und seine Strahlen blinken wieder
Aus seiner Mutter weißem Blut.

Sein Schloß ist alt und wunderbar,
Es sank herab aus tiefen Meeren,
Stand fest, und steht noch immerdar,
Die Flucht zum Himmel zu verwehren.
Von innen schlingt ein heimlich Band
Sich um des Reiches Untertanen,
Und Wolken wehn wie Siegesfahnen
Herunter von der Felsenwand.

Ein unermeßliches Geschlecht
Umgibt die festverschloßnen Pforten,
Ein jeder spielt den treuen Knecht
Und ruft den Herrn mit süßen Worten.
Sie fühlen sich durch ihn beglückt,
Und ahnden nicht, daß sie gefangen;
Berauscht von trüglichem Verlangen
Weiß keiner, wo der Schuh ihn drückt.

Nur wenige sind schlau und wach,
Und dürsten nicht nach seinen Gaben;
Sie trachten unablässig nach,
Das alte Schloß zu untergraben.
Der Heimlichkeit urmächtgen Bann,
Kann nur die Hand der Einsicht lösen;
Gelingt's, das Innre zu entblößen,
So bricht der Tag der Freiheit an.

Dem Fleiß ist keine Wand zu fest,
Dem Mut kein Abgrund unzugänglich;
Wer sich auf Herz und Hand verläßt,
Spürt nach dem König unbedenklich.

Aus seinen Kammern holt er ihn,
Vertreibt die Geister durch die Geister,
Macht sich der wilden Fluten Meister,
Und heißt sie selbst heraus sich ziehn.

Je mehr er nun zum Vorschein kömmt
Und wild umher sich treibt auf Erden:
Je mehr wird seine Macht gedämmt,
Je mehr die Zahl der Freien werden.
Am Ende wird von Banden los
Das Meer die leere Burg durchdringen
Und trägt auf weichen grünen Schwingen
Zurück uns in der Heimat Schoß.»

Es dünkte Heinrichen, wie der Alte geendigt hatte, als habe er das
Lied schon irgendwo gehört. Er ließ es sich wiederholen und schrieb
es sich auf. Der Alte ging nachher hinaus und die Kaufleute sprachen
unterdessen mit den andern Gästen über die Vorteile des Bergbaues
und seine Mühseligkeiten. Einer sagte: «Der Alte ist gewiß nicht um-
sonst hier. Er ist heute zwischen den Hügeln umhergeklettert und hat
gewiß gute Anzeichen gefunden. Wir wollen ihn doch fragen, wenn
er wieder herein kömmt.» — «Wißt ihr wohl», sagte ein andrer, «daß
wir ihn bitten könnten, eine Quelle für unser Dorf zu suchen? Das
Wasser ist weit, und ein guter Brunnen wäre uns sehr willkommen.»
— «Mir fällt ein», sagte ein dritter, «daß ich ihn fragen möchte, ob
er einen von meinen Söhnen mit sich nehmen will, der mir schon das
ganze Haus voll Steine getragen hat. Der Junge wird gewiß ein tüchti-
ger Bergmann, und der Alte scheint ein guter Mann zu sein, der wird
schon was Rechtes aus ihm ziehn.» Die Kaufleute redeten, ob sie viel-
leicht durch den Bergmann ein vorteilhaftes Verkehr mit Böhmen an-
spinnen und Metalle daher zu guten Preisen erhalten möchten. Der
Alte trat wieder in die Stube, und alle wünschten seine Bekanntschaft
zu benutzen. Er fing an und sagte: «Wie dumpf und ängstlich ist es
doch hier in der engen Stube. Der Mond steht draußen in voller Herr-
lichkeit, und ich hätte große Lust noch einen Spaziergang zu machen.
Ich habe heute bei Tage einige merkwürdige Höhlen hier in der Nähe
gesehn. Vielleicht entschließen sie einige mitzugehn; und wenn wir
nur Licht mitnehmen, so werden wir ohne Schwierigkeiten uns darin
umsehn können.»

Den Leuten aus dem Dorfe waren diese Höhlen schon bekannt: aber
bis jetzt hatte keiner gewagt hineinzusteigen; vielmehr trugen sie sich
mit fürchterlichen Sagen von Drachen und andern Untieren, die darin

hausen sollten. Einige wollten sie selbst gesehn haben, und behaupteten, daß man Knochen an ihrem Eingange von geraubten und verzehrten Menschen und Tieren fände. Einige andre vermeinten, daß ein Geist dieselben bewohne, wie sie denn einigemal aus der Ferne eine seltsame menschliche Gestalt gesehn, auch zur Nachtzeit Gesänge da herüber gehört haben wollten.

Der Alte schien ihnen keinen großen Glauben beizumessen, und versicherte lachend, daß sie unter dem Schutze eines Bergmanns getrost mitgehn könnten, indem die Ungeheuer sich vor ihm scheuen müßten, ein singender Geist aber gewiß ein wohltätiges Wesen sei. Die Neugier machte viele beherzt genug, auf seinen Vorschlag einzugehn; auch Heinrich wünschte ihn zu begleiten, und seine Mutter gab endlich auf das Zureden und Versprechen des Alten, genaue Acht auf Heinrichs Sicherheit zu haben, seinen Bitten nach. Die Kaufleute waren ebenso entschlossen. Es wurden lange Kienspäne zu Fackeln zusammengeholt; ein Teil der Gesellschaft versah sich noch zum Überfluß mit Leitern, Stangen, Stricken und allerhand Verteidigungswerkzeugen, und so begann endlich die Wallfahrt nach den nahen Hügeln. Der Alte ging mit Heinrich und den Kaufleuten voran. Jener Bauer hatte seinen wißbegierigen Sohn herbeigeholt, der voller Freude sich einer Fackel bemächtigte, und den Weg zu den Höhlen zeigte. Der Abend war heiter und warm. Der Mond stand in mildem Glanze über den Hügeln, und ließ wunderliche Träume in allen Kreaturen aufsteigen. Selbst wie ein Traum der Sonne, lag er über der in sich gekehrten Traumwelt, und führte die in unzählige Grenzen geteilte Natur in jene fabelhafte Urzeit zurück, wo jeder Keim noch für sich schlummerte, und einsam und unberührt sich vergeblich sehnte, die dunkle Fülle seines unermeßlichen Daseins zu entfalten. In Heinrichs Gemüt spiegelte sich das Märchen des Abends. Es war ihm, als ruhte die Welt aufgeschlossen in ihm, und zeigte ihm, wie einem Gastfreunde, alle ihre Schätze und verborgenen Lieblichkeiten. Ihm dünkte die große einfache Erscheinung um ihn so verständlich. Die Natur schien ihm nur deswegen so unbegreiflich, weil sie das Nächste und Traulichste mit einer solchen Verschwendung von mannigfachen Ausdrücken um den Menschen her türmte. Die Worte des Alten hatten eine versteckte Tapetentür in ihm geöffnet. Er sah sein kleines Wohnzimmer dicht an einen erhabenen Münster gebaut, aus dessen steinernem Boden die ernste Vorwelt emporstieg, während von der Kuppel die klare fröhliche Zukunft in goldnen Engelskindern ihr singend entgegenschwebte. Gewaltige Klänge bebten in den silbernen Gesang, und zu den weiten Toren traten alle Kreaturen herein, von denen jede ihre innere Natur in einer einfachen Bitte und in einer eigentümlichen Mundart vernehmlich aussprach. Wie

wunderte er sich, daß ihm diese klare, seinem Dasein schon unentbehrliche Ansicht so lange fremd geblieben war. Nun übersah er auf einmal all seine Verhältnisse mit der weiten Welt um ihn her; fühlte, was er durch sie geworden und was sie ihm werden würde, und begriff alle die seltsamen Vorstellungen und Anregungen, die er schon oft in ihrem Anschauen gespürt hatte. Die Erzählung der Kaufleute von dem Jünglinge, der die Natur so emsig betrachtete, und der Eidam des Königs wurde, kam ihm wieder zu Gedanken, und tausend andere Erinnerungen seines Lebens knüpften sich von selbst an einen zauberischen Faden. Während der Zeit, daß Heinrich seinen Betrachtungen nachhing, hatte sich die Gesellschaft der Höhle genähert. Der Eingang war niedrig, und der Alte nahm seine Fackel und kletterte über einige Steine zuerst hinein. Ein ziemlich fühlbarer Luftstrom kam ihm entgegen, und der Alte versicherte, daß sie getrost folgen könnten. Die Furchtsamsten gingen zuletzt, und hielten ihre Waffen in Bereitschaft. Heinrich und die Kaufleute waren hinter dem Alten und der Knabe wanderte munter an seiner Seite. Der Weg lief anfänglich in einem ziemlich schmalen Gange, welcher sich aber bald in eine sehr weite und hohe Höhle endigte, die der Fackelglanz nicht völlig zu erleuchten vermochte; doch sah man im Hintergrunde einige Öffnungen sich in die Felsenwand verlieren. Der Boden war weich und ziemlich eben; die Wände sowie die Decke waren ebenfalls nicht rauh und unregelmäßig; aber was die Aufmerksamkeit aller vorzüglich beschäftigte, war die unzählige Menge von Knochen und Zähnen, die den Boden bedeckten. Viele waren völlig erhalten, an andern sah man Spuren der Verwesung, und die, welche aus den Wänden hin und wieder hervorragten, schienen steinartig geworden zu sein. Die meisten waren von ungewöhnlicher Größe und Stärke. Der Alte freute sich über diese Überbleibsel einer uralten Zeit; nur den Bauern war nicht wohl dabei zumute, denn sie hielten sie für deutliche Spuren naher Raubtiere, so überzeugend ihnen auch der Alte die Zeichen eines undenklichen Altertums daran aufwies, und sie fragte, ob sie je etwas von Verwüstungen unter ihren Herden und vom Raube benachbarter Menschen gespürt hätten, und ob sie jene Knochen für Knochen bekannter Tiere oder Menschen halten könnten? Der Alte wollte nun weiter in den Berg, aber die Bauern fanden für ratsam sich vor die Höhle zurückzuziehn, und dort seine Rückkunft abzuwarten. Heinrich, die Kaufleute und der Knabe blieben bei dem Alten, und versahen sich mit Stricken und Fackeln. Sie gelangten bald in eine zweite Höhle, wobei der Alte nicht vergaß, den Gang aus dem sie hereingekommen waren, durch eine Figur von Knochen, die er davor hinlegte, zu bezeichnen. Die Höhle glich der vorigen und war ebenso reich an tierischen Resten. Heinrichen war

schauerlich und wunderbar zumute; es gemahnte ihn, als wandle er durch die Vorhöfe des innern Erdenpalastes. Himmel und Leben lag ihm auf einmal weit entfernt, und diese dunkeln weiten Hallen schienen zu einem unterirdischen seltsamen Reiche zu gehören. «Wie», dachte er bei sich selbst, «wäre es möglich, daß unter unsern Füßen eine eigene Welt in einem ungeheuern Leben sich bewegte? daß unerhörte Geburten in den Festen der Erde ihr Wesen trieben, die das innere Feuer des dunkeln Schoßes zu riesenmäßigen und geistesgewaltigen Gestalten auftriebe? Könnten dereinst diese schauerlichen Fremden, von der eindringenden Kälte hervorgetrieben, unter uns erscheinen, während vielleicht zu gleicher Zeit himmlische Gäste, lebendige, redende Kräfte der Gestirne über unsern Häuptern sichtbar würden? Sind diese Knochen Überreste ihrer Wanderungen nach der Oberfläche, oder Zeichen einer Flucht in die Tiefe?»

Auf einmal rief der Alte die andern herbei, und zeigte ihnen eine ziemlich frische Menschenspur auf dem Boden. Mehrere konnten sie nicht finden, und so glaubte der Alte, ohne fürchten zu müssen, auf Räuber zu stoßen, der Spur nachgehen zu können. Sie waren eben im Begriff dies auszuführen, als auf einmal, wie unter ihren Füßen, aus einer fernen Tiefe ein ziemlich vernehmlicher Gesang anfing. Sie erstaunten nicht wenig, doch horchten sie genau auf:

Gern verweil' ich noch im Tale
Lächelnd in der tiefen Nacht,
Denn der Liebe volle Schale
Wird mir täglich dargebracht.

Ihre heilgen Tropfen heben
Meine Seele hoch empor,
Und ich steh in diesem Leben
Trunken an des Himmels Tor.

Eingewiegt in selges Schauen
Ängstigt mein Gemüt kein Schmerz.
O! die Königin der Frauen
Gibt mir ihr getreues Herz.

Bangverweinte Jahre haben
Diesen schlechten Ton verklärt,
Und ein Bild ihm eingegraben,
Das ihm Ewigkeit gewährt.

Jene lange Zahl von Tagen
Dünkt mich nur ein Augenblick;
Werd ich einst von hier getragen,
Schau ich dankbar noch zurück.

Alle waren auf das angenehmste überrascht, und wünschten sehnlichst den Sänger zu entdecken.

Nach einigem Suchen trafen sie in einem Winkel der rechten Seitenwand, einen abwärts gesenkten Gang, in welchen die Fußtapfen zu führen schienen. Bald dünkte es ihnen, eine Hellung zu bemerken, die stärker wurde, je näher sie kamen. Es trat sich ein neues Gewölbe von noch größerm Umfange als die vorherigen auf, in dessen Hintergrunde sie bei einer Lampe eine menschliche Gestalt sitzen sahen, die vor sich auf einer steinernen Platte ein großes Buch liegen hatte, in welchem sie zu lesen schien.

Sie drehte sich nach ihnen zu, stand auf und ging ihnen entgegen. Es war ein Mann, dessen Alter man nicht erraten konnte. Er sah weder alt noch jung aus, keine Spuren der Zeit bemerkte man an ihm, als schlichte silberne Haare, die auf der Stirn gescheitelt waren. In seinen Augen lag eine unaussprechliche Heiterkeit, als sähe er von einem hellen Berge in einen unendlichen Frühling hinein. Er hatte Sohlen an die Füße gebunden, und schien keine andere Kleidung zu haben, als einen weiten Mantel, der um ihn herumgeschlungen war, und seine edle große Gestalt noch mehr heraushob. Über ihre unvermutete Ankunft schien er nicht im mindesten verwundert; wie ein Bekannter begrüßte er sie. Es war, als empfing er erwartete Gäste in seinem Wohnhause. «Es ist doch schön, daß ihr mich besucht», sagte er; «ihr seid die ersten Freunde, die ich hier sehe, so lange ich auch schon hier wohne. Scheint es doch, als finge man an, unser großes wunderbares Haus genauer zu betrachten.» Der Alte erwiderte: «Wir haben nicht vermutet, einen so freundlichen Wirt hier zu finden. Von wilden Tieren und Geistern war uns erzählt, und nun sehen wir uns auf das anmutigste getäuscht. Wenn wir Euch in Eurer Andacht und in Euren tiefsinnigen Betrachtungen gestört haben, so verzeiht es unserer Neugierde.» — «Könnte eine Betrachtung freundlicher sein», sagte der Unbekannte, «als die froher uns zusagender Menschengesichter? Haltet mich nicht für einen Menschenfeind, weil ihr mich in dieser Einöde trefft. Ich habe die Welt nicht geflohen, sondern ich habe nur eine Ruhestätte gesucht, wo ich ungestört meinen Betrachtungen nachhängen könnte.» — «Hat Euch Euer Entschluß nie gereut, und kommen nicht zuweilen Stunden, wo Euch bange wird und Euer Herz nach einer Menschenstimme verlangt?» — «Jetzt nicht mehr. Es war eine Zeit in meiner Jugend, wo eine hei-

ße Schwärmerei mich veranlaßte, Einsiedler zu werden. Dunkle Ahndungen beschäftigten meine jugendliche Phantasie. Ich hoffte volle Nahrung meines Herzens in der Einsamkeit zu finden. Unerschöpflich dünkte mir die Quelle meines innern Lebens. Aber ich merkte bald, daß man eine Fülle von Erfahrungen dahin mitbringen muß, daß ein junges Herz nicht allein sein kann, ja daß der Mensch erst durch vielfachen Umgang mit seinem Geschlecht eine gewisse Selbständigkeit erlangt.»

«Ich glaube selbst», erwiderte der Alte, «daß es einen gewissen natürlichen Beruf zu jeder Lebensart gibt, und vielleicht, daß die Erfahrungen eines zunehmenden Alters von selbst auf eine Zurückziehung aus der menschlichen Gesellschaft führen. Scheint es doch, als sei dieselbe Tätigkeit, sowohl zum Gewinst als zur Erhaltung gewidmet. Eine große Hoffnung, ein gemeinschaftlicher Zweck treibt sie mit Macht; und Kinder und Alte scheinen nicht dazu zu gehören. Unbehülflichkeit und Unwissenheit schließen die ersten davon aus, während die letztern jene Hoffnung erfüllt, jenen Zweck erreicht sehen, und nun nicht mehr von ihnen in den Kreis jener Gesellschaft verflochten, in sich selbst zurückkehren, und genug zu tun finden, sich auf eine höhere Gemeinschaft würdig vorzubereiten. Indes scheinen bei Euch noch besondere Ursachen stattgefunden zu haben, Euch so gänzlich von den Menschen abzusondern und Verzicht auf alle Bequemlichkeiten der Gesellschaft zu leisten. Mich dünkt, daß die Spannung Eures Gemüts doch oft nachlassen und Euch dann unbehaglich zumute werden müßte.»

«Ich fühlte das wohl, indes habe ich es glücklich durch eine strenge Regelmäßigkeit meines Lebens zu vermeiden gewußt. Dabei suche ich mich durch Bewegung gesund zu erhalten, und dann hat es keine Not. Jeden Tag gehe ich mehrere Stunden herum, und genieße den Tag und die Luft soviel ich kann. Sonst halte ich mich in diesen Hallen auf, und beschäftige mich zu gewissen Stunden mit Korbflechten und Schnitzen. Für meine Waren tausche ich mir in entlegenen Ortschaften Lebensmittel ein, Bücher hab ich mir mitgebracht, und so vergeht die Zeit, wie ein Augenblick. In jenen Gegenden habe ich einige Bekannte, die um meinen Aufenthalt wissen, und von denen ich erfahre, was in der Welt geschieht. Diese werden mich begraben, wenn ich tot bin, und meine Bücher zu sich nehmen.»

Er führte sie näher an seinen Sitz, der nahe an der Höhlenwand war. Sei sahen mehrere Bücher auf der Erde liegen, auch eine Zither, und an der Wand hing eine völlige Rüstung, die ziemlich kostbar zu sein schien. Der Tisch bestand aus fünf großen steinernen Platten, die wie ein Kasten zusammengesetzt waren. Auf der obersten lagen eine männ-

liche und weibliche Figur in Lebensgröße eingehauen, die einen Kranz von Lilien und Rosen angefaßt hatten; an den Seiten stand:

Friedrich und Marie von Hohenzollern
kehrten auf dieser Stelle in ihr Vaterland zurück.

Der Einsiedler fragte seine Gäste nach ihrem Vaterlande, und wie sie in diese Gegenden gekommen wären. Er war sehr freundlich und offen, und verriet eine große Bekanntschaft mit der Welt. Der Alte sagte: «Ich sehe, Ihr seid ein Kriegsmann gewesen, die Rüstung verrät Euch.» — «Die Gefahren und Wechsel des Krieges, der hohe poetische Geist, der ein Kriegsheer begleitet, rissen mich aus meiner jugendlichen Einsamkeit und bestimmten die Schicksale meines Lebens. Vielleicht, daß das lange Getümmel, die unzähligen Begebenheiten, denen ich beiwohnte, mir den Sinn für die Einsamkeit noch mehr geöffnet haben: die zahllosen Erinnerungen sind eine unterhaltende Gesellschaft, und dies um so mehr, je veränderter der Blick ist, mit dem wir sie überschauen, und der nun erst ihren wahren Zusammenhang, den Tiefsinn ihrer Folge, und die Bedeutung ihrer Erscheinungen entdeckt. Der eigentliche Sinn für die Geschichten der Menschen entwickelt sich erst spät, und mehr unter den stillen Einflüssen der Erinnerung, als unter den gewaltsameren Eindrücken der Gegenwart. Die nächsten Ereignisse scheinen nur locker verknüpft, aber sie sympathisieren desto wunderbarer mit entfernteren; und nur dann, wenn man imstande ist, eine lange Reihe zu übersehn und weder alles buchstäblich zu nehmen, noch auch mit mutwilligen Träumen die eigentliche Ordnung zu verwirren, bemerkt man die geheime Verkettung des Ehemaligen und Künftigen, und lernt die Geschichte aus Hoffnung und Erinnerung zusammensetzen. Indes nur dem, welchem die ganze Vorzeit gegenwärtig ist, mag es gelingen, die einfache Regel der Geschichte zu entdekken. Wir kommen nur zu unvollständigen und beschwerlichen Formeln, und können froh sein, nur für uns selbst eine brauchbare Vorschrift zu finden, die uns hinlänglich Aufschlüsse über unser eigenes kurzes Leben verschafft. Ich darf aber wohl sagen, daß jede sorgfältige Betrachtung der Schicksale des Lebens einen tiefen, unerschöpflichen Genuß gewährt, und unter allen Gedanken uns am meisten über die irdischen Übel erhebt. Die Jugend liest die Geschichte nur aus Neugier, wie ein unterhaltendes Märchen; dem reiferen Alter wird sie eine himmlische tröstende und erbauende Freundin, die ihn durch ihre weisen Gespräche sanft zu einer höheren, umfassenderen Laufbahn vorbereitet, und mit der unbekannten Welt ihn in faßlichen Bildern bekannt macht. Die Kirche ist das Wohnhaus der Geschichte, und der

stille Hof ihr sinnbildlicher Blumengarten. Von der Geschichte sollten nur alte, gottesfürchtige Leute schreiben, deren Geschichte selbst zu Ende ist, und die nichts mehr zu hoffen haben, als die Verpflanzung in den Garten. Nicht finster und trübe wird ihre Beschreibung sein; vielmehr wird ein Strahl aus der Kuppel alles in der richtigsten und schönsten Erleuchtung zeigen, und heiliger Geist wird über diesen seltsam bewegten Gewässern schweben.»

«Wie wahr und einleuchtend ist Eure Rede», setzte der Alte hinzu. «Man sollte gewiß mehr Fleiß darauf wenden, das Wissenswürdige seiner Zeit treulich aufzuzeichnen, und es als ein andächtiges Vermächtnis den künftigen Menschen zu hinterlassen. Es gibt tausend entferntere Dinge, denen Sorgfalt und Mühe gewidmet wird, und gerade um das Nächste und Wichtigste, um die Schicksale unsers eigenen Lebens, unserer Angehörigen, unsers Geschlechts, deren leise Planmäßigkeit wir in den Gedanken einer Vorsehung aufgefaßt haben, bekümmern wir uns so wenig, und lassen sorglos alle Spuren in unserm Gedächtnisse verwischen. Wie Heiligtümer wird eine weisere Nachkommenschaft jede Nachricht, die von den Begebenheiten der Vergangenheit handelt, aufsuchen, und selbst das Leben eines einzelnen unbedeutenden Mannes wird ihr nicht gleichgültig sein, da gewiß sich das große Leben seiner Zeitgenossenschaft darin mehr oder weniger spiegelt.»

«Es ist nur so schlimm», sagte der Graf von Hohenzollern, «daß selbst die wenigen, die sich der Aufzeichnung der Taten und Vorfälle ihrer Zeit unterzogen, nicht über ihr Geschäft nachdachten, und ihren Beobachtungen keine Vollständigkeit und Ordnung zu geben suchten, sondern nur aufs Geratewohl bei der Auswahl und Sammlung ihrer Nachrichten verfuhren. Ein jeder wird leicht an sich bemerken, daß er nur dasjenige deutlich und vollkommen beschreiben kann, was er genau kennt, dessen Teile, dessen Entstehung und Folge, dessen Zweck und Gebrauch ihm gegenwärtig sind: denn sonst wird keine Beschreibung, sondern ein verwirrtes Gemisch von unvollständigen Bemerkungen entstehn. Man lasse ein Kind eine Maschine, einen Landmann ein Schiff beschreiben, und gewiß wird kein Mensch aus ihren Worten einigen Nutzen und Unterricht schöpfen können, und so ist es mit den meisten Geschichtsschreibern, die vielleicht fertig genug im Erzählen und bis zum Überdruß weitschweifig sind, aber doch gerade das Wissenswürdigste vergessen, dasjenige, was erst die Geschichte zur Geschichte macht, und die mancherlei Zufälle zu einem angenehmen und lehrreichen Ganzen verbindet. Wenn ich das alles recht bedenke, so scheint es mir, als wenn ein Geschichtsschreiber notwendig auch ein Dichter sein müßte, denn nur die Dichter mögen sich auf jene Kunst, Begebenheiten schicklich zu verknüpfen, verstehn. In ihren Erzählun-

gen und Fabeln habe ich mit stillem Vergnügen ihr zartes Gefühl für den geheimnisvollen Geist des Lebens bemerkt. Es ist mehr Wahrheit in ihren Märchen, als in gelehrten Chroniken. Sind auch ihre Personen und deren Schicksale erfunden: so ist doch der Sinn, in dem sie erfunden sind, wahrhaft und natürlich. Es ist für unsern Genuß und unsere Belehrung gewissermaßen einerlei, ob die Personen, in deren Schicksalen wir den unsrigen nachspüren, wirklich einmal lebten, oder nicht. Wir verlangen nach der Anschauung der großen einfachen Seele der Zeiterscheinungen, und finden wir diesen Wunsch gewährt, so kümmern wir uns nicht um die zufällige Existenz ihrer äußern Figuren.»

«Auch ich bin den Dichtern», sagte der Alte, «von jeher deshalb zugetan gewesen. Das Leben und die Welt ist mir klarer und anschaulicher durch sie geworden. Es dünkte mich, sie müßten befreundet mit den scharfen Geistern des Lichtes sein, die alle Naturen durchdringen und sondern, und einen eigentümlichen, zartgefärbten Schleier über jede verbreiten. Meine eigene Natur fühlte ich bei ihren Liedern leicht entfaltet, und es war, als könnte sie sich nun freier bewegen, ihrer Geselligkeit und ihres Verlangens froh werden, mit stiller Lust ihre Glieder gegeneinander schwingen, und tausenderlei anmutige Wirkungen hervorrufen.»

«Wart Ihr so glücklich, in Eurer Gegend einige Dichter zu haben?» fragte der Einsiedler.

«Es haben sich wohl zuweilen einige bei uns eingefunden, aber sie schienen Gefallen am Reisen zu finden, und so hielten sie sich meist nicht lange auf. Indes habe ich auf meinen Wanderungen nach Illyrien, nach Sachsen und Schwedenland nicht selten welche gefunden, deren Andenken mich immer erfreuen wird.»

«So seid Ihr ja weit umhergekommen, und müßt viele denkwürdige Dinge erlebt haben.»

«Unsere Kunst macht es fast nötig, daß man sich weit auf dem Erdboden umsieht, und es ist als triebe den Bergmann ein unterirdisches Feuer umher. Ein Berg schickt ihn dem andern. Er wird nie mit Sehen fertig, und hat seine ganze Lebenszeit an jener wunderlichen Baukunst zu lernen, die unsern Fußboden so seltsam begründet und ausgetäfelt hat. Unsere Kunst ist uralt und weit verbreitet. Sie mag wohl aus Morgen, mit der Sonne, wie unser Geschlecht, nach Abend gewandert sein, und von der Mitte nach den Enden zu. Sie hat überall mit andern Schwierigkeiten zu kämpfen gehabt, und da immer das Bedürfnis den menschlichen Geist zu klugen Erfindungen gereizt, so kann der Bergmann überall seine Einsichten und seine Geschicklichkeit vermehren und mit nützlichen Erfahrungen seine Heimat bereichern.»

«Ihr seid beinah verkehrte Astrologen», sagte der Einsiedler. «Wenn diese den Himmel unverwandt betrachten und seine unermeßlichen Räume durchirren: so wendet ihr euren Blick auf den Erdboden, und erforscht seinen Bau. Jene studieren die Kräfte und Einflüsse der Gestirne, und ihr untersucht die Kräfte der Felsen und Berge, und die mannigfaltigen Wirkungen der Erd- und Steinschichten. Jenen ist der Himmel das Buch der Zukunft, während euch die Erde Denkmale der Urwelt zeigt.»

«Es ist dieser Zusammenhang nicht ohne Bedeutung», sagte der Alte lächelnd. «Die leuchtenden Propheten spielen vielleicht eine Hauptrolle in jener alten Geschichte des wunderlichen Erdbaus. Man wird vielleicht sie aus ihren Werken, und ihre Werke aus ihnen mit der Zeit besser kennen und erklären lernen. Vielleicht zeigen die großen Gebirgsketten die Spuren ihrer ehemaligen Straßen, und hatten selbst Lust, sich auf ihre eigene Hand zu nähren und ihren eigenen Gang am Himmel zu gehn. Manche hoben sich kühn genug, um auch Sterne zu werden, und müssen nun dafür die schöne grüne Bekleidung der niedrigern Gegenden entbehren. Sie haben dafür nichts erhalten, als daß sie ihren Vätern das Wetter machen helfen, und Propheten für das tiefere Land sind, das sie bald schützen bald mit Ungewittern überschwemmen.»

«Seitdem ich in dieser Höhle wohne», fuhr der Einsiedler fort, «habe ich mehr über die alte Zeit nachdenken gelernt. Es ist unbeschreiblich, was diese Betrachtung anzieht, und ich kann mir die Liebe vorstellen, die ein Bergmann für sein Handwerk hegen muß. Wenn ich die seltsamen alten Knochen ansehe, die hier in so gewaltiger Menge versammelt sind; wenn ich mir die wilde Zeit denke, wo diese fremdartigen, ungeheuren Tiere in dichten Scharen sich in diese Höhlen hereindrängten, von Furcht und Angst vielleicht getrieben, und hier ihren Tod fanden; wenn ich dann wieder bis zu den Zeiten hinaufsteige, wo diese Höhlen zusammenwuchsen und ungeheure Fluten das Land bedeckten: so komme ich mir selbst wie ein Traum der Zukunft, wie ein Kind des ewigen Friedens vor. Wie ruhig und friedfertig, wie mild und klar ist gegen diese gewaltsamen, riesenmäßigen Zeiten, die heutige Natur! und das furchtbarste Gewitter, das entsetzlichste Erdbeben in unsern Tagen ist nur ein schwacher Nachhall jener grausenvollen Geburtswehen. Vielleicht daß auch die Pflanzen- und Tierwelt, ja die damaligen Menschen selbst, wenn es auf einzelnen Eilanden in diesem Ozean welche gab, eine andere festere und rauhere Bauart hatten — wenigstens dürfte man die alten Sagen von einem Riesenvolke dann keiner Erdichtungen zeihen.»

«Es ist erfreulich», sagte der Alte, «jene allmähliche Beruhigung

der Natur zu bemerken. Ein immer innigeres Einverständnis, eine friedlichere Gemeinschaft, eine gegenseitige Unterstützung und Belebung, scheint sich allmählich gebildet zu haben, und wir können immer besseren Zeiten entgegensehn. Es wäre vielleicht möglich, daß hin und wieder noch alter Sauerteig gärte, und noch einige heftige Erschütterungen erfolgten; indes sieht man doch das allmächtige Streben nach freier, einträchtiger Verfassung, und in diesem Geiste wird jede Erschütterung vorübergehen und dem großen Ziele näher führen. Mag es sein, daß die Natur nicht mehr so fruchtbar ist, daß heutzutage keine Metalle und Edelsteine, keine Felsen und Berge mehr entstehn, daß Pflanzen und Tiere nicht mehr zu so erstaunlichen Größen und Kräften aufquellen; je mehr sich ihre erzeugende Kraft erschöpft hat, desto mehr haben ihre bildenden, veredelnden und gesilligen Kräfte zugenommen, ihr Gemüt ist empfänglicher und zarter, ihre Phantasie mannigfaltiger und sinnbildlicher, ihre Hand leichter und kunstreicher geworden. Sie nähert sich dem Menschen, und wenn sie ehmals ein wildgebärender Fels war, so ist sie jetzt eine stille, treibende Pflanze, eine stumme menschliche Künstlerin. Wozu wäre auch eine Vermehrung jener Schätze nötig, deren Überfluß auf undenkliche Zeiten ausreicht. Wie klein ist der Raum, den ich durchwandert bin, und welche mächtige Vorräte habe ich nicht gleich auf den ersten Blick gefunden, deren Benutzung der Nachwelt überlassen bleibt. Welche Reichtümer verschließen nicht die Gebirge nach Norden, welche günstige Anzeichen fand ich nicht in meinem Vaterlande überall, in Ungarn, am Fuße der Karpathischen Gebirge, und in den Felsentälern von Tirol, Österreich und Bayern. Ich könnte ein reicher Mann sein, wenn ich das hätte mit mir nehmen können, was ich nur aufzuheben, nur abzuschlagen brauchte. An manchen Orten sah ich mich, wie in einem Zaubergarten. Was ich ansah, war von köstlichen Metallen und auf das kunstreichste gebildet. In den zierlichen Locken und Ästen des Silbers hingen glänzende, rubinrote, durchsichtige Früchte, und die schweren Bäumchen standen auf kristallenem Grunde, der ganz unnachahmlich ausgearbeitet war. Man traute kaum seinen Sinnen an diesen wunderbaren Orten, und ward nicht müde diese reizenden Wildnisse zu durchstreifen und sich an ihren Kleinodien zu ergötzen. Auch auf meiner jetzigen Reise habe ich viele Merkwürdigkeiten gesehn, und gewiß ist in andern Ländern die Erde ebenso ergiebig und verschwenderisch.»

«Wenn man», sagte der Unbekannte, «die Schätze bedenkt, die im Orient zu Hause sind, so ist daran kein Zweifel, und ist das ferne Indien, Afrika und Spanien nicht schon im Altertum durch Reichtümer seines Bodens bekannt gewesen? Als Kriegsmann gibt man freilich nicht so genau auf die Adern und Klüfte der Berge acht, indes habe

ich doch zuweilen meine Betrachtungen über diese glänzenden Streifen gehabt, die wie seltsame Knospen auf eine unerwartete Blüte und Frucht deuten. Wie hätte ich damals denken können, wenn ich froh über das Licht des Tages an diesen dunkeln Behausungen vorbeizog, daß ich noch im Schoße eines Berges mein Leben beschließen würde. Meine Liebe trug mich stolz über den Erdboden, und in ihrer Umarmung hoffte ich in späten Jahren zu entschlafen. Der Krieg endigte, und ich zog nach Hause, voll froher Erwartungen eines erquicklichen Herbstes. Aber der Geist des Krieges schien der Geist meines Glücks zu sein. Meine Marie hatte mir zwei Kinder im Orient geboren. Sie waren die Freude unsers Lebens. Die Seefahrt und die rauhere abendländische Luft störte ihre Blüte. Ich begrub sie wenig Tage nach meiner Ankunft in Europa. Kummervoll führte ich meine trostlose Gattin nach meiner Heimat. Ein stiller Gram mochte den Faden ihres Lebens mürbe gemacht haben. Auf einer Reise, die ich bald darauf unternehmen mußte, auf der sie mich wie immer begleitete, verschied sie sanft und plötzlich in meinen Armen. Es war hier nahe bei, wo unsere irdische Wallfahrt zu Ende ging. Mein Entschluß war im Augenblicke reif. Ich fand, was ich nie erwartet hatte; eine göttliche Erleuchtung kam über mich, und seit dem Tage, da ich sie hier selbst begrub, nahm eine himmlische Hand allen Kummer von meinem Herzen. Das Grabmal habe ich nachher errichten lassen. Oft scheint eine Begebenheit sich zu endigen, wenn sie erst eigentlich beginnt, und dies hat bei meinem Leben stattgefunden. Gott verleihe euch allen ein seliges Alter, und ein so ruhiges Gemüt wie mir.»

Heinrich und die Kaufleute hatten aufmerksam dem Gespräche zugehört, und der erstere fühlte besonders neue Entwickelungen seines ahndungsvollen Innern. Manche Worte, manche Gedanken fielen wie belebender Fruchtstaub, in seinen Schoß, und rückten ihn schnell aus dem engen Kreise seiner Jugend auf die Höhe der Welt. Wie lange Jahre lagen die eben vergangenen Stunden hinter ihm, und er glaubte nie anders gedacht und empfunden zu haben.

Der Einsiedler zeigte ihnen seine Bücher. Es waren alte Historien und Gedichte. Heinrich blätterte in den großen schöngemalten Schriften; die kurzen Zeilen der Verse, die Überschriften, einzelne Stellen, und die saubern Bilder, die hier und da, wie verkörperte Worte, zum Vorschein kamen, um die Einbildungskraft des Lesers zu unterstützen, reizten mächtig seine Neugierde. Der Einsiedler bemerkte seine innere Lust, und erklärte ihm die sonderbaren Vorstellungen. Die mannigfaltigsten Lebensszenen waren abgebildet. Kämpfe, Leichenbegängnisse, Hochzeitfeierlichkeiten, Schiffbrüche, Höhlen und Paläste; Könige, Helden, Priester, alte und junge Leute, Menschen in fremden

Trachten, und seltsame Tiere, kamen in verschiedenen Abwechselungen und Verbindungen vor. Heinrich konnte sich nicht satt sehen, und hätte nichts mehr gewünscht, als bei dem Einsiedler, der ihn unwiderstehlich anzog, zu bleiben, und von ihm über diese Bücher unterrichtet zu werden. Der Alte fragte unterdes, ob es noch mehr Höhlen gäbe, und der Einsiedler sagte ihm, daß noch einige sehr große in der Nähe lägen, wohin er ihn begleiten wollte. Der Alte war dazu bereit, und der Einsiedler, der die Freude merkte, die Heinrich an seinen Büchern hatte, veranlaßte ihn, zurückzubleiben, und sich während dieser Zeit weiter unter denselben umzusehn. Heinrich blieb mit Freuden bei den Büchern, und dankte ihm innig für seine Erlaubnis. Er blätterte mit unendlicher Lust umher. Endlich fiel ihm ein Buch in die Hände, das in einer fremden Sprache geschrieben war, die ihm einige Ähnlichkeit mit der lateinischen und italienischen zu haben schien. Er hätte sehnlichst gewünscht, die Sprache zu kennen, denn das Buch gefiel ihm vorzüglich, ohne daß er eine Silbe davon verstand. Es hatte keinen Titel, doch fand er noch beim Suchen einige Bilder. Sie dünkten ihm ganz wunderbar bekannt, und wie er recht zusah, entdeckte er seine eigene Gestalt ziemlich kenntlich unter den Figuren. Er erschrak und glaubte zu träumen, aber beim wiederholten Ansehn konnte er nicht mehr an der vollkommenen Ähnlichkeit zweifeln. Er traute kaum seinen Sinnen, als er bald auf einem Bilde die Höhle, den Einsiedler und den Alten neben sich entdeckte. Allmählich fand er auf den andern Bildern die Morgenländerin, seine Eltern, den Landgrafen und die Landgräfin von Thüringen, seinen Freund den Hofkaplan, und manche andere seiner Bekannten; doch waren ihre Kleidungen verändert und schienen aus einer andern Zeit zu sein. Eine große Menge Figuren wußte er nicht zu nennen, doch däuchten sie ihm bekannt. Er sah sein Ebenbild in verschiedenen Lagen. Gegen das Ende kam er sich größer und edler vor. Die Gitarre ruhte in seinen Armen, und die Landgräfin reichte ihm einen Kranz. Er sah sich am kaiserlichen Hofe, zu Schiffe, in trauter Umarmung mit einem schlanken lieblichen Mädchen, in einem Kampfe mit wildaussehenden Männern und in freundlichen Gesprächen mit Sarazenen und Mohren. Ein Mann von ernstem Ansehn kam häufig in seiner Gesellschaft vor. Er fühlte tiefe Ehrfurcht vor dieser hohen Gestalt, und war froh sich Arm in Arm mit ihm zu sehn. Die letzten Bilder waren dunkel und unverständlich; doch überraschten ihn einige Gestalten seines Traumes mit dem innigsten Entzücken; der Schluß des Buches schien zu fehlen. Heinrich war sehr bekümmert, und wünschte nichts sehnlicher, als das Buch lesen zu können, und vollständig zu besitzen. Er betrachtete die Bilder zu wiederholten Malen und war bestürzt, wie er die Gesellschaft zurückkommen hörte.

Eine wunderliche Scham befiel ihn. Er getraute sich nicht, seine Entdeckung merken zu lassen, machte das Buch zu, und fragte den Einsiedler nur obenhin nach dem Titel und der Sprache desselben, wo er denn erfuhr, daß es in provenzalischer Sprache geschrieben sei. «Es ist lange, daß ich es gelesen habe», sagte der Einsiedler. «Ich kann mich nicht genau mehr des Inhalts entsinnen. Soviel ich weiß, ist es ein Roman von den wunderbaren Schicksalen eines Dichters, worin die Dichtkunst in ihren mannigfachen Verhältnissen dargestellt und gepriesen wird. Der Schluß fehlt an dieser Handschrift, die ich aus Jerusalem mitgebracht habe, wo ich sie in der Verlassenschaft eines Freundes fand, und zu seinem Andenken aufhob.»

Sie nahmen nun voneinander Abschied, und Heinrich war bis zu Tränen gerührt. Die Höhle war ihm so merkwürdig, der Einsiedler so lieb geworden.

Alle umarmten diesen herzlich, und er selbst schien sie lieb gewonnen zu haben. Heinrich glaubte zu bemerken, daß er ihn mit einem freundlichen durchdringenden Blick ansehe. Seine Abschiedsworte gegen ihn waren sonderbar bedeutend. Er schien von seiner Entdeckung zu wissen und darauf anzuspielen. Bis zum Eingang der Höhlen begleitete er sie, nachdem er sie und besonders den Knaben gebeten hatte, nichts von ihm gegen die Bauern zu erwähnen, weil er sonst ihren Zudringlichkeiten ausgesetzt sein würde.

Sie versprachen es alle. Wie sie von ihm schieden und sich seinem Gebet empfahlen, sagte er: «Wie lange wird es währen, so sehn wir uns wieder, und werden über unsere heutigen Reden lächeln. Ein himmlischer Tag wird uns umgeben, und wir werden uns freuen, daß wir einander in diesen Tälern der Prüfung freundlich begrüßten, und von gleichen Gesinnungen und Ahndungen beseelt waren. Sie sind die Engel, die uns hier sicher geleiten. Wenn euer Auge fest am Himmel haftet, so werdet ihr nie den Weg zu eurer Heimat verlieren.» — Sie trennten sich mit stiller Andacht, fanden bald ihre zaghaften Gefährten, und erreichten unter allerlei Erzählungen in kurzem das Dorf, wo Heinrichs Mutter, die in Sorgen gewesen war, sie mit tausend Freuden empfing.

SECHSTES KAPITEL

Menschen, die zum Handeln, zur Geschäftigkeit geboren sind, können nicht früh genug alles selbst betrachten und beleben. Sie müssen überall selbst Hand anlegen und viele Verhältnisse durchlaufen, ihr Gemüt gegen die Eindrücke einer neuen Lage, gegen die Zerstreuungen vieler und mannigfaltiger Gegenstände gewissermaßen abhärten, und

sich gewöhnen, selbst im Drange großer Begebenheiten den Faden ihres Zwecks festzuhalten, und ihn gewandt hindurchzuführen. Sie dürfen nicht den Einladungen einer stillen Betrachtung nachgeben. Ihre Seele darf keine in sich gekehrte Zuschauerin, sie muß unablässig nach außen gerichtet, und eine emsige, schnell entscheidende Dienerin des Verstandes sein. Sie sind Helden, und um sie her drängen sich die Begebenheiten, die geleitet und gelöst sein wollen. Alle Zufälle werden zu Geschichten unter ihrem Einfluß, und ihr Leben ist eine ununterbrochene Kette merkwürdiger und glänzender, verwickelter und seltsamer Ereignisse.

Anders ist es mit jenen ruhigen, unbekannten Menschen, deren Welt ihr Gemüt, deren Tätigkeit die Betrachtung, deren Leben ein leises Bilden ihrer innern Kräfte ist. Keine Unruhe treibt sie nach außen. Ein stiller Besitz genügt ihnen und das unermeßliche Schauspiel außer ihnen reizt sie nicht selbst, darin aufzutreten, sondern kommt ihnen bedeutend und wunderbar genug vor, um seiner Betrachtung ihre Muße zu widmen. Verlangen nach dem Geiste desselben hält sie in der Ferne, und er ist es, der sie zu der geheimnisvollen Rolle des Gemüts in dieser menschlichen Welt bestimmte, während jene die äußeren Gliedmaßen und Sinne und die ausgehenden Kräfte derselben vorstellen.

Große und vielfache Begebenheiten würden sie stören. Ein einfaches Leben ist ihr Los, und nur aus Erzählungen und Schriften müssen sie mit dem reichen Inhalt, und den zahllosen Erscheinungen der Welt bekannt werden. Nur selten darf im Verlauf ihres Lebens ein Vorfall sie auf einige Zeit in seine raschen Wirbel mit hereinziehn, um durch einige Erfahrungen sie von der Lage und dem Charakter der handelnden Menschen genauer zu unterrichten. Dagegen wird ihr empfindlicher Sinn schon genug von nahen unbedeutenden Erscheinungen beschäftigt, die ihm jene große Welt verjüngt darstellen, und sie werden keinen Schritt tun, ohne die überraschendsten Entdeckungen in sich selbst über das Wesen und die Bedeutung derselben zu machen. Es sind die Dichter, diese seltenen Zugmenschen, die zuweilen durch unsere Wohnsitze wandeln, und überall den alten ehrwürdigen Dienst der Menschheit und ihrer ersten Götter, der Gestirne, des Frühlings, der Liebe, des Glücks, der Fruchtbarkeit, der Gesundheit, und des Frohsinns erneuern; sie, die schon hier im Besitz der himmlischen Ruhe sind, und von keinen törichten Begierden umhergetrieben, nur den Duft der irdischen Früchte einatmen, ohne sie zu verzehren und dann unwiderruflich an die Unterwelt geкеttet zu sein. Freie Gäste sind sie, deren goldener Fuß nur leise auftritt, und deren Gegenwart in allen unwillkürlich die Flügel ausbreitet. Ein Dichter läßt sich wie ein guter König, frohen und klaren Gesichtern nach aufsuchen, und er ist es, der allein den Na-

men eines Weisen mit Recht führt. Wenn man ihn mit dem Helden vergleicht, so findet man, daß die Gesänge der Dichter nicht selten den Heldenmut in jugendlichen Herzen erweckt, Heldentaten aber wohl nie den Geist der Poesie in ein neues Gemüt gerufen haben.

Heinrich war von Natur zum Dichter geboren. Mannigfaltige Zufälle schienen sich zu seiner Bildung zu vereinigen, und noch hatte nichts seine innere Regsamkeit gestört. Alles was er sah und hörte schien nur neue Riegel in ihm wegzuschieben, und neue Fenster ihm zu öffnen. Er sah die Welt in ihren großen und abwechselnden Verhältnissen vor sich liegen. Noch war sie aber stumm, und ihre Seele, das Gespräch, noch nicht erwacht. Schon nahte sich ein Dichter, ein liebliches Mädchen an der Hand, um durch Laute der Muttersprache und durch Berührung eines süßen zärtlichen Mundes, die blöden Lippen aufzuschließen, und den einfachen Akkord in unendliche Melodien zu entfalten.

Diese Reise war nun geendigt. Es war gegen Abend, als unsere Reisenden wohlbehalten und fröhlich in der weltberühmten Stadt Augsburg anlangten, und voller Erwartung durch die hohen Gassen nach dem ansehnlichen Hause des alten Schwaning ritten.

Heinrichen war schon die Gegend sehr reizend vorgekommen. Das lebhafte Getümmel der Stadt und die großen, steinernen Häuser befremdeten ihn angenehm. Er freute sich inniglich über seinen künftigen Aufenthalt. Seine Mutter war sehr vergnügt nach der langen, mühseligen Reise sich hier in ihrer geliebten Vaterstadt zu sehen, bald ihren Vater und ihre alten Bekannten wieder zu umarmen, ihren Heinrich ihnen vorstellen, und einmal alle Sorgen des Hauswesens bei den traulichen Erinnerungen ihrer Jugend ruhig vergessen zu können. Die Kaufleute hofften sich bei den dortigen Lustbarkeiten für die Unbequemlichkeiten des Weges zu entschädigen, und einträgliche Geschäfte zu machen.

Das Haus des alten Schwaning fanden sie erleuchtet, und eine lustige Musik tönte ihnen entgegen. «Was gilt's», sagten die Kaufleute, «Euer Großvater gibt ein fröhliches Fest. Wir kommen wie gerufen. Wie wird er über die ungeladenen Gäste erstaunen. Er läßt es sich wohl nicht träumen, daß das wahre Fest nun erst angehn wird.» Heinrich fühlte sich verlegen, und seine Mutter war nun wegen ihres Anzugs in Sorgen. Sie stiegen ab, die Kaufleute blieben bei den Pferden, und Heinrich und seine Mutter traten in das prächtige Haus. Unten war kein Hausgenosse zu sehen. Sie mußten die breite Wendeltreppe hinauf. Einige Diener liefen vorüber, die sie baten, dem alten Schwaning die Ankunft einiger Fremden anzusagen, die ihn zu sprechen wünschten. Die Diener machten anfangs einige Schwierigkeiten; die

Reisenden sahen nicht zum besten aus; doch meldeten sie es dem Herrn des Hauses. Der alte Schwaning kam heraus. Er kannte sie nicht gleich, und fragte nach ihrem Namen und Anliegen. Heinrichs Mutter weinte, und fiel ihm um den Hals. «Kennt Ihr Eure Tochter nicht mehr?» rief sie weinend. «Ich bringe Euch meinen Sohn.» Der alte Vater war äußerst gerührt. Er drückte sie lange an seine Brust; Heinrich sank auf ein Knie, und küßte ihm zärtlich die Hand. Er hob ihn zu sich, und hielt Mutter und Sohn umarmt. «Geschwind herein», sagte Schwaning, «ich habe lauter Freunde und Bekannte bei mir, die sich herzlich mit mir freuen werden.» Heinrichs Mutter schien einige Zweifel zu haben. Sie hatte keine Zeit sich zu besinnen. Der Vater führte beide in den hohen, erleuchteten Saal. «Da bringe ich meine Tochter und meinen Enkel aus Eisenach», rief Schwaning in das frohe Getümmel glänzend gekleideter Menschen. Alle Augen kehrten sich nach der Tür; alles lief herzu, die Musik schwieg, und die beiden Reisenden standen verwirrt und geblendet in ihren staubigen Kleidern, mitten in der bunten Schar. Tausend freudige Ausrufungen gingen von Mund zu Mund. Alte Bekannte drängten sich um die Mutter. Es gab unzählige Fragen. Jedes wollte zuerst gekannt und bewillkommet sein. Während der ältere Teil der Gesellschaft sich mit der Mutter beschäftigte, heftete sich die Aufmerksamkeit des jüngeren Teils auf den fremden Jüngling, der mit gesenktem Blick dastand, und nicht das Herz hatte, die unbekannten Gesichter wieder zu betrachten. Sein Großvater machte ihn mit der Gesellschaft bekannt, und erkundigte sich nach seinem Vater und den Vorfällen ihrer Reise.

Die Mutter gedachte der Kaufleute, die unten aus Gefälligkeit bei den Pferden geblieben waren. Sie sagte es ihrem Vater, welcher sogleich hinunterschickte, und sie einladen ließ heraufzukommen. Die Pferde wurden in die Ställe gebracht, und die Kaufleute erschienen.

Schwaning dankte ihnen herzlich für die freundschaftliche Geleitung seiner Tochter. Sie waren mit vielen Anwesenden bekannt, und begrüßten sich freundlich mit ihnen. Die Mutter wünschte sich reinlich ankleiden zu dürfen. Schwaning nahm sie auf sein Zimmer, und Heinrich folgte ihnen in gleicher Absicht.

Unter der Gesellschaft war Heinrichen ein Mann aufgefallen, den er in jenem Buche oft an seiner Seite gesehn zu haben glaubte. Sein edles Ansehn zeichnete ihn vor allen aus. Ein heitrer Ernst war der Geist seines Gesichts; eine offene schön gewölbte Stirn, große, schwarze, durchdringende und feste Augen, ein schalkhafter Zug um den fröhlichen Mund und durchaus klare, männliche Verhältnisse machten es bedeutend und anziehend. Er war stark gebaut, seine Bewegungen waren ruhig und ausdrucksvoll, und wo er stand, schien er ewig stehen zu

und Poesie wird Mensch erhoben, kann sprechen. 153

wollen. Heinrich fragte seinen Großvater nach ihm. «Es ist mir lieb», sagte der Alte, «daß du ihn gleich bemerkt hast. Es ist mein trefflicher Freund Klingsohr, der Dichter. Auf seine Bekanntschaft und Freundschaft kannst du stolzer sein, als auf die des Kaisers. Aber wie stehts mit deinem Herzen? Er hat eine schöne Tochter; vielleicht daß sie den Vater bei dir aussticht. Es sollte mich wundern, wenn du sie nicht gesehn hättest.» Heinrich errötete. «Ich war zerstreut, lieber Großvater. Die Gesellschaft war zahlreich, und ich betrachtete nur Euren Freund.» — «Man merkt es, daß du aus Norden kömmst», erwiderte Schwaning. «Wir wollen dich hier schon auftauen. Du sollst schon lernen nach hübschen Augen sehn.»

Sie waren nun fertig und begaben sich zurück in den Saal, wo indes die Zurüstungen zum Abendessen gemacht worden waren. Der alte Schwaning führte Heinrichen auf Klingsohr zu, und erzählte ihm, daß Heinrich ihn gleich bemerkt und den lebhaftesten Wunsch habe mit ihm bekannt zu sein.

Heinrich war beschämt. Klingsohr redete freundlich zu ihm von seinem Vaterlande und seiner Reise. Es lag soviel Zutrauliches in seiner Stimme, daß Heinrich bald ein Herz faßte und sich freimütig mit ihm unterhielt. Nach einiger Zeit kam Schwaning wieder zu ihnen und brachte die schöne Mathilde. «Nehmt Euch meines schüchternen Enkels freundlich an, und verzeiht es ihm, daß er eher Euren Vater als Euch gesehn hat. Eure glänzenden Augen werden schon die schlummernde Jugend in ihm wecken. In seinem Vaterland kommt der Frühling spät.»

Heinrich und Mathilde wurden rot. Sie sahen sich einander mit Verwunderung an. Sie fragte ihn mit kaum hörbaren leisen Worten: ob er gern tanze. Eben als er die Frage bejahte, fing eine fröhliche Tanzmusik an. Er bot ihr schweigend seine Hand; sie gab ihm die ihrige, und sie mischten sich in die Reihe der walzenden Paare. Schwaning und Klingsohr sahen zu. Die Mutter und die Kaufleute freuten sich über Heinrichs Behendigkeit und seine liebliche Tänzerin. Die Mutter hatte genug mit ihren Jugendfreundinnen zu sprechen, die ihr zu einem so wohlgebildeten und so hoffnungsvollen Sohn Glück wünschten. Klingsohr sagte zu Schwaning: «Euer Enkel hat ein anziehendes Gesicht. Es zeigt ein klares und umfassendes Gemüt, und seine Stimme kommt tief aus dem Herzen.» — «Ich hoffe», erwiderte Schwaning, «daß er Euer gelehriger Schüler sein wird. Mich däucht, er ist zum Dichter geboren. Euer Geist komme über ihn. Er sieht seinem Vater ähnlich; nur scheint er weniger heftig und eigensinnig. Jener war in seiner Jugend voll glücklicher Anlagen. Eine gewisse Freisinnigkeit fehlte ihm. Es hätte mehr aus ihm werden können als ein fleißiger und

fertiger Künstler.» — Heinrich wünschte den Tanz nie zu endigen. Mit innigem Wohlbehagen ruhte sein Auge auf den Rosen seiner Tänzerin. Ihr unschuldiges Auge vermied ihn nicht. Sie schien der Geist ihres Vaters in der lieblichsten Verkleidung. Aus ihren großen ruhigen Augen sprach ewige Jugend. Auf einem lichthimmelblauen Grunde lag der milde Glanz der braunen Sterne. Stirn und Nase senkten sich zierlich um sie her. Eine nach der aufgehenden Sonne geneigte Lilie war ihr Gesicht, und von dem schlanken, weißen Halse schlängelten sich blaue Adern in reizenden Windungen um die zarten Wangen. Ihre Stimme war wie ein fernes Echo, und das braune lockige Köpfchen schien über der leichten Gestalt nur zu schweben.

Die Schüsseln kamen herein, und der Tanz war aus. Die älteren Leute setzten sich auf die eine Seite, und die jüngern nahmen die andere ein.

Heinrich blieb bei Mathilden. Eine junge Verwandte setzte sich zu seiner Linken, und Klingsohr saß ihm gerade gegenüber. So wenig Mathilde sprach, so gesprächig war Veronika, seine andere Nachbarin. Sie tat gleich mit ihm vertraut und machte ihn in kurzem mit allen Anwesenden bekannt. Heinrich verhörte manches. Er war noch bei seiner Tänzerin, und hätte sich gern öfters rechts gewandt. Klingsohr machte ihrem Plaudern ein Ende. Er fragte ihn nach dem Bande mit sonderbaren Figuren, was Heinrich an seinem Leibrocke befestigt hatte. Heinrich erzählte von der Morgenländerin mit vieler Rührung. Mathilde weinte, und Heinrich konnte nun seine Tränen kaum verbergen. Er geriet darüber mit ihr ins Gespräch. Alle unterhielten sich; Veronika lachte und scherzte mit ihren Bekannten. Mathilde erzählte ihm von Ungarn, wo ihr Vater sich oft aufhielt, und von dem Leben in Augsburg. Alle waren vergnügt. Die Musik verscheuchte die Zurückhaltung und reizte alle Neigungen zu einem muntern Spiel. Blumenkörbe dufteten in voller Pracht auf dem Tische, und der Wein schlich zwischen den Schüsseln und Blumen umher, schüttelte seine goldnen Flügel und stellte bunte Tapeten zwischen die Welt und die Gäste. Heinrich begriff erst jetzt, was ein Fest sei. Tausend frohe Geister schienen ihm um den Tisch zu gaukeln, und in stiller Sympathie mit den fröhlichen Menschen von ihren Freuden zu leben und mit ihren Genüssen sich zu berauschen. Der Lebensgenuß stand wie ein klingender Baum voll goldener Früchte vor ihm. Das Übel ließ sich nicht sehen, und es dünkte ihm unmöglich, daß je die menschliche Neigung von diesem Baume zu der gefährlichen Frucht des Erkenntnisses, zu dem Baume des Krieges sich gewendet haben sollte. Er verstand nun den Wein und die Speisen. Sie schmeckten ihm überaus köstlich. Ein himmliches Öl würzte sie ihm, und aus dem Becher funkelte die Herrlichkeit des irdischen Lebens.

Einige Mädchen brachten dem alten Schwaning einen frischen Kranz. Er setzte ihn auf, küßte sie, und sagte: «Auch unserm Freund Klingsohr müßt ihr einen bringen, wir wollen beide zum Dank euch ein paar neue Lieder lehren. Das meinige sollt ihr gleich haben.» Er gab der Musik ein Zeichen, und sang mit lauter Stimme:

Sind wir nicht geplagte Wesen?
Ist nicht unser Los betrübt?
Nur zu Zwang und Not erlesen
In Verstellung nur geübt,
Dürfen selbst nicht unsre Klagen
Sich aus unserm Busen wagen.

Allem was die Eltern sprechen,
Widerspricht das volle Herz.
Die verbotne Frucht zu brechen
Fühlen wir der Sehnsucht Schmerz;
Möchten gern die süßen Knaben
Fest an unserm Herzen haben.

Wäre dies zu denken Sünde?
Zollfrei sind Gedanken doch.
Was bleibt einem armen Kinde
Außer süßen Träumen noch?
Will man sie auch gern verbannen,
Nimmer ziehen sie von dannen.

Wenn wir auch des Abends beten,
Schreckt uns doch die Einsamkeit,
Und zu unsern Küssen treten
Sehnsucht und Gefälligkeit.
Könnten wir wohl widerstreben
Alles, alles hinzugeben?

Unsre Reize zu verhüllen,
Schreibt die strenge Mutter vor.
Ach! was hilft der gute Willen,
Quellen sie nicht selbst empor?
Bei der Sehnsucht innrem Beben
Muß das beste Band sich geben.

Jede Neigung zu verschließen,
Hart und kalt zu sein, wie Stein,
Schöne Augen nicht zu grüßen,
Fleißig und allein zu sein,
Keiner Bitte nachzugeben:
Heißt das wohl ein Jugendleben?

Groß sind eines Mädchens Plagen,
Ihre Brust ist krank und wund,
Und zum Lohn für stille Klagen
Küßt sie noch ein welker Mund.
Wird denn nie das Blatt sich wenden
Und das Reich der Alten enden?

Die alten Leute und die Jünglinge lachten. Die Mädchen erröteten und
lächelten abwärts. Unter tausend Neckereien wurde ein zweiter Kranz
geholt, und Klingsohren aufgesetzt. Sie baten aber inständigst um kei-
nen so leichtfertigen Gesang. «Nein», sagte Klingsohr, «ich werde mich
wohl hüten, so frevelhaft von euren Geheimnissen zu reden. Sagt
selbst, was ihr für ein Lied haben wollt.» — «Nur nichts von Liebe»,
riefen die Mädchen, «ein Weinlied, wenn es Euch ansteht.» Klingsohr
sang:

Auf grünen Bergen wird geboren,
Der Gott, der uns den Himmel bringt.
Die Sonne hat ihn sich erkoren,
Daß sie mit Flammen ihn durchdringt.

Er wird im Lenz mit Lust empfangen,
Der zarte Schoß quillt still empor,
Und wenn des Herbstes Früchte prangen,
Springt auch das goldne Kind hervor.

Sie legen ihn in enge Wiegen
Ins unterirdische Geschoß.
Er träumt von Festen und von Siegen
Und baut sich manches luftge Schloß.

Es nahe keiner seiner Kammer,
Wenn er sich ungeduldig drängt,
Und jedes Band und jede Kammer
Mit jugendlichen Kräften sprengt.

Denn unsichtbare Wächter stellen,
So lang er träumt, sich um ihn her;
Und wer betritt die heilgen Schwellen,
Den trifft ihr luftumwundner Speer.

So wie die Schwingen sich entfalten,
Läßt er die lichten Augen sehn,
Läßt ruhig seine Priester schalten
Und kommt heraus, wenn sie ihm flehn.

Aus seiner Wiege dunkelm Schoße
Erscheint er im Kristallgewand;
Verschwiegner Eintracht volle Rose
Trägt er bedeutend in der Hand.

Und überall um ihn versammeln
Sich seine Jünger hocherfreut,
Und tausend frohe Zungen stammeln
Ihm ihre Lieb' und Dankbarkeit.

Er spritzt in ungezählten Strahlen
Sein innres Leben in die Welt,
Die Liebe nippt aus seinen Schalen
Und bleibt ihm ewig zugesellt.

Er nahm als Geist der goldnen Zeiten
Von jeher sich des Dichters an,
Der immer seine Lieblichkeiten
In trunknen Liedern aufgetan.

Er gab ihm, seine Treu zu ehren,
Ein Recht auf jeden hübschen Mund,
Und daß es keine darf ihm wehren,
Macht Gott durch ihn es allen kund.

«Ein schöner Prophet!» riefen die Mädchen. Schwaning freute sich
herzlich. Sie machten noch einige Einwendungen, aber es half nichts.
Sie mußten ihm die süßen Lippen hinreichen. Heinrich schämte sich
nur vor seiner ernsten Nachbarin, sonst hätte er sich laut über das
Vorrecht der Dichter gefreut. Veronika war unter den Kranzträgerin-
nen. Sie kam fröhlich zurück und sagte zu Heinrich: «Nicht wahr, es
ist hübsch, wenn man ein Dichter ist?» Heinrich getraute sich nicht,
diese Frage zu benutzen. Der Übermut der Freude und der Ernst der

ersten Liebe kämpften in seinem Gemüt. Die reizende Veronika scherzte mit den andern, und so gewann er Zeit, den ersten etwas zu dämpfen. Mathilde erzählte ihm, daß sie die Gitarre spiele. «Ach!» sagte Heinrich, «von Euch möchte ich sie lernen. Ich habe mich lange darnach gesehnt.» — «Mein Vater hat mich unterrichtet. Er spielt sie unvergleichlich», sagte sie errötend. — «Ich glaube doch», erwiderte Heinrich, «daß ich sie schneller bei Euch lerne. Wie freue ich mich Euren Gesang zu hören.» — «Stellt Euch nur nicht zu viel vor.» — «O!» sagte Heinrich, «was sollte ich nicht erwarten können, da Eure bloße Rede schon Gesang ist, und Eure Gestalt eine himmlische Musik verkündigt.»

Mathilde schwieg. Ihr Vater fing ein Gespräch mit ihm an, in welchem Heinrich mit der lebhaftesten Begeisterung sprach. Die Nächsten wunderten sich über des Jünglings Beredsamkeit, über die Fülle seiner bildlichen Gedanken. Mathilde sah ihn mit stiller Aufmerksamkeit an. Sie schien sich über seine Reden zu freuen, die sein Gesicht mit den sprechendsten Mienen noch mehr erklärte. Seine Augen glänzten ungewöhnlich. Er sah sich zuweilen nach Mathilden um, die über den Ausdruck seines Gesichts erstaunte. Im Feuer des Gesprächs ergriff er unvermerkt ihre Hand, und sie konnte nicht umhin, manches was er sagte, mit einem leisen Druck zu bestätigen. Klingsohr wußte seinen Enthusiasmus zu unterhalten, und lockte allmählich seine ganze Seele auf die Lippen. Endlich stand alles auf. Alles schwärmte durcheinander. Heinrich war an Mathildens Seite geblieben. Sie standen unbemerkt abwärts. Er hielt ihre Hand und küßte sie zärtlich. Sie ließ sie ihm, und blickte ihn mit unbeschreiblicher Freundlichkeit an. Er konnte sich nicht halten, neigte sich zu ihr und küßte ihre Lippen. Sie war überrascht, und erwiderte unwillkürlich seinen heißen Kuß. «Gute Mathilde!» — «Lieber Heinrich!» das war alles, was sie einander sagen konnten. Sie drückte seine Hand, und ging unter die andern. Heinrich stand, wie im Himmel. Seine Mutter kam auf ihn zu. Er ließ seine ganze Zärtlichkeit an ihr aus. Sie sagte: «Ist es nicht gut, daß wir nach Augsburg gereist sind? Nicht wahr, es gefällt dir?» — «Liebe Mutter», sagte Heinrich, «so habe ich mir es doch nicht vorgestellt. Es ist ganz herrlich.»

Der Rest des Abends verging in unendlicher Fröhlichkeit. Die Alten spielten, plauderten, und sahen den Tänzen zu. Die Musik wogte wie ein Lustmeer im Saale, und hob die berauschte Jugend.

Heinrich fühlte die entzückenden Weissagungen der ersten Lust und Liebe zugleich. Auch Mathilde ließ sich willig von den schmeichelnden Wellen tragen, und verbarg ihr zärtliches Zutrauen, ihre aufkeimende Neigung zu ihm nur hinter einem leichten Flor. Der alte Schwaning bemerkte das kommende Verständnis, und neckte beide.

Klingsohr hatte Heinrichen lieb gewonnen, und freute sich seiner Zärtlichkeit. Die andern Jünglinge und Mädchen hatten es bald bemerkt. Sie zogen die ernste Mathilde mit dem jungen Thüringer auf, und verhehlten nicht, daß es ihnen lieb sei, Mathildens Aufmerksamkeit nicht mehr bei ihren Herzensgeschäften scheuen zu dürfen.

Es war tief in der Nacht, als die Gesellschaft auseinanderging. «Das erste und einzige Fest meines Lebens», sagte Heinrich zu sich selbst, als er allein war, und seine Mutter sich ermüdet zur Ruhe gelegt hatte. «Ist mir nicht zumute wie in jenem Traume, beim Anblick der blauen Blume? Welcher sonderbare Zusammenhang ist zwischen Mathilden und dieser Blume? Jenes Gesicht, das aus dem Kelche sich mir entgegenneigte, es war Mathildens himmlisches Gesicht, und nun erinnere ich mich auch, es in jenem Buche gesehn zu haben. Aber warum hat es dort mein Herz nicht so bewegt? O! sie ist der sichtbare Geist des Gesanges, eine würdige Tochter ihres Vaters. Sie wird mich in Musik auflösen. Sie wird meine innerste Seele, die Hüterin meines heiligen Feuers sein. Welche Ewigkeit von Treue fühle ich in mir! Ich ward nur geboren, um sie zu verehren, um ihr ewig zu dienen, um sie zu denken und zu empfinden. Gehört nicht ein eigenes ungeteiltes Dasein zu ihrer Anschauung und Anbetung? und bin ich der Glückliche, dessen Wesen das Echo, der Spiegel des ihrigen sein darf? Es war kein Zufall, daß ich sie am Ende meiner Reise sah, daß ein seliges Fest den höchsten Augenblick meines Lebens umgab. Es konnte nicht anders sein; macht ihre Gegenwart nicht alles festlich?»

Er trat ans Fenster. Der Chor der Gestirne stand am dunkeln Himmel und im Morgen kündigte ein weißer Schein den kommenden Tag an.

Mit vollem Entzücken rief Heinrich aus: «Euch, ihr ewigen Gestirne, ihr stillen Wandrer, euch rufe ich zu Zeugen meines heiligen Schwurs an. Für Mathilden will ich leben, und ewige Treue soll mein Herz an das ihrige knüpfen. Auch mir bricht der Morgen eines ewigen Tages an. Die Nacht ist vorüber. Ich zünde der aufgehenden Sonne mich selbst zum nieverglühenden Opfer an.»

Heinrich war erhitzt, und nur spät gegen Morgen schlief er ein. In wunderliche Träume flossen die Gedanken seiner Seele zusammen. Ein tiefer blauer Strom schimmerte aus der grünen Ebene heraus. Auf der glatten Fläche schwamm ein Kahn. Mathilde saß und ruderte. Sie war mit Kränzen geschmückt, sang ein einfaches Lied, und sah nach ihm mit süßer Wehmut herüber. Seine Brust war beklommen. Er wußte nicht warum. Der Himmel war heiter, die Flut ruhig. Ihr himmlisches Gesicht spiegelte sich in den Wellen. Auf einmal fing der Kahn an sich umzudrehen. Er rief ihr ängstlich zu. Sie lächelte und legte das Ruder in den Kahn, der sich immerwährend drehte. Eine ungeheure Bangig-

keit ergriff ihn. Er stürzte sich in den Strom; aber er konnte nicht fort, das Wasser trug ihn. Sie winkte, sie schien ihm etwas sagen zu wollen, der Kahn schöpfte schon Wasser; doch lächelte sie mit einer unsäglichen Innigkeit, und sah heiter in den Wirbel hinein. Auf einmal zog es sie hinunter. Eine leise Luft strich über den Strom, der ebenso ruhig und glänzend floß, wie vorher. Die entsetzliche Angst raubte ihm das Bewußtsein. Das Herz schlug nicht mehr. Er kam erst zu sich, als er sich auf trocknem Boden fühlte. Er mochte weit geschwommen sein. Es war eine fremde Gegend. Er wußte nicht wie ihm geschehen war. Sein Gemüt war verschwunden. Gedankenlos ging er tiefer ins Land. Entsetzlich matt fühlte er sich. Eine kleine Quelle kam aus einem Hügel, sie tönte wie lauter Glocken. Mit der Hand schöpfte er einige Tropfen und netzte seine dürren Lippen. Wie ein banger Traum lag die schreckliche Begebenheit hinter ihm. Immer weiter und weiter ging er, Blumen und Bäume redeten ihn an. Ihm wurde so wohl und heimatlich zu Sinne. Da hörte er jenes einfache Lied wieder. Er lief den Tönen nach. Auf einmal hielt ihn jemand am Gewande zurück. «Lieber Heinrich», rief eine bekannte Stimme. Er sah sich um, und Mathilde schloß ihn in ihre Arme. «Warum liefst du vor mir, liebes Herz?» sagte sie tiefatmend. «Kaum konnte ich dich einholen.» Heinrich weinte. Er drückte sie an sich. — «Wo ist der Strom?» rief er mit Tränen. — «Siehst du nicht seine blauen Wellen über uns?» Er sah hinauf, und der blaue Strom floß leise über ihrem Haupte. «Wo sind wir, liebe Mathilde?» — «Bei unsern Eltern.» — «Bleiben wir zusammen?» — «Ewig», versetzte sie, indem sie ihre Lippen an die seinigen drückte, und ihn so umschloß, daß sie nicht wieder von ihm konnte. Sie sagte ihm ein wunderbares geheimes Wort in den Mund, was sein ganzes Wesen durchklang. Er wollte es wiederholen, als sein Großvater rief, und er aufwachte. Er hätte sein Leben darum geben mögen, das Wort noch zu wissen.

Liebe über Tod ↑

SIEBENTES KAPITEL

Klingsohr stand vor seinem Bette, und bot ihm freundlich guten Morgen. Er ward munter und fiel Klingsohr um den Hals. «Das gilt Euch nicht», sagte Schwaning. Heinrich lächelte und verbarg sein Erröten an den Wangen seiner Mutter.

«Habt Ihr Lust, mit mir vor der Stadt auf einer schönen Anhöhe zu frühstücken?» sagte Klingsohr. «Der herrliche Morgen wird Euch erfrischen. Kleidet Euch an. Mathilde wartet schon auf uns.»

Heinrich dankte mit tausend Freuden für diese willkommene Ein-

ladung. In einem Augenblick war er fertig, und küßte Klingsohr mit vieler Inbrunst die Hand.

Sie gingen zu Mathilden, die in ihrem einfachen Morgenkleide wunderlieblich aussah und ihn freundlich grüßte. Sie hatte schon das Frühstück in ein Körbchen gepackt, das sie an den einen Arm hing, und die andere Hand unbefangen Heinrichen reichte. Klingsohr folgte ihnen, und so wandelten sie durch die Stadt, die schon voller Lebendigkeit war, nach einem kleinen Hügel am Flusse, wo sich unter einigen hohen Bäumen eine weite und volle Aussicht öffnete.

«Habe ich doch schon oft», rief Heinrich aus, «mich an dem Aufgang der bunten Natur, an der friedlichen Nachbarschaft ihres mannigfaltigen Eigentums ergötzt; aber eine so schöpferische und gediegene Heiterkeit hat mich noch nie erfüllt wie heute. Jene Fernen sind mir so nah, und die reiche Landschaft ist mir wie eine innere Phantasie. Wie veränderlich ist die Natur, so unwandelbar auch ihre Oberfläche zu sein scheint. Wie anders ist sie, wenn ein Engel, wenn ein kräftiger Geist neben uns ist, als wenn ein Notleidender vor uns klagt, oder ein Bauer uns erzählt, wie ungünstig die Witterung ihm sei, und wie nötig er düstre Regentage für seine Saat brauche. Euch, teuerster Meister, bin ich dieses Vergnügen schuldig; ja dieses Vergnügen, denn es gibt kein anderes Wort, was wahrhafter den Zustand meines Herzens ausdrückte. Freude, Lust und Entzücken sind nur die Glieder des Vergnügens, das sie zu einem höhern Leben verknüpft.» Er drückte Mathildens Hand an sein Herz, und versank mit einem feurigen Blick in ihr mildes, empfängliches Auge.

«Die Natur», versetzte Klingsohr, «ist für unser Gemüt, was ein Körper für das Licht ist. Er hält es zurück; er bricht es in eigentümliche Farben; er zündet auf seiner Oberfläche oder in seinem Innern ein Licht an, das, wenn es seiner Dunkelheit gleich kommt, ihn klar und durchsichtig macht, wenn es sie überwiegt, von ihm ausgeht, um andere Körper zu erleuchten. Aber selbst der dunkelste Körper kann durch Wasser, Feuer und Luft dahin gebracht werden, daß er hell und glänzend wird.»

«Ich verstehe Euch, lieber Meister. Die Menschen sind Kristalle für unser Gemüt. Sie sind die durchsichtige Natur. Liebe Mathilde, ich möchte Euch einen köstlichen lautern Saphir nennen. Ihr seid klar und durchsichtig wie der Himmel, Ihr erleuchtet mit dem mildesten Lichte. Aber sagt mir, lieber Meister, ob ich recht habe: mich dünkt, daß man gerade wenn man am innigsten mit der Natur vertraut ist am wenigsten von ihr sagen könnte und möchte.»

«Wie man das nimmt», versetzte Klingsohr; «ein anderes ist es mit der Natur für unsern Genuß und unser Gemüt, ein anderes mit

der Natur für unsern Verstand, für das leitende Vermögen unserer Weltkräfte. Man muß sich wohl hüten, nicht eins über das andere zu vergessen. Es gibt viele, die nur die eine Seite kennen und die andere gering schätzen. Aber beide kann man vereinigen, und man wird sich wohl dabei befinden. Schade, daß so wenige darauf denken, sich in ihrem Innern frei und geschickt bewegen zu können, und durch eine gehörige Trennung sich den zweckmäßigsten und natürlichsten Gebrauch ihrer Gemütskräfte zu sichern. Gewöhnlich hindert eine die andere, und so entsteht allmählich eine unbehülfliche Trägheit, daß wenn nun solche Menschen einmal mit gesamten Kräften aufstehen wollen, eine gewaltige Verwirrung und Streit beginnt, und alles übereinander ungeschickt herstolpert. Ich kann Euch nicht genug anrühmen, Euren Verstand, Euren natürlichen Trieb zu wissen, wie alles sich begibt und untereinander nach Gesetzen der Folge zusammenhängt, mit Fleiß und Mühe zu unterstützen. Nichts ist dem Dichter unentbehrlicher, als Einsicht in die Natur jedes Geschäfts, Bekanntschaft mit den Mitteln jeden Zweck zu erreichen, und Gegenwart des Geistes, nach Zeit und Umständen, die schicklichsten zu wählen. Begeisterung ohne Verstand ist unnütz und gefährlich, und der Dichter wird wenig Wunder tun können, wenn er selbst über Wunder erstaunt.»

«Ist aber dem Dichter nicht ein inniger Glaube an die menschliche Regierung des Schicksals unentbehrlich?»

«Unentbehrlich allerdings, weil er sich das Schicksal nicht anders vorstellen kann, wenn er reiflich darüber nachdenkt; aber wie entfernt ist diese heitere Gewißheit, von jener ängstlichen Ungewißheit, von jener blinden Furcht des Aberglaubens. Und so ist auch die kühle, belebende Wärme eines dichterischen Gemüts gerade das Widerspiel von jener wilden Hitze eines kränklichen Herzens. Diese ist arm, betäubend und vorübergehend; jene sondert alle Gestalten rein ab, begünstigt die Ausbildung der mannigfaltigsten Verhältnisse, und ist ewig durch sich selbst. Der junge Dichter kann nicht kühl, nicht besonnen genug sein. Zur wahren, melodischen Gesprächigkeit gehört ein weiter, aufmerksamer und ruhiger Sinn. Es wird ein verworrnes Geschwätz, wenn ein reißender Strom in der Brust tobt, und die Aufmerksamkeit in eine zitternde Gedankenlosigkeit auflöst. Nochmals wiederhole ich, das echte Gemüt ist wie das Licht, ebenso ruhig und empfindlich, ebenso elastisch und durchdringlich, ebenso mächtig und ebenso unmerklich wirksam als dieses köstliche Element, das auf alle Gegenstände sich mit feiner Abgemessenheit verteilt, und sie alle in reizender Mannigfaltigkeit erscheinen läßt. Der Dichter ist reiner Stahl, ebenso empfindlich, wie ein zerbrechlicher Glasfaden, und ebenso hart, wie ein ungeschmeidiger Kiesel.»

«Ich habe das schon zuweilen gefühlt», sagte Heinrich, «daß ich in den innigsten Minuten weniger lebendig war, als zu andern Zeiten, wo ich frei umhergehn und alle Beschäftigungen mit Lust treiben konnte. Ein geistiges scharfes Wesen durchdrang mich dann, und ich durfte jeden Sinn nach Gefallen brauchen, jeden Gedanken, wie einen wirklichen Körper, umwenden und von allen Seiten betrachten. Ich stand mit stillem Anteil an der Werkstatt meines Vaters, und freute mich, wenn ich ihm helfen und etwas geschickt zustande bringen konnte. Geschicklichkeit hat einen ganz besondern stärkenden Reiz, und es ist wahr, ihr Bewußtsein verschafft einen dauerhafteren und deutlicheren Genuß, als jenes überfließende Gefühl einer unbegreiflichen, überschwenglichen Herrlichkeit.»

«Glaubt nicht», sagte Klingsohr, «daß ich das letztere tadle; aber es muß von selbst kommen, und nicht gesucht werden. Seine sparsame Erscheinung ist wohltätig; öfterer wird sie ermüdend und schwächend. Man kann nicht schnell genug sich aus der süßen Betäubung reißen, die es hinterläßt, und zu einer regelmäßigen und mühsamen Beschäftigung zurückkehren. Es ist wie mit den anmutigen Morgenträumen, aus deren einschläferndem Wirbel man nur mit Gewalt sich herausziehen kann, wenn man nicht in immer drückendere Müdigkeit geraten, und so in krankhafter Erschöpfung nachher den ganzen Tag hinschleppen will.»

«Die Poesie will vorzüglich», fuhr Klingsohr fort, «als strenge Kunst getrieben werden. Als bloßer Genuß hört sie auf Poesie zu sein. Ein Dichter muß nicht den ganzen Tag müßig umherlaufen, und auf Bilder und Gefühle Jagd machen. Das ist ganz der verkehrte Weg. Ein reines offenes Gemüt, Gewandtheit im Nachdenken und Betrachten, und Geschicklichkeit alle seine Fähigkeiten in eine gegenseitig belebende Tätigkeit zu versetzen und darin zu erhalten, das sind die Erfordernisse unserer Kunst. Wenn Ihr Euch mir überlassen wollt, so soll kein Tag Euch vergehn, wo Ihr nicht Eure Kenntnisse bereichert, und einige nützliche Einsichten erlangt habt. Die Stadt ist reich an Künstlern aller Art. Es gibt einige erfahrne Staatsmänner, einige gebildete Kaufleute hier. Man kann ohne große Umstände mit allen Ständen, mit allen Gewerben, mit allen Verhältnissen und Erfordernissen der menschlichen Gesellschaft sich bekannt machen. Ich will Euch mit Freuden in dem Handwerksmäßigen unserer Kunst unterrichten, und die merkwürdigsten Schriften mit Euch lesen. Ihr könnt Mathildens Lehrstunden teilen, und sie wird Euch gern die Gitarre spielen lehren. Jede Beschäftigung wird die übrigen vorbereiten, und wenn Ihr so Euren Tag gut angelegt habt, so werden Euch das Gespräch und die Freuden des gesellschaftlichen Abends, und die Ansichten der schönen

Landschaft umher mit den heitersten Genüssen immer wieder überraschen.»

«Welches herrliche Leben schließt Ihr mir auf, liebster Meister. Unter Eurer Leitung werde ich erst merken, welches edle Ziel vor mir steht, und wie ich es nur durch Euren Rat zu erreichen hoffen darf.»

Klingsohr umarmte ihn zärtlich. Mathilde brachte ihnen das Frühstück, und Heinrich fragte sie mit zärtlicher Stimme, ob sie ihn gern zum Begleiter ihres Unterrichts und zum Schüler annehmen wollte. «Ich werde wohl ewig Euer Schüler bleiben», sagte er, indem sich Klingsohr nach einer anderen Seite wandte. Sie neigte sich unmerklich zu ihm hin. Er umschlang sie und küßte den weichen Mund des errötenden Mädchens. Nur sanft bog sie sich von ihm weg, doch reichte sie ihm mit der kindlichsten Anmut eine Rose, die sie am Busen trug. Sie machte sich mit ihrem Körbchen zu tun. Heinrich sah ihr mit stillem Entzücken nach, küßte die Rose, heftete sie an seine Brust, und ging an Klingsohrs Seite, der nach der Stadt hinübersah.

«Wo seid Ihr hergekommen?» fragte Klingsohr. — «Über jenen Hügel herunter», erwiderte Heinrich. «In jene Ferne verliert sich unser Weg.» — «Ihr müßt schöne Gegenden gesehn haben.» — «Fast ununterbrochen sind wir durch reizende Landschaften gereiset.» — «Auch Eure Vaterstadt hat wohl eine anmutige Lage?» — «Die Gegend ist abwechselnd genug; doch ist sie noch wild, und ein großer Fluß fehlt ihr. Die Ströme sind die Augen einer Landschaft.» — «Die Erzählung Eurer Reise», sagte Klingsohr, «hat mir gestern abend eine angenehme Unterhaltung gewährt. Ich habe wohl gemerkt, daß der Geist der Dichtkunst Euer freundlicher Begleiter ist. Eure Gefährten sind unbemerkt seine Stimmen geworden. In der Nähe des Dichters bricht die Poesie überall aus. Das Land der Poesie, das romantische Morgenland, hat Euch mit seiner süßen Wehmut begrüßt; der Krieg hat Euch in seiner wilden Herrlichkeit angeredet, und die Natur und Geschichte sind Euch unter der Gestalt eines Bergmanns und eines Einsiedlers begegnet.»

«Ihr vergeßt das Beste, lieber Meister, die himmlische Erscheinung der Liebe. Es hängt nur von Euch ab, diese Erscheinung mir auf ewig festzuhalten.» — «Was meinst du», rief Klingsohr, indem er sich zu Mathilden wandte, die eben auf ihn zukam. «Hast du Lust, Heinrichs unzertrennliche Gefährtin zu sein? Wo du bleibst, bleibe ich auch.» Mathilde erschrak, sie flog in die Arme ihres Vaters. Heinrich zitterte in unendlicher Freude. «Wird er mich denn ewig geleiten wollen, lieber Vater?» — «Frage ihn selbst», sagte Klingsohr gerührt. Sie sah Heinrichen mit der innigsten Zärtlichkeit an. «Meine Ewigkeit ist ja dein Werk», rief Heinrich, indem ihm die Tränen über die blühenden

Wangen stürzten. Sie umschlangen sich zugleich. Klingsohr faßte sie in seine Arme. «Meine Kinder», rief er, «seid einander treu bis in den Tod! Liebe und Treue werden euer Leben zur ewigen Poesie machen.»

ACHTES KAPITEL

Nachmittags führte Klingsohr seinen neuen Sohn, an dessen Glück seine Mutter und Großvater den zärtlichsten Anteil nahmen, und Mathilden wie seinen Schutzgeist verehrten, in seine Stube, und machte ihn mit den Büchern bekannt. Sie sprachen nachher von Poesie.

«Ich weiß nicht», sagte Klingsohr, «warum man es für Poesie nach gemeiner Weise hält, wenn man die Natur für einen Poeten ausgibt. Sie ist es nicht zu allen Zeiten. Es ist in ihr, wie in dem Menschen, ein entgegengesetztes Wesen, die dumpfe Begierde und die stumpfe Gefühllosigkeit und Trägheit, die einen rastlosen Streit mit der Poesie führen. Er wäre ein schöner Stoff zu einem Gedicht, dieser gewaltige Kampf. Manche Länder und Zeiten scheinen, wie die meisten Menschen, ganz unter der Botmäßigkeit dieser Feindin der Poesie zu stehen, dagegen in andern die Poesie einheimisch und überall sichtbar ist. Für den Geschichtschreiber sind die Zeiten dieses Kampfes äußerst merkwürdig, ihre Darstellung ein reizendes und belohnendes Geschäft. Es sind gewöhnlich die Geburtszeiten der Dichter. Der Widersacherin ist nichts unangenehmer, als daß sie der Poesie gegenüber selbst zu einer poetischen Person wird, und nicht selten in der Hitze die Waffen mit ihr tauscht, und von ihrem eigenen heimtückischen Geschosse heftig getroffen wird, dahingegen die Wunden der Poesie, die sie von ihren eigenen Waffen erhält, leicht heilen und sie nur noch reizender und gewaltiger machen.»

«Der Krieg überhaupt», sagte Heinrich, «scheint mir eine poetische Wirkung. Die Leute glauben sich für irgendeinen armseligen Besitz schlagen zu müssen, und merken nicht, daß sie der romantische Geist aufregt, um die unnützen Schlechtigkeiten durch sich selbst zu vernichten. Sie führen die Waffen für die Sache der Poesie, und beide Heere folgen *einer* unsichtbaren Fahne.»

«Im Kriege», versetzte Klingsohr, «regt sich das Urgewässer. Neue Weltteile sollen entstehen, neue Geschlechter sollen aus der großen Auflösung anschießen. Der wahre Krieg ist der Religionskrieg; der geht geradezu auf Untergang, und der Wahnsinn der Menschen erscheint in seiner völligen Gestalt. Viele Kriege, besonders die vom Nationalhaß entspringen, gehören in die Klasse mit, und sie sind echte Dichtungen. Hier sind die wahren Helden zu Hause, die das edelste

Gegenbild der Dichter, nichts anders als unwillkürlich von Poesie durchdrungene Weltkräfte sind. Ein Dichter, der zugleich Held wäre, ist schon ein göttlicher Gesandter, aber seiner Darstellung ist unsere Poesie nicht gewachsen.»

«Wie versteht Ihr das, lieber Vater?» sagte Heinrich. «Kann ein Gegenstand zu überschwenglich für die Poesie sein?»

«Allerdings. Nur kann man im Grunde nicht sagen, für die Poesie, sondern nur für unsere irdischen Mittel und Werkzeuge. Wenn es schon für einen einzelnen Dichter nur ein eigentümliches Gebiet gibt, innerhalb dessen er bleiben muß, um nicht alle Haltung und den Atem zu verlieren: so gibt es auch für die ganze Summe menschlicher Kräfte eine bestimmte Grenze der Darstellbarkeit, über welche hinaus die Darstellung die nötige Dichtigkeit und Gestaltung nicht behalten kann, und in ein leeres täuschendes Unding sich verliert. Besonders als Lehrling kann man nicht genug sich vor diesen Ausschweifungen hüten, da eine lebhafte Phantasie nur gar zu gern nach den Grenzen sich begibt, und übermütig das Unsinnliche, Übermäßige zu ergreifen und auszusprechen sucht. Reifere Erfahrung lehrt erst, jene Unverhältnismäßigkeit der Gegenstände zu vermeiden, und die Aufspürung des Einfachsten und Höchsten der Weltweisheit zu überlassen. Der ältere Dichter steigt nicht höher, als er es gerade nötig hat, um seinen mannigfaltigen Vorrat in eine leichtfaßliche Ordnung zu stellen, und hütet sich wohl, die Mannigfaltigkeit zu verlassen, die ihm Stoff genug und auch die nötigen Vergleichungspunkte darbietet. Ich möchte fast sagen, das Chaos muß in jeder Dichtung durch den regelmäßigen Flor der Ordnung schimmern. Den Reichtum der Erfindung macht nur eine leichte Zusammenstellung faßlich und anmutig, dagegen auch das bloße Ebenmaß die unangenehme Dürre einer Zahlenfigur hat. Die beste Poesie liegt uns ganz nahe, und ein gewöhnlicher Gegenstand ist nicht selten ihr liebster Stoff. Für den Dichter ist die Poesie an beschränkte Werkzeuge gebunden, und eben dadurch wird sie zur Kunst. Die Sprache überhaupt hat ihren bestimmten Kreis. Noch enger ist der Umfang einer besonderen Volkssprache. Durch Übung und Nachdenken lernt der Dichter seine Sprache kennen. Er weiß, was er mit ihr leisten kann, genau, und wird keinen törichten Versuch machen, sie über ihre Kräfte anzuspannen. Nur selten wird er alle ihre Kräfte in *einen* Punkt zusammen drängen, denn sonst wird er ermüdend, und vernichtet selbst die kostbare Wirkung einer gutangebrachten Kraftäußerung. Auf seltsame Sprünge richtet sie nur ein Gaukler, kein Dichter ab. Überhaupt können die Dichter nicht genug von den Musikern und Malern lernen. In diesen Künsten wird es recht auffallend, wie nötig es ist, wirtschaftlich mit den Hülfsmitteln der Kunst umzugehn, und

wie viel auf geschickte Verhältnisse ankommt. Dagegen könnten freilich jene Künstler auch von uns die poetische Unabhängigkeit und den innern Geist jeder Dichtung und Erfindung, jedes echten Kunstwerks überhaupt, dankbar annehmen. Sie sollen poetischer und wir musikalischer sein — beides nach der Art und Weise unserer Kunst. Der Stoff ist nicht der Zweck der Kunst, aber die Ausführung ist es. Du wirst selbst sehen, welche Gesänge dir am besten geraten, gewiß die, deren Gegenstände dir am geläufigsten und gegenwärtigsten sind. Daher kann man sagen, daß die Poesie ganz auf Erfahrung beruht. Ich weiß selbst, daß mir in jungen Jahren ein Gegenstand nicht leicht zu entfernt und zu unbekannt sein konnte, den ich nicht am liebsten besungen hätte. Was wurde es? ein leeres, armseliges Wortgeräusch, ohne einen Funken wahrer Poesie. Daher ist auch ein Märchen eine sehr schwierige Aufgabe, und selten wird ein junger Dichter sie gut lösen.»

«Ich möchte gern eins von dir hören», sagte Heinrich. «Die wenigen, die ich gehört habe, haben mich unbeschreiblich ergötzt, so unbedeutend sie auch sein mochten.»

«Ich will heute abend deinen Wunsch befriedigen. Es ist mir eins erinnerlich, was ich noch in ziemlich jungen Jahren machte, wovon es auch noch deutliche Spuren an sich trägt, indes wird es dich vielleicht desto lehrreicher unterhalten, und dich an manches erinnern, was ich dir gesagt habe.»

«Die Sprache», sagte Heinrich, «ist wirklich eine kleine Welt in Zeichen und Tönen. Wie der Mensch sie beherrscht, so möchte er gern die große Welt beherrschen, und sich frei darin ausdrücken können. Und eben in dieser Freude, das, was außer der Welt ist, in ihr zu offenbaren, das tun zu können, was eigentlich der ursprüngliche Trieb unsers Daseins ist, liegt der Ursprung der Poesie.»

«Es ist recht übel», sagte Klingsohr, «daß die Poesie einen besondern Namen hat, und die Dichter eine besondere Zunft ausmachen. Es ist gar nichts Besonderes. Es ist die eigentümliche Handlungsweise des menschlichen Geistes. Dichtet und trachtet nicht jeder Mensch in jeder Minute?» — Eben trat Mathilde ins Zimmer, als Klingsohr noch sagte: «Man betrachte nur die Liebe. Nirgends wird wohl die Notwendigkeit der Poesie zum Bestand der Menschheit so klar, als in ihr. Die Liebe ist stumm, nur die Poesie kann für sie sprechen. Oder die Liebe ist selbst nichts, als die höchste Naturpoesie. Doch ich will dir nicht Dinge sagen, die du besser weißt als ich.»

«Du bist ja der Vater der Liebe», sagte Heinrich, indem er Mathilden umschlang, und beide seine Hand küßten.

Klingsohr umarmte sie und ging hinaus. «Liebe Mathilde», sagte Heinrich nach einem langen Kusse, «es ist mir wie ein Traum, daß du

mein bist, aber noch wunderbarer ist mir es, daß du es nicht immer gewesen bist.» — «Mich dünkt», sagte Mathilde, «ich kennte dich seit undenklichen Zeiten.» — «Kannst du mich denn lieben?» — «Ich weiß nicht, was Liebe ist, aber das kann ich dir sagen, daß mir ist, als finge ich erst jetzt zu leben an, und daß ich dir so gut bin, daß ich gleich für dich sterben wollte.» — «Meine Mathilde, erst jetzt fühle ich, was es heißt unsterblich zu sein.» — «Lieber Heinrich, wie unendlich gut bist du, welcher herrliche Geist spricht aus dir. Ich bin ein armes, unbedeutendes Mädchen.» — «Wie du mich tief beschämst! bin ich doch nur durch dich, was ich bin. Ohne dich wäre ich nichts. Was ist ein Geist ohne Himmel, und du bist der Himmel, der mich trägt und erhält.» — «Welches selige Geschöpf wäre ich, wenn du so treu wärst, wie mein Vater. Meine Mutter starb kurz nach meiner Geburt; mein Vater weint fast alle Tage noch um sie.» — «Ich verdiene es nicht, aber möchte ich glücklicher sein als er.» — «Ich lebte gern recht lange an deiner Seite, lieber Heinrich. Ich werde durch dich gewiß viel besser.» — «Ach! Mathilde, auch der Tod wird uns nicht trennen.» — «Nein, Heinrich, wo ich bin, wirst du sein.» — «Ja wo du bist, Mathilde, werd' ich ewig sein.» — «Ich begreife nichts von der Ewigkeit, aber ich dächte, das müßte die Ewigkeit sein, was ich empfinde, wenn ich an dich denke.» — «Ja Mathilde, wir sind ewig, weil wir uns lieben.» — «Du glaubst nicht Lieber, wie inbrünstig ich heute früh, wie wir nach Hause kamen, vor dem Bilde der himmlischen Mutter niederkniete, wie unsäglich ich zu ihr gebetet habe. Ich glaubte in Tränen zu zerfließen. Es kam mir vor, als lächelte sie mir zu. Nun weiß ich erst, was Dankbarkeit ist.» — «O Geliebte, der Himmel hat dich mir zur Verehrung gegeben. Ich bete dich an. Du bist die Heilige, die meine Wünsche zu Gott bringt, durch die er sich mir offenbart, durch die er mir die Fülle seiner Liebe kund tut. Was ist die Religion, als ein unendliches Einverständnis, eine ewige Vereinigung liebender Herzen? Wo zwei versammelt sind, ist er ja unter ihnen. Ich habe ewig an dir zu atmen; meine Brust wird nie aufhören dich in sich zu ziehn. Du bist die göttliche Herrlichkeit, das ewige Leben in der lieblichsten Hülle.» — «Ach! Heinrich, du weißt das Schicksal der Rosen; wirst du auch die welken Lippen, die bleichen Wangen mit Zärtlichkeit an deine Lippen drücken? Werden die Spuren des Alters nicht die Spuren der vorübergegangenen Liebe sein?» — «O! könntest du durch meine Augen in mein Gemüt sehn! aber du liebst mich und so glaubst du mir auch. Ich begreife das nicht, was man von der Vergänglichkeit der Reize sagt. O! sie sind unverwelklich. Was mich so unzertrennlich zu dir zieht, was ein ewiges Verlangen in mir geweckt hat, das ist nicht aus dieser Zeit. Könntest du nur sehn, wie du mir erscheinst, welches wunderbare Bild deine Gestalt durchdringt

und mir überall entgegen leuchtet, du würdest kein Alter fürchten. Deine irdische Gestalt ist nur ein Schatten dieses Bildes. Die irdischen Kräfte ringen und quellen um es festzuhalten, aber die Natur ist noch unreif; das Bild ist ein ewiges Urbild, ein Teil der unbekannten heiligen Welt.» — «Ich verstehe dich, lieber Heinrich, denn ich sehe etwas Ähnliches, wenn ich dich anschaue.» — «Ja Mathilde, die höhere Welt ist uns näher, als wir gewöhnlich denken. Schon hier leben wir in ihr, und wir erblicken sie auf das innigste mit der irdischen Natur verwebt.» — «Du wirst mir noch viel herrliche Sachen offenbaren, Geliebtester.» — «O! Mathilde, von dir allein kommt mir die Gabe der Weissagung. Alles ist ja dein, was ich habe; deine Liebe wird mich in die Heiligtümer des Lebens, in das Allerheiligste des Gemüts führen; du wirst mich zu den höchsten Anschauungen begeistern. Wer weiß, ob unsre Liebe nicht dereinst noch zu Flammenfittichen wird, die uns aufheben, und uns in unsre himmlische Heimat tragen, ehe das Alter und der Tod uns erreichen. Ist es nicht schon ein Wunder, daß du mein bist, daß ich dich in meinen Armen halte, daß du mich liebst und ewig mein sein willst?» — «Auch mir ist jetzt alles glaublich, und ich fühle ja so deutlich eine stille Flamme in mir lodern; wer weiß, ob sie uns nicht verklärt, und die irdischen Banden allmählich auflöst. Sage mir nur, Heinrich, ob du auch schon das grenzenlose Vertrauen zu mir hast, was ich zu dir habe. Noch nie hab' ich so etwas gefühlt, selbst nicht gegen meinen Vater, den ich doch so unendlich liebe.» — «Liebe Mathilde, es peinigt mich ordentlich, daß ich dir nicht alles auf einmal sagen, daß ich dir nicht gleich mein ganzes Herz auf einmal hingeben kann. Es ist auch zum erstenmal in meinem Leben, daß ich ganz offen bin. Keinen Gedanken, keine Empfindung kann ich vor dir mehr geheim haben; du mußt alles wissen. Mein ganzes Wesen soll sich mit dem deinigen vermischen. Nur die grenzenloseste Hingebung kann meiner Liebe genügen. In ihr besteht sie ja. Sie ist ja ein geheimnisvolles Zusammenfließen unsers geheimsten und eigentümlichsten Daseins.» — «Heinrich, so können sich noch nie zwei Menschen geliebt haben.» — «Ich kanns nicht glauben. Es gab ja noch keine Mathilde.» — «Auch keinen Heinrich.» — «Ach! schwör es mir noch einmal, daß du ewig mein bist; die Liebe ist eine endlose Wiederholung.» — «Ja, Heinrich, ich schwöre ewig dein zu sein, bei der unsichtbaren Gegenwart meiner guten Mutter.» — «Ich schwöre ewig dein zu sein, Mathilde, so wahr die Liebe die Gegenwart Gottes bei uns ist.» Eine lange Umarmung, unzählige Küsse besiegelten den ewigen Bund des seligen Paars.

see handout

Abends waren einige Gäste da; der Großvater trank die Gesundheit
des jungen Brautpaars, und versprach bald ein schönes Hochzeitfest
auszurichten. «Was hilft das lange Zaudern», sagte der Alte. «Frühe
Hochzeiten, lange Liebe. Ich habe immer gesehn, daß Ehen, die früh
geschlossen wurden, am glücklichsten waren. In spätern Jahren ist gar
keine solche Andacht mehr im Ehestande, als in der Jugend. Eine ge-
meinschaftlich genoßne Jugend ist ein unzerreißliches Band. Die Erin-
nerung ist der sicherste Grund der Liebe.» Nach Tische kamen mehrere.
Heinrich bat seinen neuen Vater um die Erfüllung seines Versprechens.
Klingsohr sagte zu der Gesellschaft: «Ich habe heute Heinrichen ver-
sprochen ein Märchen zu erzählen. Wenn ihr es zufrieden seid, so bin
ich bereit.» — «Das ist ein kluger Einfall von Heinrich», sagte Schwa-
ning. «Ihr habt lange nichts von Euch hören lassen.» Alle setzten sich
um das lodernde Feuer im Kamin. Heinrich saß dicht bei Mathilden,
und schlang seinen Arm um sie. Klingsohr begann:

«Die lange Nacht war eben angegangen. Der alte Held schlug an
seinen Schild, daß es weit umher in den öden Gassen der Stadt erklang.
Er wiederholte das Zeichen dreimal. Da fingen die hohen bunten Fen-
ster des Palastes an von innen heraus helle zu werden, und ihre Figu-
ren bewegten sich. Sie bewegten sich lebhafter, je stärker das rötliche
Licht ward, das die Gassen zu erleuchten begann. Auch sah man all-
mählich die gewaltigen Säulen und Mauern selbst sich erhellen; end-
lich standen sie im reinsten, milchblauen Schimmer, und spielten mit
den sanftesten Farben. Die ganze Gegend ward nun sichtbar, und der
Widerschein der Figuren, das Getümmel der Spieße, der Schwerter, der
Schilder, und der Helme, die sich nach hier und da erscheinenden Kro-
nen, von allen Seiten neigten, und endlich wie diese verschwanden,
und einem schlichten, grünen Kranze Platz machten, um diesen her ei-
nen weiten Kreis schlossen: alles dies spiegelte sich in dem starren
Meere, das den Berg umgab, auf dem die Stadt lag, und auch der ferne
hohe Berggürtel, der sich rund um das Meer herzog, ward bis in die
Mitte mit einem milden Abglanz überzogen. Man konnte nichts deut-
lich unterscheiden; doch hörte man ein wunderliches Getöse herüber,
wie aus einer fernen ungeheuren Werkstatt. Die Stadt erschien dage-
gen hell und klar. Ihre glatten, durchsichtigen Mauern warfen die schö-
nen Strahlen zurück, und das vortreffliche Ebenmaß, der edle Stil al-
ler Gebäude, und ihre schöne Zusammenordnung kam zum Vorschein.
Vor allen Fenstern standen zierliche Gefäße von Ton, voll der mannig-
faltigsten Eis- und Schneeblumen, die auf das anmutigste funkelten.
 Am herrlichsten nahm sich auf dem großen Platze vor dem Palaste

Nacht verherrlicht

der Garten aus, der aus Metallbäumen und Kristallpflanzen bestand, und mit bunten Edelsteinblüten und Früchten übersäet war. Die Mannigfaltigkeit und Zierlichkeit der Gestalten, und die Lebhaftigkeit der Lichter und Farben gewährten das herrlichste Schauspiel, dessen Pracht durch einen hohen Springquell in der Mitte des Gartens, der zu Eis erstarrt war, vollendet wurde. Der alte Held ging vor den Toren des Palastes langsam vorüber. Eine Stimme rief seinen Namen im Innern. Er lehnte sich an das Tor, das mit einem sanften Klange sich öffnete, und trat in den Saal. Seinen Schild hielt er vor die Augen. ‹Hast du noch nichts entdeckt?› sagte die schöne Tochter Arcturs, mit klagender Stimme. Sie lag an seidnen Polstern auf einem Throne, der von einem großen Schwefelkristall künstlich erbaut war, und einige Mädchen rieben emsig ihre zarten Glieder, die wie aus Milch und Purpur zusammengeflossen schienen. Nach allen Seiten strömte unter den Händen der Mädchen das reizende Licht von ihr aus, was den Palast so wundersam erleuchtete. Ein duftender Wind wehte im Saale. Der Held schwieg. ‹Laß mich deinen Schild berühren›, sagte sie sanft. Er näherte sich dem Throne und betrat den köstlichen Teppich. Sie ergriff seine Hand, drückte sie mit Zärtlichkeit an ihren himmlischen Busen und rührte seinen Schild an. Seine Rüstung klang, und eine durchdringende Kraft beseelte seinen Körper. Seine Augen blitzten und das Herz pochte hörbar an den Panzer. Die schöne Freya schien heiterer, und das Licht ward brennender, das von ihr ausströmte. ‹Der König kommt›, rief ein prächtiger Vogel, der im Hintergrunde des Thrones saß. Die Dienerinnen legten eine himmelblaue Decke über die Prinzessin, die sie bis über den Busen bedeckte. Der Held senkte seinen Schild und sah nach der Kuppel hinauf, zu welcher zwei breite Treppen von beiden Seiten des Saals sich hinaufschlangen. Eine leise Musik ging dem Könige voran, der bald mit einem zahlreichen Gefolge in der Kuppel erschien und herunterkam.

Der schöne Vogel entfaltete seine glänzenden Schwingen, bewegte sie sanft und sang, wie mit tausend Stimmen, dem Könige entgegen:

> Nicht lange wird der schöne Fremde säumen.
> Die Wärme naht, die Ewigkeit beginnt.
> Die Königin erwacht aus langen Träumen,
> Wenn Meer und Land in Liebesglut zerrinnt.
> Die kalte Nacht wird diese Stätte räumen,
> Wenn Fabel erst das alte Recht gewinnt.
> In Freyas Schoß wird sich die Welt entzünden
> Und jede Sehnsucht ihre Sehnsucht finden.

Romanhandlung im Märchen vorausgenommen;

Der König umarmte seine Tochter mit Zärtlichkeit. Die Geister der Gestirne stellten sich um den Thron, und der Held nahm in der Reihe seinen Platz ein. Eine unzählige Menge Sterne füllten den Saal in zierlichen Gruppen. Die Dienerinnen brachten einen Tisch und ein Kästchen, worin eine Menge Blätter lagen, auf denen heilige tiefsinnige Zeichen standen, die aus lauter Sternbildern zusammengesetzt waren. Der König küßte ehrfurchtsvoll diese Blätter, mischte sie sorgfältig untereinander, und reichte seiner Tochter einige zu. Die andern behielt er für sich. Die Prinzessin zog sie nach der Reihe heraus und legte sie auf den Tisch, dann betrachtete der König die seinigen genau, und wählte mit vielem Nachdenken, ehe er eins dazu hinlegte. Zuweilen schien er gezwungen zu sein, dies oder jenes Blatt zu wählen. Oft aber sah man ihm die Freude an, wenn er durch ein gutgetroffenes Blatt eine schöne Harmonie der Zeichen und Figuren legen konnte. Wie das Spiel anfing, sah man an allen Umstehenden Zeichen der lebhaftesten Teilnahme, und die sonderbarsten Mienen und Gebärden, gleichsam als hätte jeder ein unsichtbares Werkzeug in Händen, womit er eifrig arbeite. Zugleich ließ sich eine sanfte, aber tief bewegende Musik in der Luft hören, die von den im Saale sich wunderlich durcheinander schlingenden Sternen, und den übrigen sonderbaren Bewegungen zu entstehen schien. Die Sterne schwangen sich, bald langsam bald schnell, in beständig veränderten Linien umher, und bildeten, nach dem Gange der Musik, die Figuren der Blätter auf das kunstreichste nach. Die Musik wechselte, wie die Bilder auf dem Tische, unaufhörlich, und so wunderlich und hart auch die Übergänge nicht selten waren, so schien doch nur *ein* einfaches Thema das Ganze zu verbinden. Mit einer unglaublichen Leichtigkeit flogen die Sterne den Bildern nach. Sie waren bald in *einer* großen Verschlingung, bald wieder in einzelne Haufen schön geordnet, bald zerstäubte der lange Zug, wie ein Strahl, in unzählige Funken, bald kam durch immer wachsende kleinere Kreise und Muster wieder *eine* große, überraschende Figur zum Vorschein. Die bunten Gestalten in den Fenstern blieben während dieser Zeit ruhig stehen. Der Vogel bewegte unaufhörlich die Hülle seiner kostbaren Federn auf die mannigfaltigste Weise. Der alte Held hatte bisher auch sein unsichtbares Geschäft emsig betrieben, als auf einmal der König voll Freuden ausrief: ‹Es wird alles gut. Eisen, wirf du dein Schwert in die Welt, daß sie erfahren, wo der Friede ruht.› Der Held riß das Schwert von der Hüfte, stellte es mit der Spitze gen Himmel, dann ergriff er es und warf es aus dem geöffneten Fenster über die Stadt und das Eismeer. Wie ein Komet flog es durch die Luft, und schien an dem Berggürtel mit hellem Klange zu zersplittern, denn es fiel in lauter Funken herunter.

Zu der Zeit lag der schöne Knabe Eros in seiner Wiege und schlummerte sanft, während Ginnistan seine Amme die Wiege schaukelte und seiner Milchschwester Fabel die Brust reichte. Ihr buntes Halstuch hatte sie über die Wiege ausgebreitet, daß die hellbrennende Lampe, die der Schreiber vor sich stehen hatte, das Kind mit ihrem Scheine nicht beunruhigen möchte. Der Schreiber schrieb unverdrossen, sah sich nur zuweilen mürrisch nach den Kindern um, und schnitt der Amme finstere Gesichter, die ihn gutmütig anlächelte und schwieg.

Der Vater der Kinder ging immer ein und aus, indem er jedesmal die Kinder betrachtete und Ginnistan freundlich begrüßte. Er hatte unaufhörlich dem Schreiber etwas zu sagen. Dieser vernahm ihn genau, und wenn er es aufgezeichnet hatte, reichte er die Blätter einer edlen, göttergleichen Frau hin, die sich an einen Altar lehnte, auf welchem eine dunkle Schale mit klarem Wasser stand, in welches sie mit heiterm Lächeln blickte. Sie tauchte die Blätter jedesmal hinein, und wenn sie beim Herausziehn gewahr wurde, daß einige Schrift stehen geblieben und glänzend geworden war, so gab sie das Blatt dem Schreiber zurück, der es in ein großes Buch heftete, und oft verdrießlich zu sein schien, wenn seine Mühe vergeblich gewesen und alles ausgelöscht war. Die Frau wandte sich zuzeiten gegen Ginnistan und die Kinder, tauchte den Finger in die Schale, und sprützte einige Tropfen auf sie hin, die, sobald sie die Amme, das Kind, oder die Wiege berührten, in einen blauen Dunst zerrannen, der tausend seltsame Bilder zeigte, und beständig um sie herzog und sich veränderte. Traf einer davon zufällig auf den Schreiber, so fielen eine Menge Zahlen und geometrische Figuren nieder, die er mit vieler Emsigkeit auf einen Faden zog, und sich zum Zierat um den magern Hals hing. Die Mutter des Knaben, die wie die Anmut und Lieblichkeit selbst aussah, kam oft herein. Sie schien beständig beschäftigt, und trug immer irgendein Stück Hausgeräte mit sich hinaus: bemerkte es der argwöhnische und mit spähenden Blicken sie verfolgende Schreiber, so begann er eine lange Strafrede, auf die aber kein Mensch achtete. Alle schienen seiner unnützen Widerreden gewohnt. Die Mutter gab auf einige Augenblicke der kleinen Fabel die Brust; aber bald ward sie wieder abgerufen, und dann nahm Ginnistan das Kind zurück, das an ihr lieber zu trinken schien. Auf einmal brachte der Vater ein zartes eisernes Stäbchen herein, das er im Hofe gefunden hatte. Der Schreiber besah es und drehte es mit vieler Lebhaftigkeit herum, und brachte bald heraus, daß es sich von selbst, in der Mitte an einem Faden aufgehängt, nach Norden drehe. Ginnistan nahm es auch in die Hand, bog es, drückte es, hauchte es an, und hatte ihm bald die Gestalt einer Schlange gegeben, die sich nun plötzlich in den Schwanz biß. Der Schreiber ward bald des Betrachtens

Sphärenharmonie
(Faust) (auch Schiller
an die Freude)

überdrüssig. Er schrieb alles genau auf, und war sehr weitläufig über den Nutzen, den dieser Fund gewähren könne. Wie ärgerlich war er aber, als sein ganzes Schreibwerk die Probe nicht bestand, und das Papier weiß aus der Schale hervorkam. Die Amme spielte fort. Zuweilen berührte sie die Wiege damit, da fing der Knabe an wach zu werden, schlug die Decke zurück, hielt die eine Hand gegen das Licht, und langte mit der andern nach der Schlange. Wie er sie erhielt, sprang er rüstig, daß Ginnistan erschrak, und der Schreiber beinah vor Entsetzen vom Stuhle fiel, aus der Wiege, stand, nur von seinen langen goldnen Haaren bedeckt, im Zimmer, und betrachtete mit unaussprechlicher Freude das Kleinod, das sich in seinen Händen nach Norden ausstreckte, und ihn heftig im Innern zu bewegen schien. Zusehends wuchs er.

‹Sophie›, sagte er mit rührender Stimme zu der Frau, ‹laß mich aus der Schale trinken.› Sie reichte sie ihm ohne Anstand, und er konnte nicht aufhören zu trinken, indem die Schale sich immer voll zu erhalten schien. Endlich gab er sie zurück, indem er die edle Frau innig umarmte. Er herzte Ginnistan, und bat sie um das bunte Tuch, das er sich anständig um die Hüften band. Die kleine Fabel nahm er auf den Arm. Sie schien unendliches Wohlgefallen an ihm zu haben, und fing zu plaudern an. Ginnistan machte sich viel um ihn zu schaffen. Sie sah äußerst reizend und leichtfertig aus, und drückte ihn mit der Innigkeit einer Braut an sich. Sie zog ihn mit heimlichen Worten nach der Kammertür, aber Sophie winkte ernsthaft und deutete nach der Schlange; da kam die Mutter herein, auf die er sogleich zuflog und sie mit heißen Tränen bewillkommte. Der Schreiber war ingrimmig fortgegangen. Der Vater trat herein, und wie er Mutter und Sohn in stiller Umarmung sah, trat er hinter ihren Rücken zur reizenden Ginnistan, und liebkoste ihr. Sophie stieg die Treppe hinauf. Die kleine Fabel nahm die Feder des Schreibers und fing zu schreiben an. Mutter und Sohn vertieften sich in ein leises Gespräch, und der Vater schlich sich mit Ginnistan in die Kammer, um sich von den Geschäften des Tags in ihren Armen zu erholen. Nach geraumer Zeit kam Sophie zurück. Der Schreiber trat herein. Der Vater kam aus der Kammer und ging an seine Geschäfte. Ginnistan kam mit glühenden Wangen zurück. Der Schreiber jagte die kleine Fabel mit vielen Schmähungen von seinem Sitze, und hatte einige Zeit nötig seine Sachen in Ordnung zu bringen. Er reichte Sophien die von Fabel vollgeschriebenen Blätter, um sie rein zurück zu erhalten, geriet aber bald in den äußersten Unwillen, wie Sophie die Schrift völlig glänzend und unversehrt aus der Schale zog und sie ihm hinlegte. Fabel schmiegte sich an ihre Mutter, die sie an die Brust nahm, und das Zimmer aufputzte, die Fenster öff-

nete, frische Luft hereinließ und Zubereitungen zu einem köstlichen Mahle machte. Man sah durch die Fenster die herrlichsten Aussichten und einen heitern Himmel über die Erde gespannt. Auf dem Hofe war der Vater in voller Tätigkeit. Wenn er müde war, sah er hinauf ans Fenster, wo Ginnistan stand, und ihm allerhand Näschereien herunterwarf. Die Mutter und der Sohn gingen hinaus, um überall zu helfen und den gefaßten Entschluß vorzubereiten. Der Schreiber rührte die Feder, und machte immer eine Fratze, wenn er genötigt war, Ginnistan um etwas zu fragen, die ein sehr gutes Gedächtnis hatte, und alles behielt, was sich zutrug. Eros kam bald in schöner Rüstung, um die das bunte Tuch wie eine Schärpe gebunden war, zurück, und bat Sophie um Rat, wann und wie er seine Reise antreten solle. Der Schreiber war vorlaut, und wollte gleich mit einem ausführlichen Reiseplan dienen, aber seine Vorschläge wurden überhört. ‹Du kannst sogleich reisen; Ginnistan mag dich begleiten›, sagte Sophie; ‹sie weiß mit den Wegen Bescheid, und ist überall gut bekannt. Sie wird die Gestalt deiner Mutter annehmen, um dich nicht in Versuchung zu führen. Findest du den König, so denke an mich: dann komme ich um dir zu helfen.›

Ginnistan tauschte ihre Gestalt mit der Mutter, worüber der Vater sehr vergnügt zu sein schien; der Schreiber freute sich, daß die beiden fortgingen; besonders da ihm Ginnistan ihr Taschenbuch zum Abschiede schenkte, worin die Chronik des Hauses umständlich aufgezeichnet war; nur blieb ihm die kleine Fabel ein Dorn im Auge, und er hätte, um seiner Ruhe und Zufriedenheit willen, nichts mehr gewünscht, als daß auch sie unter der Zahl der Abreisenden sein möchte. Sophie segnete die Niederknienden ein, und gab ihnen ein Gefäß voll Wasser aus der Schale mit; die Mutter war sehr bekümmert. Die kleine Fabel wäre gern mitgegangen, und der Vater war zu sehr außer dem Hause beschäftigt, als daß er lebhaften Anteil hätte nehmen sollen. Es war Nacht, wie sie abreisten, und der Mond stand hoch am Himmel. ‹Lieber Eros›, sagte Ginnistan, ‹wir müssen eilen, daß wir zu meinem Vater kommen, der mich lange nicht gesehn und so sehnsuchtsvoll mich überall auf der Erde gesucht hat. Siehst du wohl sein bleiches abgehärmtes Gesicht? Dein Zeugnis wird mich ihm in der fremden Gestalt kenntlich machen.›

> Die Liebe ging auf dunkler Bahn
> Vom Monde nur erblickt,
> Das Schattenreich war aufgetan
> Und seltsam aufgeschmückt.

Ein blauer Dunst umschwebte sie
Mit einem goldnen Rand,
Und eilig zog die Phantasie
Sie über Strom und Land.

Es hob sich ihre volle Brust
In wunderbarem Mut;
Ein Vorgefühl der künft'gen Lust
Besprach die wilde Glut.

Die Sehnsucht klagt' und wußt' es nicht,
Daß Liebe näher kam,
Und tiefer grub in ihr Gesicht
Sich hoffnungsloser Gram.

Die kleine Schlange blieb getreu:
Sie wies nach Norden hin,
Und beide folgten sorgenfrei
Der schönen Führerin.

Die Liebe ging durch Wüstenein
Und durch der Wolken Land,
Trat in den Hof des Mondes ein
Die Tochter an der Hand.

Er saß auf seinem Silberthron,
Allein mit seinem Harm;
Da hört' er seines Kindes Ton,
Und sank in ihren Arm.

Eros stand gerührt bei den zärtlichen Umarmungen. Endlich sammelte sich der alte erschütterte Mann, und bewillkommte seinen Gast. Er ergriff sein großes Horn und stieß mit voller Macht hinein. Ein gewaltiger Ruf dröhnte durch die uralte Burg. Die spitzen Türme mit ihren glänzenden Knöpfen und die tiefen schwarzen Dächer schwankten. Die Burg stand still, denn sie war auf das Gebirge jenseits des Meers gekommen. Von allen Seiten strömten seine Diener herzu, deren seltsame Gestalten und Trachten Ginnistan unendlich ergötzten, und den tapfern Eros nicht erschreckten. Erstere grüßte ihre alten Bekannten, und alle erschienen vor ihr mit neuer Stärke und in der ganzen Herrlichkeit ihrer Naturen. Der ungestüme Geist der Flut folgte der sanften Ebbe. Die alten Orkane legten sich an die klopfende Brust der hei-

ßen leidenschaftlichen Erdbeben. Die zärtlichen Regenschauer sahen sich nach dem bunten Bogen um, der von der Sonne, die ihn mehr anzieht, entfernt, bleich dastand. Der rauhe Donner schallt über die Torheiten der Blitze, hinter den unzähligen Wolken hervor, die mit tausend Reizen dastanden und die feurigen Jünglinge lockten. Die beiden lieblichen Schwestern, Morgen und Abend, freuten sich vorzüglich über die beiden Ankömmlinge. Sie weinten sanfte Tränen in ihren Umarmungen. Unbeschreiblich war der Anblick dieses wunderlichen Hofstaats. Der alte König konnte sich an seiner Tochter nicht satt sehen. Sie fühlte sich zehnfach glücklich in ihrer väterlichen Burg, und ward nicht müde die bekannten Wunder und Seltenheiten zu beschauen. Ihre Freude war ganz unbeschreiblich, als ihr der König den Schlüssel zur Schatzkammer und die Erlaubnis gab, ein Schauspiel für Eros darin zu veranstalten, das ihn so lange unterhalten könnte, bis das Zeichen des Aufbruchs gegeben würde. Die Schatzkammer war ein großer Garten, dessen Mannigfaltigkeit und Reichtum alle Beschreibung übertraf. Zwischen den ungeheuren Wetterbäumen lagen unzählige Luftschlösser von überraschender Bauart, eins immer köstlicher als das andere. Große Herden von Schäfchen, mit silberweißer, goldner und rosenfarbner Wolle irrten umher, und die sonderbarsten Tiere belebten den Hain. Merkwürdige Bilder standen hie und da, und die festlichen Aufzüge, die seltsamen Wagen, die überall zum Vorschein kamen, beschäftigten die Aufmerksamkeit unaufhörlich. Die Beete standen voll der buntesten Blumen. Die Gebäude waren gehäuft voll von Waffen aller Art, voll der schönsten Teppiche, Tapeten, Vorhänge, Trinkgeschirre und aller Arten von Geräten und Werkzeugen, in unübersehlichen Reihen. Auf einer Anhöhe erblickten sie ein romantisches Land, das mit Städten und Burgen, mit Tempeln und Begräbnissen übersäet war, und alle Anmut bewohnter Ebenen mit den furchtbaren Reizen der Einöde und schroffer Felsengegenden vereinigte. Die schönsten Farben waren in den glücklichsten Mischungen. Die Bergspitzen glänzten wie Luftfeuer in ihren Eis- und Schneehüllen. Die Ebene lachte im frischesten Grün. Die Ferne schmückte sich mit allen Veränderungen von Blau, und aus der Dunkelheit des Meeres wehten unzählige bunte Wimpel von zahlreichen Flotten. Hier sah man einen Schiffbruch im Hintergrunde, und vorne ein ländliches fröhliches Mahl von Landleuten; dort den schrecklich schönen Ausbruch eines Vulkans, die Verwüstungen des Erdbebens, und im Vordergrunde ein liebendes Paar unter schattenden Bäumen in den süßesten Liebkosungen. Abwärts eine fürchterliche Schlacht, und unter ihr ein Theater voll der lächerlichsten Masken. Nach einer andern Seite im Vordergrunde einen jugendlichen Leichnam auf der Bahre, die ein trostloser Geliebter festhielt, und

die weinenden Eltern daneben; im Hintergrunde eine liebliche Mutter mit dem Kinde an der Brust und Engel sitzend zu ihren Füßen, und aus den Zweigen über ihrem Haupte herunterblickend. Die Szenen verwandelten sich unaufhörlich, und flossen endlich in eine große geheimnisvolle Vorstellung zusammen. Himmel und Erde waren in vollem Aufruhr. Alle Schrecken waren losgebrochen. Eine gewaltige Stimme rief zu den Waffen. Ein entsetzliches Heer von Totengerippen, mit schwarzen Fahnen, kam wie ein Sturm von dunkeln Bergen herunter, und griff das Leben an, das mit seinen jugendlichen Scharen in der hellen Ebene in muntern Festen begriffen war, und sich keines Angriffs versah. Es entstand ein entsetzliches Getümmel, die Erde zitterte; der Sturm brauste, und die Nacht ward von fürchterlichen Meteoren erleuchtet. Mit unerhörten Grausamkeiten zerriß das Heer der Gespenster die zarten Glieder der Lebendigen. Ein Scheiterhaufen türmte sich empor, und unter dem grausenvollsten Geheul wurden die Kinder des Lebens von den Flammen verzehrt. Plötzlich brach aus dem dunklen Aschenhaufen ein milchblauer Strom nach allen Seiten aus. Die Gespenster wollten die Flucht ergreifen, aber die Flut wuchs zusehends, und verschlang die scheußliche Brut. Bald waren alle Schrecken vertilgt. Himmel und Erde flossen in süße Musik zusammen. Eine wunderschöne Blume schwamm glänzend auf den sanften Wogen. Ein glänzender Bogen schloß sich über die Flut auf welchem göttliche Gestalten auf prächtigen Thronen, nach beiden Seiten herunter, saßen. Sophie saß zu oberst, die Schale in der Hand, neben einem herrlichen Manne, mit einem Eichenkranze um die Locken, und einer Friedenspalme statt des Zepters in der Rechten. Ein Lilienblatt bog sich über den Kelch der schwimmenden Blume; die kleine Fabel saß auf demselben, und sang zur Harfe die süßesten Lieder. In dem Kelche lag Eros selbst, über ein schönes schlummerndes Mädchen hergebeugt, die ihn fest umschlungen hielt. Eine kleinere Blüte schloß sich um beide her, so daß sie von den Hüften an in *eine* Blume verwandelt zu sein schienen.

Eros dankte Ginnistan mit tausend Entzücken. Er umarmte sie zärtlich, und sie erwiderte seine Liebkosungen. Ermüdet von der Beschwerde des Weges und den mannigfaltigen Gegenständen, die er gesehen hatte, sehnte er sich nach Bequemlichkeit und Ruhe. Ginnistan, die sich von dem schönen Jüngling lebhaft angezogen fühlte, hütete sich wohl, des Trankes zu erwähnen, den Sophie ihm mitgegeben hatte. Sie führte ihn zu einem abgelegenen Bade, zog ihm die Rüstung aus, und zog selbst ein Nachtkleid an, in welchem sie fremd und verführerisch aussah. Eros tauchte sich in die gefährlichen Wellen, und stieg berauscht wieder heraus. Ginnistan trocknete ihn, und rieb seine starken, von Jugendkraft gespannten Glieder. Er gedachte mit glü-

hender Sehnsucht seiner Geliebten, und umfaßte in süßem Wahne die reizende Ginnistan. Unbesorgt überließ er sich seiner ungestümen Zärtlichkeit, und schlummerte endlich nach den wollüstigsten Genüssen an dem reizenden Busen seiner Begleiterin ein.

Unterdessen war zu Hause eine traurige Veränderung vorgegangen. Der Schreiber hatte das Gesinde in eine gefährliche Verschwörung verwickelt. Sein feindseliges Gemüt hatte längst Gelegenheit gesucht, sich des Hausregiments zu bemächtigen, und sein Joch abzuschütteln. Er hatte sie gefunden. Zuerst bemächtigte sich sein Anhang der Mutter, die in eiserne Bande gelegt wurde. Der Vater ward bei Wasser und Brot ebenfalls hingesetzt. Die kleine Fabel hörte den Lärm im Zimmer. Sie verkroch sich hinter dem Altare, und wie sie bemerkte, daß eine Tür an seiner Rückseite verborgen war, so öffnete sie dieselbe mit vieler Behendigkeit, und fand, daß eine Treppe in ihm hinunterging. Sie zog die Tür nach sich, und stieg im Dunkeln die Treppe hinunter. Der Schreiber stürzte mit Ungestüm herein, um sich an der kleinen Fabel zu rächen, und Sophien gefangenzunehmen. Beide waren nicht zu finden. Die Schale fehlte auch, und in seinem Grimme zerschlug er den Altar in tausend Stücke, ohne jedoch die heimliche Treppe zu entdekken.

Die kleine Fabel stieg geraume Zeit. Endlich kam sie auf einen freien Platz hinaus, der rund herum mit einer prächtigen Kolonnade geziert, und durch ein großes Tor geschlossen war. Alle Figuren waren hier dunkel. Die Luft war wie ein ungeheurer Schatten; am Himmel stand ein schwarzer strahlender Körper. Man konnte alles auf das deutlichste unterscheiden, weil jede Figur einen andern Anstrich von Schwarz zeigte, und einen lichten Schein hinter sich warf; Licht und Schatten schienen hier ihre Rollen vertauscht zu haben. Fabel freute sich, in einer neuen Welt zu sein. Sie besah alles mit kindlicher Neugierde. Endlich kam sie an das Tor, vor welchem auf einem massiven Postument eine schöne Sphinx lag.

‹Was suchst du?› sagte die Sphinx. ‹Mein Eigentum›, erwiderte Fabel. — ‹Wo kommst du her?› — ‹Aus alten Zeiten.› — ‹Du bist noch ein Kind.› — ‹Und werde ewig ein Kind sein.› — ‹Wer wird dir beistehn?› — ‹Ich stehe für mich. Wo sind die Schwestern?› fragte Fabel. — ‹Überall und nirgends›, gab die Sphinx zur Antwort. — ‹Kennst du mich?› — ‹Noch nicht.› — ‹Wo ist die Liebe?› — ‹In der Einbildung.› — ‹Und Sophie?› — Die Sphinx murmelte unvernehmlich vor sich hin, und rauschte mit den Flügeln. ‹Sophie und Liebe›, rief triumphierend Fabel, und ging durch das Tor. Sie trat in die ungeheure Höhle, und ging fröhlich auf die alten Schwestern zu, die bei der kärglichen Nacht einer schwarzbrennenden Lampe ihr wunderliches Geschäft trieben. Sie ta-

ten nicht, als ob sie den kleinen Gast bemerkten, der mit artigen Lieb-
kosungen sich geschäftig um sie erzeigte. Endlich krächzte die eine
mit rauhen Worten und scheelem Gesicht: ‹Was willst du hier, Müßig-
gängerin? wer hat dich eingelassen? Dein kindisches Hüpfen bewegt
die stille Flamme. Das Öl verbrennt unnützerweise. Kannst du dich
nicht hinsetzen und etwas vornehmen?› — ‹Schöne Base›, sagte Fabel,
‹am Müßiggehn ist mir nichts gelegen. Ich mußte recht über eure Tür-
hüterin lachen. Sie hätte mich gern an die Brust genommen, aber sie
mußte zu viel gegessen haben, sie konnte nicht aufstehn. Laßt mich
vor der Tür sitzen, und gebt mir etwas zu spinnen; denn hier kann ich
nicht gut sehen, und wenn ich spinne, muß ich singen und plaudern
dürfen, und das könnte euch in euren ernsthaften Gedanken stören.›
— ‹Hinaus sollst du nicht, aber in der Nebenkammer bricht ein Strahl
der Oberwelt durch die Felsritzen, da magst du spinnen, wenn du so
geschickt bist; hier liegen ungeheure Haufen von alten Enden, die dre-
he zusammen; aber hüte dich: wenn du saumselig spinnst, oder der
Faden reißt, so schlingen sich die Fäden um dich her und ersticken
dich.› — Die Alte lachte hämisch, und spann. Fabel raffte einen Arm
voll Fäden zusammen, nahm Wocken und Spindel, und hüpfte sin-
gend in die Kammer. Sie sah durch die Öffnung hinaus, und erblickte
das Sternbild des Phönixes. Froh über das glückliche Zeichen fing sie
an lustig zu spinnen, ließ die Kammertür ein wenig offen, und sang
halbleise:

> Erwacht in euren Zellen,
> Ihr Kinder alter Zeit;
> Laßt eure Ruhestellen,
> Der Morgen ist nicht weit.
>
> Ich spinne eure Fäden
> In Einen Faden ein;
> Aus ist die Zeit der Fehden.
> *Ein* Leben sollt' ihr sein.
>
> Ein jeder lebt in Allen,
> Und All' in Jedem auch.
> *Ein* Herz wird in euch wallen,
> Von Einem Lebenshauch.
>
> Noch seid ihr nichts als Seele,
> Nur Traum und Zauberei.
> Geht furchtbar in die Höhle
> Und neckt die heil'ge Drei.

Die Spindel schwang sich mit unglaublicher Behendigkeit zwischen den kleinen Füßen; während sie mit beiden Händen den zarten Faden drehte. Unter dem Liede wurden unzählige Lichterchen sichtbar, die aus der Türspalte schlüpften und durch die Höhle in scheußlichen Larven sich verbreiteten. Die Alten hatten während der Zeit immer mürrisch fortgesponnen, und auf das Jammergeschrei der kleinen Fabel gewartet, aber wie entsetzten sie sich, als auf einmal eine erschreckliche Nase über ihre Schultern guckte, und wie sie sich umsahen, die ganze Höhle voll der gräßlichsten Figuren war, die tausenderlei Unfug trieben. Sie fuhren ineinander, heulten mit fürchterlicher Stimme, und wären vor Schrecken zu Stein geworden, wenn nicht in diesem Augenblicke der Schreiber in die Höhle getreten wäre, und eine Alraunwurzel bei sich gehabt hätte. Die Lichterchen verkrochen sich in die Felsklüfte und die Höhle wurde ganz hell, weil die schwarze Lampe in der Verwirrung umgefallen und ausgelöscht war. Die Alten waren froh, wie sie den Schreiber kommen hörten, aber voll Ingrimms gegen die kleine Fabel. Sie riefen sie heraus, schnarchten sie fürchterlich an und verboten ihr fortzuspinnen. Der Schreiber schmunzelte höhnisch, weil er die kleine Fabel nun in seiner Gewalt zu haben glaubte und sagte: ‹Es ist gut, daß du hier bist und zur Arbeit angehalten werden kannst. Ich hoffe, daß es an Züchtigungen nicht fehlen soll. Dein guter Geist hat dich hergeführt. Ich wünsche dir langes Leben und viel Vergnügen.› — ‹Ich danke dir für deinen guten Willen›, sagte Fabel; ‹man sieht dir jetzt die gute Zeit an; dir fehlt nur noch das Stundenglas und die Hippe, so siehst du ganz wie der Bruder meiner schönen Basen aus. Wenn du Gänsespulen brauchst, so zupfe ihnen nur eine Handvoll zarten Flaum aus den Wangen.› Der Schreiber schien Miene zu machen, über sie herzufallen. Sie lächelte und sagte: ‹Wenn dir dein schöner Haarwuchs und dein geistreiches Auge lieb sind, so nimm dich in acht; bedenke meine Nägel, du hast nicht viel mehr zu verlieren.› Er wandte sich mit verbißner Wut zu den Alten, die sich die Augen wischten, und nach ihren Wocken umhertappten. Sie konnten nichts finden, da die Lampe ausgelöscht war, und ergossen sich in Schimpfreden gegen Fabel. ‹Laßt sie doch gehn›, sprach er tückisch, ‹daß sie euch Taranteln fange, zur Bereitung eures Öls. Ich wollte euch zu eurem Troste sagen, daß Eros ohne Rast umherfliegt, und eure Schere fleißig beschäftigen wird. Seine Mutter, die euch so oft zwang, die Fäden länger zu spinnen, wird morgen ein Raub der Flammen.› Er kitzelte sich, um zu lachen, wie er sah, daß Fabel einige Tränen bei dieser Nachricht vergoß, gab ein Stück von der Wurzel der Alten, und ging naserümpfend von dannen. Die Schwestern hießen der Fabel mit zorniger Stimme Taranteln suchen, ohngeachtet sie noch Öl vorrätig hatten, und Fabel eilte

fort. Sie tat, als öffne sie das Tor, warf es ungestüm wieder zu, und schlich sich leise nach dem Hintergrunde der Höhle, wo eine Leiter herunterhing. Sie kletterte schnell hinauf, und kam bald vor eine Falltür, die sich in Arcturs Gemach öffnete.

Der König saß umringt von seinen Räten, als Fabel erschien. Die nördliche Krone zierte sein Haupt. Die Lilie hielt er mit der Linken, die Waage in der Rechten. Der Adler und Löwe saßen zu seinen Füßen. ‹Monarch›, sagte die Fabel, indem sie sich ehrfurchtsvoll vor ihm neigte; ‹Heil deinem festgegründeten Throne! frohe Botschaft deinem verwundeten Herzen! baldige Rückkehr der Weisheit! Ewiges Erwachen dem Frieden! Ruhe der rastlosen Liebe! Verklärung des Herzens! Leben dem Altertum und Gestalt der Zukunft!› Der König berührte ihre offene Stirn mit der Lilie: ‹Was du bittest, sei dir gewährt.› — ‹Dreimal werde ich bitten, wenn ich zum vierten Male komme, so ist die Liebe vor der Tür. Jetzt gib mir die Leier.› — ‹Eridanus! bringe sie her›, rief der König. Rauschend strömte Eridanus von der Decke, und Fabel zog die Leier aus seinen blinkenden Fluten.

Fabel tat einige weissagende Griffe; der König ließ ihr den Becher reichen, aus dem sie nippte und mit vielen Danksagungen hinweg eilte. Sie glitt in reizenden Bogenschwüngen über das Eismeer, indem sie fröhliche Musik aus den Saiten lockte.

Das Eis gab unter ihren Tritten die herrlichsten Töne von sich. Der Felsen der Trauer hielt sie für Stimmen seiner suchenden rückkehrenden Kinder, und antwortete einem tausendfachen Echo.

Fabel hatte bald das Gestade erreicht. Sie begegnete ihrer Mutter, die abgezehrt und bleich aussah, schlank und ernst geworden war, und in edlen Zügen die Spuren eines hoffnungslosen Grams, und rührender Treue verriet.

‹Was ist aus dir geworden, liebe Mutter?› sagte Fabel, ‹du scheinst mir gänzlich verändert; ohne inneres Anzeichen hätt' ich dich nicht erkannt. Ich hoffte mich an deiner Brust einmal wieder zu erquicken; ich habe lange nach dir geschmachtet.› Ginnistan liebkoste sie zärtlich, und sah heiter und freundlich aus. ‹Ich dachte es gleich›, sagte sie, ‹daß dich der Schreiber nicht würde gefangen haben. Dein Anblick erfrischt mich. Es geht mir schlimm und knapp genug, aber ich tröste mich bald. Vielleicht habe ich einen Augenblick Ruhe. Eros ist in der Nähe, und wenn er dich sieht, und du ihm vorplauderst, verweilt er vielleicht einige Zeit. Indes kannst du dich an meine Brust legen; ich will dir geben, was ich habe.› Sie nahm die Kleine auf den Schoß, reichte ihr die Brust, und fuhr fort, indem sie lächelnd auf die Kleine hinunter sah, die es sich gut schmecken ließ. ‹Ich bin selbst Ursach, daß Eros so wild und unbeständig geworden ist. Aber mich reut es den-

noch nicht, denn jene Stunden, die ich in seinen Armen zubrachte, haben mich zur Unsterblichen gemacht. Ich glaubte unter seinen feurigen Liebkosungen zu zerschmelzen. Wie ein himmlischer Räuber schien er mich grausam vernichten und stolz über sein bebendes Opfer triumphieren zu wollen. Wir erwachten spät aus dem verbotenen Rausche, in einem sonderbar vertauschten Zustande. Lange silberweiße Flügel bedeckten seine weißen Schultern, und die reizende Fülle und Biegung seiner Gestalt. Die Kraft, die ihn so plötzlich aus einem Knaben zum Jünglinge quellend getrieben, schien sich ganz in die glänzenden Schwingen gezogen zu haben, und er war wieder zum Knaben geworden. Die stille Glut seines Gesichts war in das tändelnde Feuer eines Irrlichts, der heilige Ernst in verstellte Schalkheit, die bedeutende Ruhe in kindische Unstetigkeit, der edle Anstand in drollige Beweglichkeit verwandelt. Ich fühlte mich von einer ernsthaften Leidenschaft unwiderstehlich zu dem mutwilligen Knaben gezogen, und empfang schmerzlich seinen lächelnden Hohn, und seine Gleichgültigkeit gegen meine rührendsten Bitten. Ich sah meine Gestalt verändert. Meine sorglose Heiterkeit war verschwunden, und hatte einer traurigen Bekümmernis, einer zärtlichen Schüchternheit Platz gemacht. Ich hätte mich mit Eros vor allen Augen verbergen mögen. Ich hatte nicht das Herz, in seine beleidigenden Augen zu sehn, und fühlte mich entsetzlich beschämt und erniedrigt. Ich hatte keinen andern Gedanken, als ihn, und hätte mein Leben hingegeben, um ihn von seinen Unarten zu befreien. Ich mußte ihn anbeten, so tief er auch alle meine Empfindungen kränkte.

Seit der Zeit, wo er sich aufmachte und mir entfloh, so rührend ich auch mit den heißesten Tränen ihn beschwor, bei mir zu bleiben, bin ich ihm überall gefolgt. Er scheint es ordentlich darauf anzulegen, mich zu necken. Kaum habe ich ihn erreicht, so fliegt er tückisch weiter. Sein Bogen richtet überall Verwüstungen an. Ich habe nichts zu tun, als die Unglücklichen zu trösten, und habe doch selbst Trost nötig. Ihre Stimmen, die mich rufen, zeigen mir seinen Weg, und ihre wehmütigen Klagen, wenn ich sie wieder verlassen muß, gehen mir tief zu Herzen. Der Schreiber verfolgt uns mit entsetzlicher Wut, und rächt sich an den armen Getroffenen. Die Frucht jener geheimnisvollen Nacht, waren eine zahlreiche Menge wunderlicher Kinder, die ihrem Großvater ähnlich sehn, und nach ihm genannt sind. Geflügelt wie ihr Vater begleiten sie ihn beständig, und plagen die Armen, die sein Pfeil trifft. Doch da kömmt der fröhliche Zug. Ich muß fort; lebe wohl, süßes Kind. Seine Nähe erregt meine Leidenschaft. Sei glücklich in deinem Vorhaben.› — Eros zog weiter, ohne Ginnistan, die auf ihn zueilte, einen zärtlichen Blick zu gönnen. Aber zu Fabel wandte er sich

184

Untergang der Sonne = der alten Welt.

freundlich, und seine kleinen Begleiter tanzten fröhlich um sie her. Fabel freute sich, ihren Milchbruder wiederzusehn, und sang zu ihrer Leier ein munteres Lied. Eros schien sich besinnen zu wollen und ließ den Bogen fallen. Die Kleinen entschliefen auf dem Rasen. Ginnistan konnte ihn fassen, und er litt ihre zärtlichen Liebkosungen. Endlich fing Eros auch an zu nicken, schmiegte sich an Ginnistans Schoß, und schlummerte ein, indem er seine Flügel über sie ausbreitete. Unendlich froh war die müde Ginnistan, und verwandte kein Auge von dem holden Schläfer. Während des Gesanges waren von allen Seiten Taranteln zum Vorschein gekommen, die über die Grashalme ein glänzendes Netz zogen, und lebhaft nach dem Takte sich an ihren Fäden bewegten. Fabel tröstete nun ihre Mutter, und versprach ihr baldige Hülfe. Vom Felsen tönte der sanfte Widerhall der Musik, und wiegte die Schläfer ein. Ginnistan sprengte aus dem wohlverwahrten Gefäß einige Tropfen in die Luft, und die anmutigstenTräume fielen auf sie nieder. Fabel nahm das Gefäß mit und setzte ihre Reise fort. Ihre Saiten ruhten nicht, und die Taranteln folgten auf schnellgesponnenen Fäden den bezaubernden Tönen.

Sie sah bald von weitem die hohe Flamme des Scheiterhaufens, die über den grünen Wald emporstieg. Traurig sah sie gen Himmel, und freute sich, wie sie Sophiens blauen Schleier erblickte, der wallend über der Erde schwebte, und auf ewig die ungeheure Gruft bedeckte. Die Sonne stand feuerrot vor Zorn am Himmel, die gewaltige Flamme sog an ihrem geraubten Lichte, und so heftig sie es auch an sich zu halten schien, so ward sie doch immer bleicher und fleckiger. Die Flamme ward weißer und mächtiger, je fahler die Sonne ward. Sie sog das Licht immer stärker in sich, und bald war die Glorie um das Gestirn des Tages verzehrt und nur als eine matte, glänzende Scheibe stand es noch da, indem jede neue Regung des Neides und der Wut den Ausbruch der entfliehenden Lichtwellen vermehrte. Endlich war nichts von der Sonne mehr übrig, als eine schwarze ausgebrannte Schlacke, die herunter ins Meer fiel. Die Flamme war über allen Ausdruck glänzend geworden. Der Scheiterhaufen war verzehrt. Sie hob sich langsam in die Höhe und zog nach Norden. Fabel trat in den Hof, der verödet aussah; das Haus war unterdes verfallen. Dornsträuche wuchsen in den Ritzen der Fenstergesimse und Ungeziefer aller Art kribbelte auf den zerbrochenen Stiegen. Sie hörte im Zimmer einen entsetzlichen Lärm; der Schreiber und seine Gesellen hatten sich an dem Flammentode der Mutter geweidet, waren aber gewaltig erschrocken, wie sie den Untergang der Sonne wahrgenommen hatten.

Sie hatten sich vergeblich angestrengt, die Flamme zu löschen, und waren bei dieser Gelegenheit nicht ohne Beschädigungen geblieben.

Der Schmerz und die Angst preßte ihnen entsetzliche Verwünschungen und Klagen aus. Sie erschraken noch mehr, als Fabel ins Zimmer trat, und stürmten mit wütendem Geschrei auf sie ein, um an ihr den Grimm auszulassen. Fabel schlüpfte hinter die Wiege, und ihre Verfolger traten ungestüm in das Gewebe der Taranteln, die sich durch unzählige Bisse an ihnen rächten. Der ganze Haufen fing nun toll an zu tanzen, wozu Fabel ein lustiges Lied spielte. Mit vielem Lachen über ihre possierlichen Fratzen ging sie auf die Trümmer des Altars zu, und räumte sie weg, um die verborgene Treppe zu finden, auf der sie mit ihrem Tarantelgefolge hinunterstieg. Die Sphinx fragte: ‹Was kommt plötzlicher, als der Blitz?› — ‹Die Rache›, sagte Fabel. — ‹Was ist am vergänglichsten?› — ‹Unrechter Besitz.› — ‹Wer kennt die Welt?› — ‹Wer sich selbst kennt.› — ‹Was ist das ewige Geheimnis?› — ‹Die Liebe.› — ‹Bei wem ruht es?› — ‹Bei Sophien.› Die Sphinx krümmte sich kläglich, und Fabel trat in die Höhle.

‹Hier bringe ich euch Taranteln›, sagte sie zu den Alten, die ihre Lampe wieder angezündet hatten und sehr emsig arbeiteten. Sie erschraken, und die eine lief mit der Schere auf sie zu, um sie zu erstechen. Unversehens trat sie auf eine Tarantel, und diese stach sie in den Fuß. Sie schrie erbärmlich. Die andern wollten ihr zu Hülfe kommen und wurden ebenfalls von den erzürnten Taranteln gestochen. Sie konnten sich nun nicht an Fabel vergreifen, und sprangen wild umher. ‹Spinn uns gleich›, riefen sie grimmig der Kleinen zu, ‹leichte Tanzkleider. Wir können uns in den steifen Röcken nicht rühren, und vergehn fast vor Hitze, aber mit Spinnensaft mußt du den Faden einweichen, daß er nicht reißt, und wirke Blumen hinein, die im Feuer gewachsen sind, sonst bist du des Todes.› — ‹Recht gern›, sagte Fabel und ging in die Nebenkammer.

‹Ich will euch drei tüchtige Fliegen verschaffen›, sagte sie zu den Kreuzspinnen, die ihre luftigen Gewebe rundum an der Decke und den Wänden angeheftet hatten, ‹aber ihr müßt mir gleich drei hübsche, leichte Kleider spinnen. Die Blumen, die hineingewirkt werden sollen, will ich auch gleich bringen.› Die Kreuzspinnen waren bereit und fingen rasch zu weben an. Fabel schlich sich zur Leiter und begab sich zu Arctur. ‹Monarch›, sagte sie, ‹die Bösen tanzen, die Guten ruhn. Ist die Flamme angekommen?› — ‹Sie ist angekommen›, sagte der König. ‹Die Nacht ist vorbei und das Eis schmilzt. Meine Gattin zeigt sich von weitem. Meine Feindin ist versengt. Alles fängt zu leben an. Noch darf ich mich nicht sehn lassen, denn allein bin ich nicht König. Bitte was du willst.› — ‹Ich brauche›, sagte Fabel, ‹Blumen, die im Feuer gewachsen sind. Ich weiß, du hast einen geschickten Gärtner, der sie zu ziehen versteht.› — ‹Zink›, rief der König, ‹gib uns Blumen.›

186

Der Blumengärtner trat aus der Reihe, holte einen Topf voll Feuer, und säete glänzenden Samenstaub hinein. Es währte nicht lange, so flogen die Blumen empor. Fabel sammelte sie in ihre Schürze, und machte sich auf den Rückweg. Die Spinnen waren fleißig gewesen, und es fehlte nichts mehr, als das Anheften der Blumen, welches sie sogleich mit vielem Geschmack und Behendigkeit begannen. Fabel hütete sich wohl die Enden abzureißen, die noch an den Weberinnen hingen.

Sie trug die Kleider den ermüdeten Tänzerinnen hin, die triefend von Schweiß umgesunken waren, und sich einige Augenblicke von der ungewohnten Anstrengung erholten. Mit vieler Geschicklichkeit entkleidete sie die hagern Schönheiten, die es an Schmähungen der kleinen Dienerin nicht fehlen ließen, und zog ihnen die neuen Kleider an, die sehr niedlich gemacht waren und vortrefflich paßten. Sie pries während dieses Geschäftes die Reize und den liebenswürdigen Charakter ihrer Gebieterinnen, und die Alten schienen ordentlich erfreut über die Schmeicheleien und die Zierlichkeit des Anzuges. Sie hatten sich unterdes erholt, und fingen, von neuer Tanzlust beseelt, wieder an, sich munter umherzudrehen, indem sie heimtückisch der Kleinen langes Leben und große Belohnungen versprachen. Fabel ging in die Kammer zurück, und sagte zu den Kreuzspinnen: ‹Ihr könnt nun die Fliegen getrost verzehren, die ich in eure Weben gebracht habe.› Die Spinnen waren so schon ungeduldig über das Hin- und Herreißen, da die Enden noch in ihnen waren und die Alten so toll umhersprangen; sie rannten also hinaus, und fielen über die Tänzerinnen her; diese wollten sich mit der Schere verteidigen, aber Fabel hatte sie in aller Stille mitgenommen. Sie unterlagen also ihren hungrigen Handwerksgenossen, die lange keine so köstlichen Bissen geschmeckt hatten, und sie bis auf das Mark aussaugten. Fabel sah durch die Felsenkluft hinaus, und erblickte den Perseus mit dem großen eisernen Schilde. Die Schere flog von selbst dem Schilde zu, und Fabel bat ihn, Eros' Flügel damit zu verschneiden, und dann mit seinem Schilde die Schwestern zu verewigen, und das große Werk zu vollenden.

Sie verließ nun das unterirdische Reich, und stieg fröhlich zu Arcturs Palaste.

‹Der Flachs ist versponnen. Das Leblose ist wieder entseelt. Das Lebendige wird regieren, und das Leblose bilden und gebrauchen. Das Innere wird offenbart, und das Äußere verborgen. Der Vorhang wird sich bald heben, und das Schauspiel seinen Anfang nehmen. Noch einmal bitte ich, dann spinne ich Tage der Ewigkeit.› — ‹Glückliches Kind›, sagte der gerührte Monarch, ‹du bist unsre Befreierin.› — ‹Ich bin nichts als Sophiens Pate›, sagte die Kleine. ‹Erlaube, daß Turmalin, der Blumengärtner, und Gold mich begleiten. Die Asche meiner

Pflegemutter muß ich sammeln, und der alte Träger muß wieder aufstehn, daß die Erde wieder schwebe und nicht auf dem Chaos liege.›

Der König rief allen dreien, und befahl ihnen, die Kleine zu begleiten. Die Stadt war hell, und auf den Straßen war ein lebhaftes Verkehr. Das Meer brach sich brausend an der hohlen Klippe, und Fabel fuhr auf des Königs Wagen mit ihren Begleitern hinüber. Turmalin sammelte sorgfältig die aufliegende Asche. Sie gingen rund um die Erde, bis sie an den alten Riesen kamen, an dessen Schultern sie hinunter klimmten. Er schien vom Schlage gelähmt, und konnte kein Glied rühren. Gold legte ihm eine Münze in den Mund, und der Blumengärtner schob eine Schüssel unter seine Lenden. Fabel berührte ihm die Augen, und goß das Gefäß auf seiner Stirn aus. Sowie das Wasser über das Auge in den Mund und herunter über ihn in die Schüssel floß, zuckte ein Blitz des Lebens ihm in allen Muskeln. Er schlug die Augen auf und hob sich rüstig empor. Fabel sprang zu ihren Begleitern auf die steigende Erde, und bot ihm freundlich guten Morgen. ‹Bist du wieder da, liebliches Kind?› sagte der Alte; ‹habe ich doch immer von dir geträumt. Ich dachte immer, du würdest erscheinen, ehe mir die Erde und die Augen zu schwer würden. Ich habe wohl lange geschlafen.› — ‹Die Erde ist wieder leicht, wie sie es immer den Guten war›, sagte Fabel. ‹Die alten Zeiten kehren zurück. In kurzem bist du wieder unter alten Bekannten. Ich will dir fröhliche Tage spinnen, und an einem Gehülfen soll es auch nicht fehlen, damit du zuweilen an unsern Freuden teilnehmen, und im Arm einer Freundin Jugend und Stärke einatmen kannst. Wo sind unsere alten Gastfreundinnen, die Hesperiden?› — ‹An Sophiens Seite. Bald wird ihr Garten wieder blühen, und die goldne Frucht duften. Sie gehen umher und sammeln die schmachtenden Pflanzen.›

Fabel entfernte sich, und eilte dem Hause zu. Es war zu völligen Ruinen geworden. Efeu umzog die Mauern. Hohe Büsche beschatteten den ehmaligen Hof, und weiches Moos polsterte die alten Stiegen. Sie trat ins Zimmer. Sophie stand am Altar, der wieder aufgebaut war. Eros lag zu ihren Füßen in voller Rüstung, ernster und edler als jemals. Ein prächtiger Kronleuchter hing von der Decke. Mit bunten Steinen war der Fußboden ausgelegt, und zeigte einen großen Kreis um den Altar her, der aus lauter edlen bedeutungsvollen Figuren bestand. Ginnistan bog sich über ein Ruhebett, worauf der Vater in tiefem Schlummer zu liegen schien, und weinte. Ihre blühende Anmut war durch einen Zug von Andacht und Liebe unendlich erhöht. Fabel reichte die Urne, worin die Asche gesammelt war, der heiligen Sophie, die sie zärtlich umarmte.

‹Liebliches Kind›, sagte sie, ‹dein Eifer und deine Treue haben dir

einen Platz unter den ewigen Sternen erworben. Du hast das Unsterbliche in dir gewählt. Der Phönix gehört dir. Du wirst die Seele unsers Lebens sein. Jetzt wecke den Bräutigam auf. Der Herold ruft, und Eros soll Freya suchen und aufwecken.›

Fabel freute sich unbeschreiblich bei diesen Worten. Sie rief ihren Begleitern Gold und Zink, und nahte sich dem Ruhebette. Ginnistan sah erwartungsvoll ihrem Beginnen zu. Gold schmolz die Münze und füllte das Behältnis, worin der Vater lag, mit einer glänzenden Flut. Zink schlang um Ginnistans Busen eine Kette. Der Körper schwamm auf den zitternden Wellen. ‹Bücke dich, liebe Mutter›, sagte Fabel, ‹und lege die Hand auf das Herz des Geliebten.›

Ginnistan bückte sich. Sie sah ihr vielfaches Bild. Die Kette berührte die Flut, ihre Hand sein Herz; er erwachte und zog die entzückte Braut an seine Brust. Das Metall gerann, und ward ein heller Spiegel. Der Vater erhob sich, seine Augen blitzten, und so schön und bedeutend auch seine Gestalt war, so schien doch sein ganzer Körper eine feine unendlich bewegliche Flüssigkeit zu sein, die jeden Eindruck in den mannigfaltigsten und reizendsten Bewegungen verriet.

Das glückliche Paar näherte sich Sophien, die Worte der Weihe über sie aussprach, und sie ermahnte, den Spiegel fleißig zu Rate zu ziehn, der alles in seiner wahren Gestalt zurückwerfe, jedes Blendwerk vernichte, und ewig das ursprüngliche Bild festhalte. Sie ergriff nun die Urne und schüttete die Asche in die Schale auf dem Altar. Ein sanftes Brausen verkündigte die Auflösung, und ein leiser Wind wehte in den Gewändern und Locken der Umstehenden.

Sophie reichte die Schale dem Eros und dieser den andern. Alle kosteten den göttlichen Trank, und vernahmen die freundliche Begrüßung der Mutter in ihrem Innern, mit unsäglicher Freude. Sie war jedem gegenwärtig, und ihre geheimnisvolle Anwesenheit schien alle zu verklären.

Die Erwartung war erfüllt und übertroffen. Alle merkten, was ihnen gefehlt habe, und das Zimmer war ein Aufenthalt der Seligen geworden. Sophie sagte: ‹Das große Geheimnis ist allen offenbart, und bleibt ewig unergründlich. Aus Schmerzen wird die neue Welt geboren, und in Tränen wird die Asche zum Trank des ewigen Lebens aufgelöst. In jedem wohnt die himmlische Mutter, um jedes Kind ewig zu gebären. Fühlt ihr die süße Geburt im Klopfen eurer Brust?›

Sie goß in den Altar den Rest aus der Schale hinunter. Die Erde bebte in ihren Tiefen. Sophie sagte: ‹Eros, eile mit deiner Schwester zu deiner Geliebten. Bald seht ihr mich wieder.›

Fabel und Eros gingen mit ihrer Begleitung schnell hinweg. Es war ein mächtiger Frühling über die Erde verbreitet. Alles hob und regte

sich. Die Erde schwebte näher unter dem Schleier. Der Mond und die Wolken zogen mit fröhlichem Getümmel nach Norden. Die Königsburg strahlte mit herrlichem Glanze über das Meer, und auf ihren Zinnen stand der König in voller Pracht mit seinem Gefolge. Überall erblickten sie Staubwirbel, in denen sich bekannte Gestalten zu bilden schienen. Sie begegneten zahlreichen Scharen von Jünglingen und Mädchen, die nach der Burg strömten, und sie mit Jauchzen bewillkommten. Auf manchen Hügeln saß ein glückliches eben erwachtes Paar in lang entbehrter Umarmung, hielt die neue Welt für einen Traum, und konnte nicht aufhören, sich von der schönen Wahrheit zu überzeugen.

Die Blumen und Bäume wuchsen und grünten mit Macht. Alles schien beseelt. Alles sprach und sang. Fabel grüßte überall alte Bekannte. Die Tiere nahten sich mit freundlichen Grüßen den erwachten Menschen. Die Pflanzen bewirteten sie mit Früchten und Düften, und schmückten sie auf das zierlichste. Kein Stein lag mehr auf einer Menschenbrust, und alle Lasten waren in sich selbst zu einem festen Fußboden zusammengesunken. Sie kamen an das Meer. Ein Fahrzeug von geschliffenem Stahl lag am Ufer festgebunden. Sie traten hinein und lösten das Tau. Die Spitze richtete sich nach Norden, und das Fahrzeug durchschnitt, wie im Fluge, die buhlenden Wellen. Lispelndes Schilf hielt seinen Ungestüm auf, und es stieß leise an das Ufer. Sie eilten die breiten Treppen hinan. Die Liebe wunderte sich über die königliche Stadt und ihre Reichtümer. Im Hofe sprang der lebendiggewordne Quell, der Hain bewegte sich mit den süßesten Tönen, und ein wunderbares Leben schien in seinen heißen Stämmen und Blättern, in seinen funkelnden Blumen und Früchten zu quellen und zu treiben. Der alte Held empfing sie an den Toren des Palastes. ‹Ehrwürdiger Alter›, sagte Fabel, ‹Eros bedarf dein Schwert. Gold hat ihm eine Kette gegeben, die mit einem Ende in das Meer hinunterreicht, und mit dem andern um seine Brust geschlungen ist. Fasse sie mit mir an, und führe uns in den Saal, wo die Prinzessin ruht. Eros nahm aus der Hand des Alten das Schwert, setzte den Knopf auf seine Brust, und neigte die Spitze vorwärts. Die Flügeltüren des Saals flogen auf, und Eros nahte sich entzückt der schlummernden Freya. Plötzlich geschah ein gewaltiger Schlag. Ein heller Funken fuhr von der Prinzessin nach dem Schwerte; das Schwert und die Kette leuchteten, der Held hielt die kleine Fabel, die beinah umgesunken wäre. Eros' Helmbusch wallte empor. ‹Wirf das Schwert weg›, rief Fabel, ‹und erwecke deine Geliebte.› Eros ließ das Schwert fallen, flog auf die Prinzessin zu, und küßte feurig ihre süßen Lippen. Sie schlug ihre großen dunkeln Augen auf, und erkannte den Geliebten. Ein langer Kuß versiegelte den ewigen Bund.

Von der Kuppel herunter kam der König mit Sophien an der Hand. Die Gestirne und die Geister der Natur folgten in glänzenden Reihen. Ein unaussprechlich heitrer Tag erfüllte den Saal, den Palast, die Stadt, und den Himmel. Eine zahllose Menge ergoß sich in den weiten königlichen Saal, und sah mit stiller Andacht die Liebenden vor dem Könige und der Königin knien, die sie feierlich segneten. Der König nahm sein Diadem vom Haupte, und band es um Eros goldene Locken. Der alte Held zog ihm die Rüstung ab, und der König warf seinen Mantel um ihn her. Dann gab er ihm die Lilie in die linke Hand, und Sophie knüpfte ein köstliches Armband um die verschlungenen Hände der Liebenden, indem sie zugleich ihre Krone auf Freyas braune Haare setzte.

‹Heil unsern alten Beherrschern›, rief das Volk. ‹Sie haben immer unter uns gewohnt, und wir haben sie nicht erkannt! Heil uns! Sie werden uns ewig beherrschen! Segnet uns auch!› Sophie sagte zu der neuen Königin: ‹Wirf du das Armband eures Bundes in die Luft, daß das Volk und die Welt euch verbunden bleiben.› Das Armband zerfloß in der Luft, und bald sah man lichte Ringe um jedes Haupt, und ein glänzendes Band zog sich über die Stadt und das Meer und die Erde, die ein ewiges Fest des Frühlings feierte. Perseus trat herein, und trug eine Spindel und ein Körbchen. Er brachte dem neuen Könige das Körbchen. ‹Hier›, sagte er, ‹sind die Reste deiner Feinde.› Eine steinerne Platte mit schwarzen und weißen Feldern lag darin, und daneben eine Menge Figuren von Alabaster und schwarzem Marmor. ‹Es ist ein Schachspiel›, sagte Sophie; ‹aller Krieg ist auf diese Platte und in diese Figuren gebannt. Es ist ein Denkmal der alten trüben Zeit.› Perseus wandte sich zu Fabel, und gab ihr die Spindel. ‹In deinen Händen wird diese Spindel uns ewig erfreuen, und aus dir selbst wirst du uns einen goldnen unzerreißlichen Faden spinnen.› Der Phönix flog mit melodischem Geräusch zu ihren Füßen, spreizte seine Fittiche vor ihr aus, auf die sie sich setzte, und schwebte mit ihr über den Thron, ohne sich wieder niederzulassen. Sie sang ein himmlisches Lied, und fing zu spinnen an, indem der Faden aus ihrer Brust sich hervorzuwinden schien. Das Volk geriet in neues Entzücken, und aller Augen hingen an dem lieblichen Kinde. Ein neues Jauchzen kam von der Tür her. Der alte Mond kam mit seinem wunderlichen Hofstaat herein, und hinter ihm trug das Volk Ginnistan und ihren Bräutigam, wie im Triumph, einher.

Sie waren mit Blumenkränzen umwunden; die königliche Familie empfing sie mit der herzlichsten Zärtlichkeit, und das neue Königspaar rief sie zu seinen Statthaltern auf Erden aus.

‹Gönnet mir›, sagte der Mond, ‹das Reich der Parzen, dessen selt-

same Gebäude eben auf dem Hofe des Palastes aus der Erde gestiegen sind. Ich will euch mit Schauspielen darin ergötzen, wozu die kleine Fabel mir behülflich sein wird.›

Der König willigte in die Bitte, die kleine Fabel nickte freundlich, und das Volk freute sich auf den seltsamen unterhaltenden Zeitvertreib. Die Hesperiden ließen zur Thronbesteigung Glück wünschen, und um Schutz in ihren Gärten bitten. Der König ließ sie bewillkommen, und so folgten sich unzählige fröhliche Botschaften. Unterdessen hatte sich unmerklich der Thron verwandelt, und war ein prächtiges Hochzeitbett geworden, über dessen Himmel der Phönix mit der kleinen Fabel schwebte. Drei Karyatiden aus dunkelm Porphyr trugen es hinten, und vorn ruhte dasselbe auf einer Sphinx aus Basalt. Der König umarmte seine errötende Geliebte, und das Volk folgte dem Beispiel des Königs, und liebkoste sich untereinander. Man hörte nichts, als zärtliche Namen und ein Kußgeflüster. Endlich sagte Sophie: ‹Die Mutter ist unter uns, ihre Gegenwart wird uns ewig beglücken. Folgt uns in unsere Wohnung, in dem Tempel dort werden wir ewig wohnen, und das Geheimnis der Welt bewahren.› Die Fabel spann emsig und sang mit lauter Stimme:

> Gegründet ist das Reich der Ewigkeit,
> In Lieb' und Frieden endigt sich der Streit,
> Vorüber ging der lange Traum der Schmerzen,
> Sophie ist ewig Priesterin der Herzen.»

DIE ERFÜLLUNG

DAS KLOSTER ODER DER VORHOF

ASTRALIS

An einem Sommermorgen ward ich jung;
Da fühlt' ich meines eignen Lebens Puls
Zum erstenmal — und wie die Liebe sich
In tiefere Entzückungen verlor,
Erwacht' ich immer mehr, und das Verlangen
Nach innigerer, gänzlicher Vermischung
Ward dringender mit jedem Augenblick.
Wollust ist meines Daseins Zeugungskraft.
Ich bin der Mittelpunkt, der heilge Quell,
Aus welchem jede Sehnsucht stürmisch fließt,
Wohin sich jede Sehnsucht, mannigfach
Gebrochen, wieder still zusammen zieht.
Ihr kennt mich nicht und saht mich werden —
Wart ihr nicht Zeugen, wie ich noch
Nachtwandler mich zum ersten Male traf
An jenem frohen Abend? Flog euch nicht
Ein süßer Schauer der Entzündung an? —
Versunken lag ich ganz in Honigkelchen.
Ich duftete, die Blume schwankte still
In goldner Morgenluft. Ein innres Quellen
War ich, ein sanftes Ringen, alles floß
Durch mich und über mich und hob mich leise.
Da sank das erste Stäubchen in die Narbe,
Denkt an den Kuß nach aufgehobnem Tisch.
Ich quoll in meine eigne Flut zurück —
Es war ein Blitz — nun konnt ich schon mich regen,
Die zarten Fäden und den Kelch bewegen.
Schnell schossen, wie ich selber mich begann,
Zu irdschen Sinnen die Gedanken an.
Noch war ich blind, doch schwankten lichte Sterne
Durch meines Wesens wunderbare Ferne,
Nichts war noch nah, ich fand mich nur von weiten,
Ein Anklang alter, so wie künftger Zeiten.

'Aus Wehmut, Lieb' und Ahndungen entsprungen
War der Besinnung Wachstum nur ein Flug,
Und wie die Wollust Flammen in mir schlug,
Ward ich zugleich vom höchsten Weh durchdrungen.
Die Welt lag blühend um den hellen Hügel,
Die Worte des Propheten wurden Flügel,
Nicht einzeln mehr nur Heinrich und Mathilde
Vereinten beide sich zu Einem Bilde. —
Ich hob mich nun gen Himmel neugeboren,
Vollendet war das irdische Geschick
Im seligen Verklärungsaugenblick,
Es hatte nun die Zeit ihr Recht verloren
Und forderte, was sie geliehn, zurück.

Es bricht die neue Welt herein
Und verdunkelt den hellsten Sonnenschein,
Man sieht nun aus bemoosten Trümmern
Eine wunderseltsame Zukunft schimmern,
Und was vordem alltäglich war,
Scheint jetzo fremd und wunderbar.
‹Eins in allem und alles im Einen
Gottes Bild auf Kräutern und Steinen
Gottes Geist in Menschen und Tieren,
Dies muß man sich zu Gemüte führen.
Keine Ordnung mehr nach Raum und Zeit
Hier Zukunft in der Vergangenheit.›
Der Liebe Reich ist aufgetan,
Die Fabel fängt zu spinnen an.
Das Urspiel jeder Natur beginnt,
Auf kräftige Worte jedes sinnt,
Und so das große Weltgemüt
Überall sich regt und unendlich blüht.
Alles muß in einander greifen,
Eins durch das andre gedeihn und reifen;
Jedes in Allen dar sich stellt,
Indem es sich mit ihnen vermischet
Und gierig in ihre Tiefen fällt,
Sein eigentümliches Wesen erfrischet
Und tausend neue Gedanken erhält.
Die Welt wird Traum, der Traum wird Welt,
Und was man geglaubt, es sei geschehn,
Kann man von weitem erst kommen sehn.

Frei soll die Phantasie erst schalten,
Nach ihrem Gefallen die Fäden verweben,
Hier manches verschleiern, dort manches entfalten,
Und endlich in magischen Dunst verschweben.
Wehmut und Wollust, Tod und Leben
Sind hier in innigster Sympathie —
Wer sich der höchsten Lieb' ergeben,
Genest von ihren Wunden nie.
Schmerzhaft muß jenes Band zerreißen,
Was sich ums innre Auge zieht,
Einmal das treuste Herz verwaisen,
Eh es der trüben Welt entflieht.
Der Leib wird aufgelöst in Tränen,
Zum weiten Grabe wird die Welt,
In das, verzehrt von bangem Sehnen,
Das Herz, als Asche, niederfällt.

Auf dem schmalen Fußsteige, der ins Gebürg hinauflief, ging ein Pilgrim in tiefen Gedanken. Mittag war vorbei. Ein starker Wind sauste durch die blaue Luft. Seine dumpfen, mannigfaltigen Stimmen verloren sich, wie sie kamen. War er vielleicht durch die Gegenden der Kindheit geflogen? Oder durch andre redende Länder? Es waren Stimmen, deren Echo nach im Innersten klang und dennoch schien sie der Pilgrim nicht zu kennen. Er hatte nun das Gebürg erreicht, wo er das Ziel seiner Reise zu finden hoffte — hoffte? — Er hoffte gar nichts mehr. Die entsetzliche Angst und dann die trockne Kälte der gleichgültigsten Verzweiflung trieben ihn, die wilden Schrecknisse des Gebürgs aufzusuchen. Der mühselige Gang beruhigte das zerstörende Spiel der innern Gewalten. Er war matt aber still. Noch sah er nichts was um ihn her sich allmählich gehäuft hatte, als er sich auf einen Stein setzte, und den Blick rückwärts wandte. Es dünkte ihm, als träume er jetzt oder habe er geträumt. Eine unübersehliche Herrlichkeit schien sich vor ihm aufzutun. Bald flossen seine Tränen, indem sein Innres plötzlich brach. Er wollte sich in die Ferne verweinen, daß auch keine Spur seines Daseins übrig bliebe. Unter dem heftigen Schluchzen schien er zu sich selbst zu kommen; die weiche heitre Luft durchdrang ihn, seinen Sinnen ward die Welt wieder gegenwärtig und alte Gedanken fingen tröstlich zu reden an.

Dort lag Augsburg mit seinen Türmen. Fern am Gesichtskreis blinkte der Spiegel des furchtbaren, geheimnisvollen Stroms. Der ungeheure Wald bog sich mit tröstlichem Ernst zu dem Wanderer, das gezackte Gebürg ruhte so bedeutend über der Ebene und beide schienen zu sa-

gen: «Eile nur, Strom, du entfliehst uns nicht — Ich will dir folgen mit geflügelten Schiffen. Ich will dich brechen und halten und dich verschlucken in meinen Schoß. Vertraue du uns, Pilgrim, es ist auch unser Feind, den wir selbst erzeugten — Laß ihn eilen mit seinem Raub, er entflieht uns nicht.»

Der arme Pilgrim gedachte der alten Zeiten und ihrer unsäglichen Entzückungen — Aber wie matt gingen diese köstlichen Erinnerungen vorüber. Der breite Hut verdeckte ein jugendliches Gesicht. Es war bleich, wie eine Nachtblume. In Tränen hatte sich der Balsamsaft des jungen Lebens, in tiefe Seufzer sein schwellender Hauch verwandelt. In ein fahles Aschgrau waren alle seine Farben verschossen.

Seitwärts am Gehänge schien ihm ein Mönch unter einem alten Eichbaum zu knien. «Sollte das der alte Hofkaplan sein?» so dacht er bei sich, ohne große Verwunderung. Der Mönch kam ihm größer und ungestalter vor, je näher er zu ihm trat. Er bemerkte nun seinen Irrtum, denn es war ein einzelner Felsen, über den sich der Baum herbog. Stillgerührt faßte er den Stein in seine Arme, und drückte ihn lautweinend an seine Brust. «Ach, daß doch jetzt deine Reden sich bewährten und die heilge Mutter ein Zeichen an mir täte! Bin ich doch so ganz elend und verlassen. Wohnt in meiner Wüste kein Heiliger, der mir sein Gebet liehe? Bete du, teurer Vater, jetzt in diesem Augenblick für mich.»

Wie er so bei sich dachte fing der Baum an zu zittern. Dumpf dröhnte der Felsen und wie aus tiefer, unterirdischer Ferne erhoben sich einige klare Stimmchen und sangen:

> Ihr Herz war voller Freuden
> Von Freuden sie nur wußt
> Sie wußt von keinem Leiden
> Druckts Kindelein an ihr' Brust.

> Sie küßt ihm seine Wangen
> Sie küßt es mannigfalt,
> Mit Liebe ward sie umfangen
> Durch Kindleins schöne Gestalt.

Die Stimmchen schienen mit unendlicher Lust zu singen. Sie wiederholten den Vers einigemal. Es ward alles wieder ruhig und nun hörte der erstaunte Pilger, daß jemand aus dem Baume sagte:

«Wenn du ein Lied zu meinen Ehren auf deiner Laute spielen wirst, so wird ein armes Mädchen herfürkommen. Nimm sie mit und laß sie nicht von dir. Gedenke meiner, wenn du zum Kaiser kommst. Ich habe

mir diese Stätte ausersehn um mit meinem Kindlein hier zu wohnen. Laß mir ein starkes, warmes Haus hier bauen. Mein Kindlein hat den Tod überwunden. Härme dich nicht — Ich bin bei dir. Du wirst noch eine Weile auf Erden bleiben, aber das Mädchen wird dich trösten, bis du auch stirbst und zu unsern Freunden eingehst.» — «Es ist Mathildens Stimme», rief der Pilger, und fiel auf seine Knie, um zu beten. Da drang durch die Äste ein langer Strahl zu seinen Augen und er sah durch den Strahl in eine ferne, kleine, wundersame Herrlichkeit hinein, welche nicht zu beschreiben, noch kunstreich mit Farben nachzubilden möglich gewesen wäre. Es waren überaus feine Figuren und die innigste Lust und Freude, ja eine himmlische Glückseligkeit war darin überall zu schauen, sogar daß die leblosen Gefäße, das Säulwerk, die Teppiche, Zieraten, kurzum alles, was zu sehn war, nicht gemacht, sondern, wie ein vollsaftiges Kraut, aus eigner Lustbegierde also gewachsen und zusammengekommen zu sein schien. Es waren die schönsten menschlichen Gestalten, die dazwischen umhergingen und sich über die Maßen freundlich und holdselig gegeneinander erzeigten. Ganz vorn stand die Geliebte des Pilgers und hatt' es das Ansehn, als wolle sie mit ihm sprechen. Doch war nichts zu hören und betrachtete der Pilger nur mit tiefer Sehnsucht ihre anmutigen Züge und wie sie so freundlich und lächelnd ihm zuwinkte, und die Hand auf ihre linke Brust legte. Der Anblick war unendlich tröstend und erquickend und der Pilger lag noch lang in seliger Entzückung, als die Erscheinung wieder hinweggenommen war. Der heilige Strahl hatte alle Schmerzen und Bekümmernisse aus seinem Herzen gesogen, so daß sein Gemüt wieder rein und leicht und sein Geist wieder frei und fröhlich war, wie vordem. Nichts war übriggeblieben, als ein stilles inniges Sehnen und ein wehmütiger Klang im Allerinnersten. Aber die wilden Qualen der Einsamkeit, die herbe Pein eines unsäglichen Verlustes, die trübe, entsetzliche Leere, die irdische Ohnmacht war gewichen, und der Pilgrim sah sich wieder in einer vollen, bedeutsamen Welt. Stimme und Sprache waren wieder lebendig bei ihm geworden, und es dünkte ihm nunmehr alles viel bekannter und weissagender als ehemals, so daß ihm der Tod wie eine höhere Offenbarung des Lebens erschien, und er sein eignes, schnellvorübergehendes Dasein mit kindlicher, heitrer Rührung betrachtete. Zukunft und Vergangenheit hatten sich in ihm berührt und einen innigen Verein geschlossen. Er stand weit außer der Gegenwart, und die Welt ward ihm erst teuer, wie er sie verloren hatte, und sich nur als Fremdling in ihr fand, der ihre weiten, bunten Säle noch eine kurze Weile durchwandern sollte. Es war Abend geworden, und die Erde lag vor ihm wie ein altes, liebes Wohnhaus, was er nach langer Entfernung verlassen wiederfände.

Tausend Erinnerungen wurden ihm gegenwärtig. Jeder Stein, jeder Baum, jede Anhöhe wollte wiedergekannt sein. Jedes war das Merkmal einer alten Geschichte.

Der Pilger ergriff seine Laute und sang:

1

Liebeszähren, Liebesflammen
Fließt zusammen;
Heiligt diese Wunderstätten,
Wo der Himmel mir erschienen,
Schwärmt um diesen Baum wie Bienen
In unzähligen Gebeten.

2

Er hat froh sie aufgenommen
Als sie kommen,
Sie geschützt vor Ungewittern;
Sie wird einst in ihrem Garten
Ihn begießen und ihn warten,
Wunder tun mit seinen Splittern.

3

Auch der Felsen ist gesunken
Freudentrunken
Zu der selgen Mutter Füßen.
Ist die Andacht auch in Steinen
Sollte da der Mensch nicht weinen
Und sein Blut für sie vergießen?

4

Die Bedrängten müssen ziehen
Und hier knieen,
Alle werden hier genesen.
Keiner wird fortan noch klagen
Alle werden fröhlich sagen:
Einst sind wir betrübt gewesen.

5

Ernste Mauern werden stehen
Auf den Höhen.
In den Tälern wird man rufen

Wenn die schwersten Zeiten kommen,
Keinem sei das Herz beklommen,
Nur hinan zu jenen Stufen.

6

Gottes Mutter und Geliebte
Der Betrübte
Wandelt nun verklärt von hinnen.
Ewge Güte, ewge Milde,
O! ich weiß du bist Mathilde
Und das Ziel von meinem Sinnen.

7

Ohne mein verwegnes Fragen
Wirst mir sagen,
Wenn ich zu dir soll gelangen.
Gern will ich in tausend Weisen
Noch der Erde Wunder preisen,
Bis du kommst mich zu umfangen.

8

Alte Wunder, künftge Zeiten
Seltsamkeiten,
Weichet nie aus meinem Herzen.
Unvergeßlich sei die Stelle,
Wo des Lichtes heilge Quelle
Weggespült den Traum der Schmerzen.

Unter seinem Gesang war er nichts gewahr worden. Wie er aber aufsah, stand ein junges Mädchen nah bei ihm am Felsen, die ihn freundlich, wie einen alten Bekannten, grüßte und ihn einlud mit zu ihrer Wohnung zu gehn, wo sie ihm schon ein Abendessen zubereitet habe. Er schloß sie zärtlich in seinen Arm. Ihr ganzes Wesen und Tun war ihm befreundet. Sie bat ihn, noch einige Augenblicke zu verziehn, trat unter den Baum, sah mit einem unaussprechlichen Lächeln hinauf und schüttete aus ihrer Schürze viele Rosen auf das Gras. Sie kniete still daneben, stand aber bald wieder auf und führte den Pilger fort. «Wer hat dir von mir gesagt», frug der Pilgrim. «Unsre Mutter.» «Wer ist deine Mutter?» «Die Mutter Gottes.» «Seit wann bist du hier?» «Seitdem ich aus dem Grabe gekommen bin?» «Warst du schon einmal gestorben?» «Wie könnt' ich denn leben?» «Lebst du hier ganz allein?» «Ein alter Mann ist zu Hause, doch kenn ich noch viele, die gelebt

haben.» «Hast du Lust, bei mir zu bleiben?» «Ich habe dich ja lieb.» «Woher kennst du mich?» «O! von alten Zeiten; auch erzählte mir meine ehemalige Mutter zeither immer von dir.» «Hast du noch eine Mutter?» «Ja, aber es ist eigentlich dieselbe.» «Wie hieß sie?» «Maria.» «Wer war dein Vater?» «Der Graf von Hohenzollern.» «Den kenn' ich auch.» «Wohl mußt du ihn kennen, denn er ist auch dein Vater.» «Ich habe ja meinen Vater in Eisenach?» «Du hast mehr Eltern.» «Wo gehn wir denn hin?» «Immer nach Hause.»

Sie waren jetzt auf einen geräumigen Platz im Holze gekommen, auf welchem einige verfallne Türme hinter tiefen Gräben standen. Junges Gebüsch schlang sich um die alten Mauern, wie ein jugendlicher Kranz um das Silberhaupt eines Greises. Man sah in die Unermeßlichkeit der Zeiten, und erblickte die weitesten Geschichten in kleine glänzende Minuten zusammengezogen, wenn man die grauen Steine, die blitzähnlichen Risse, und die hohen, schaurigen Gestalten betrachtete. So zeigt uns der Himmel unendliche Räume in dunkles Blau gekleidet und wie milchfarbne Schimmer, so unschuldig, wie die Wangen eines Kindes, die fernsten Heere seiner schweren ungeheuren Welten. Sie gingen durch ein altes Tor weg und der Pilger war nicht wenig erstaunt, als er sich nun von lauter seltenen Gewächsen umringt und die Reize des anmutigsten Gartens unter diesen Trümmern versteckt sah. Ein kleines steinernes Häuschen von neuer Bauart mit großen hellen Fenstern lag dahinter. Dort stand ein alter Mann hinter den breitblättrigen Stauden und band die schwanken Zweige an Stäbchen. Den Pilgrim führte seine Begleiterin zu ihm und sagte: «Hier ist Heinrich nach dem du mich oft gefragt hast.» Wie sich der Alte zu ihm wandte, glaubte Heinrich den Bergmann vor sich zu sehn. «Du siehst den Arzt Sylvester», sagte das Mädchen. Sylvester freute sich ihn zu sehn, und sprach: «Es ist eine geraume Zeit her, daß ich deinen Vater eben so jung bei mir sah. Ich ließ es mir damals angelegen sein, ihn mit den Schätzen der Vorwelt, mit der kostbaren Hinterlassenschaft einer zu früh abgeschiedenen Welt bekannt zu machen. Ich bemerkte in ihm die Anzeichen eines großen Bildkünstlers. Sein Auge regte sich voll Lust, ein wahres Auge, ein schaffendes Werkzeug zu werden. Sein Gesicht zeugte von innrer Festigkeit und ausdauerndem Fleiß. Aber die gegenwärtige Welt hatte zu tiefe Wurzeln schon bei ihm geschlagen. Er wollte nicht Achtung geben auf den Ruf seiner eigensten Natur. Die trübe Strenge seines vaterländischen Himmels hatte die zarten Spitzen der edelsten Pflanze in ihm verdorben. Er ward ein geschickter Handwerker und die Begeisterung ist ihm zur Torheit geworden.»

«Wohl», versetzte Heinrich, «hab ich in ihm oft mit Schmerzen ei-

nen stillen Mißmut bemerkt. Er arbeitet unaufhörlich aus Gewohnheit und nicht aus innerer Lust. Es scheint ihm etwas zu fehlen, was die friedliche Stille seines Lebens, die Bequemlichkeiten seines Auskommens, die Freude, sich geehrt und geliebt von seinen Mitbürgern zu sehn und in allen Stadtangelegenheiten zu Rate gezogen zu werden, ihm nicht ersetzen kann. Seine Bekannten halten ihn für sehr glücklich, aber sie wissen nicht, wie lebenssatt er ist, wie leer ihm oft die Welt vorkommt, wie sehnlich er sich hinwegwünscht, und wie er nicht aus Erwerbslust, sondern um diese Stimmung zu verscheuchen, so fleißig arbeitet.»

«Was mich am meisten wundert», versetzte Sylvester, «daß er Eure Erziehung ganz in den Händen Eurer Mutter gelassen hat und sorgfältig sich gehütet, in Eure Entwicklung sich zu mischen oder Euch zu irgend einem bestimmten Stande anzuhalten. Ihr habt von Glück zu sagen, daß Ihr habt aufwachsen dürfen, ohne von Euren Eltern die mindeste Beschränkung zu leiden, denn die meisten Menschen sind nur Überbleibsel eines vollen Gastmahls, das Menschen von verschiednem Appetit und Geschmack geplündert haben.»

«Ich weiß selbst nicht», erwiderte Heinrich, «was Erziehung heißt, wenn es nicht das Leben und die Sinnesweise meiner Eltern ist, oder der Unterricht meines Lehrers des Hofkaplans. Mein Vater scheint mir, bei aller seiner kühlen und durchaus festen Denkungsart, die ihn alle Verhältnisse wie ein Stück Metall und eine künstliche Arbeit ansehn läßt, doch unwillkürlich und ohne es daher selbst zu wissen, eine stille Ehrfurcht und Gottesfurcht vor allen unbegreiflichen und höhern Erscheinungen zu haben, und daher das Aufblühen eines Kindes mit demütiger Selbstverleugnung zu betrachten. Ein Geist ist hier geschäftig, der frisch aus der unendlichen Quelle kommt, und dieses Gefühl der Überlegenheit eines Kindes in den allerhöchsten Dingen, der unwiderstehliche Gedanke einer nähern Führung dieses unschuldigen Wesens, das jetzt im Begriff steht eine so bedenkliche Laufbahn anzutreten, bei seinen nähern Schritten, das Gepräge einer wunderbaren Welt, was noch keine irdische Flut unkenntlich gemacht hat, und endlich die Sympathie der Selbsterinnerung jener fabelhaften Zeiten, wo die Welt uns heller, freundlicher und seltsamer dünkte und der Geist der Weissagung fast sichtbar uns begleitete, alles dies hat meinen Vater gewiß zu der andächtigsten und bescheidensten Behandlung vermocht.»

«Laß uns hieher auf die Rasenbank unter die Blumen setzen», unterbrach ihn der Alte. «Zyane wird uns rufen, wenn unser Abendessen bereit ist, und wenn ich Euch bitten darf, so fahrt fort mir von Eurem früheren Leben etwas zu erzählen. Wir Alten hören am liebsten von den Kinderjahren reden, und es dünkt mich, als ließt Ihr mich

den Duft einer Blume einziehn, den ich seit meiner Kindheit nicht wieder eingeatmet hätte. Nur sagt mir noch vorher, wie Euch meine Einsiedelei und mein Garten gefällt, denn diese Blumen sind meine Freundinnen. Mein Herz ist in diesem Garten. Ihr seht nichts, was mich nicht liebt und von mir nicht zärtlich geliebt wird. Ich bin hier mitten unter meinen Kindern und komme mir vor, wie ein alter Baum, aus dessen Wurzeln diese muntre Jugend ausgeschlagen sei.»

«Glücklicher Vater», sagte Heinrich, «Euer Garten ist die Welt. Ruinen sind die Mütter dieser blühenden Kinder. Die bunte, lebendige Schöpfung zieht ihre Nahrung aus den Trümmern vergangner Zeiten. Aber mußte die Mutter sterben, daß die Kinder gedeihen können, und bleibt der Vater zu ewigen Tränen allein an ihrem Grabe sitzen?»

Sylvester reichte dem schluchzenden Jünglinge die Hand, und stand auf, um ihm ein eben aufgeblühtes Vergißmeinnicht zu holen, das er an einen Zypressenzweig band und ihm brachte. Wunderlich rührte der Abendwind die Wipfel der Kiefern, die jenseits den Ruinen standen. Ihr dumpfes Brausen tönte herüber. Heinrich verbarg sein Gesicht in Tränen an dem Halse des guten Sylvester, und wie er sich wieder erhob, trat eben der Abendstern in voller Glorie über den Wald herüber.

Nach einiger Stille fing Sylvester an: «Ich möcht Euch wohl in Eisenach unter Euren Gespielen gesehn haben. Eure Eltern, die vortreffliche Landgräfin, die biedern Nachbarn Eures Vaters, und der alte Hofkaplan machen eine schöne Gesellschaft aus. Ihre Gespräche müssen frühzeitig auf Euch gewürkt haben, besonders da Ihr das einzige Kind wart. Auch stell ich mir die Gegend äußerst anmutig und bedeutsam vor.»

«Ich lerne», versetzte Heinrich, «meine Gegend erst recht kennen, seit ich weg bin und viele andre Gegenden gesehn habe. Jede Pflanze, jeder Baum, jeder Hügel und Berg hat seinen besondern Gesichtskreis, seine eigentümliche Gegend. Sie gehört zu ihm, und sein Bau, seine ganze Beschaffenheit wird durch sie erklärt. Nur das Tier und der Mensch können zu allen Gegenden kommen; alle Gegenden sind die Ihrigen. So machen alle zusammen eine große Weltgegend, einen unendlichen Gesichtskreis aus, dessen Einfluß auf den Menschen und das Tier ebenso sichtbar ist, wie der Einfluß der engern Umgebung auf die Pflanze. Daher Menschen, die viel gereist sind, Zugvögel und Raubtiere, unter den übrigen sich durch besondern Verstand und andre wunderbare Gaben und Arten auszeichnen. Doch gibt es auch gewiß mehr oder weniger Fähigkeit unter ihnen, von diesen Weltkreisen und ihrem mannigfaltigen Inhalt und Ordnung gerührt, und gebildet zu

werden. Auch fehlt bei den Menschen wohl manchen die nötige Aufmerksamkeit und Gelassenheit, um den Wechsel der Gegenstände und ihre Zusammenstellung erst gehörig zu betrachten, und dann darüber nachzudenken und die nötigen Vergleichungen anzustellen. Oft fühl ich jetzt, wie mein Vaterland meine frühsten Gedanken mit unvergänglichen Farben angehaucht hat, und sein Bild eine seltsame Andeutung meines Gemüts geworden ist, die ich immer mehr errate, je tiefer ich einsehe, daß Schicksal und Gemüt Namen Eines Begriffs sind.» — «Auf mich», sagte Sylvester, «hat freilich die lebendige Natur, die regsame Überkleidung der Gegend, immer am meisten gewirkt. Ich bin nicht müde geworden, besonders die verschiedene Pflanzennatur auf das sorgfältigste zu betrachten. Die Gewächse sind so die unmittelbarste Sprache des Bodens; jedes neue Blatt, jede sonderbare Blume ist irgend ein Geheimnis, was sich hervordrängt und das, weil es sich vor Liebe und Lust nicht bewegen und nicht zu Worten kommen kann, eine stumme, ruhige Pflanze wird. Findet man in der Einsamkeit eine solche Blume, ist es da nicht, als wäre alles umher verklärt und hielten sich die kleinen befiederten Töne am liebsten in ihrer Nähe auf. Man möchte für Freuden weinen, und abgesondert von der Welt nur seine Hände und Füße in die Erde stecken, um Wurzeln zu treiben und nie diese glückliche Nachbarschaft zu verlassen. Über die ganze trockne Welt ist dieser grüne, geheimnisvolle Teppich der Liebe gezogen. Mit jedem Frühjahr wird er erneuert und seine seltsame Schrift ist nur dem Geliebten lesbar wie der Blumenstrauß des Orients. Ewig wird er lesen und sich nicht satt lesen und täglich neue Bedeutungen, neue entzückendere Offenbarungen der liebenden Natur gewahr werden. Dieser unendliche Genuß ist der geheime Reiz, den die Begehung der Erdfläche für mich hat, indem mir jede Gegend andre Rätsel löst, und mich immer mehr erraten läßt, woher der Weg komme und wohin er gehe.»

«Ja», sagte Heinrich, «wir haben von Kinderjahren angefangen zu reden, und von der Erziehung, weil wir in Eurem Garten waren und die eigentliche Offenbarung der Kindheit, die unschuldige Blumenwelt, unmerklich in unser Gedächtnis und auf unsre Lippen die Erinnerung der alten Blumenschaft brachte. Mein Vater ist auch ein großer Freund des Gartenlebens und die glücklichsten Stunden seines Lebens bringt er unter den Blumen zu. Dies hat auch gewiß seinen Sinn für die Kinder so offen erhalten, da Blumen die Ebenbilder der Kinder sind. Den vollen Reichtum des unendlichen Lebens, die gewaltigen Mächte der spätern Zeit, die Herrlichkeit des Weltendes und die goldne Zukunft aller Dinge sehn wir hier noch innig ineinander geschlungen, aber doch auf das deutlichste und klarste in zarter Verjüngung. Schon

treibt die allmächtige Liebe, aber sie zündet noch nicht. Es ist keine verzehrende Flamme; es ist ein zerrinnender Duft; und so innig die Vereinigung der zärtlichen Seelen auch ist, so ist sie doch von keiner heftigen Bewegung und [k]einer fressenden Wut begleitet, wie bei den Tieren. So ist die Kindheit in der Tiefe zunächst an der Erde, da hingegen die Wolken vielleicht die Erscheinungen der zweiten, höhern Kindheit, des wiedergefundnen Paradieses sind, und darum so wohltätig auf die Erstere heruntertauen.»

«Es ist gewiß etwas sehr Geheimnisvolles in den Wolken», sagte Sylvester, «und eine gewisse Bewölkung hat oft einen ganz wunderbaren Einfluß auf uns. Sie ziehn und wollen uns mit ihrem kühlen Schatten auf und davon nehmen, und wenn ihre Bildung lieblich und bunt, wie ein ausgehauchter Wunsch unsers Innern ist, so ist auch ihre Klarheit, das herrliche Licht, was dann auf Erden herrscht, wie die Vorbedeutung einer unbekannten, unsäglichen Herrlichkeit. Aber es gibt auch düstre und ernste und entsetzliche Umwölkungen, in denen alle Schrecken der alten Nacht zu drohen scheinen. Nie scheint sich der Himmel wieder aufheitern zu wollen, das heitre Blau ist vertilgt, und ein fahles Kupferrot auf schwarzgrauem Grunde weckt Grauen und Angst in jeder Brust. Wenn dann die verderblichen Strahlen herunterzucken und mit höhnischem Gelächter die schmetternden Donnerschläge hinterdreinfallen, so werden wir bis ins Innerste beängstigt, und wenn in uns dann nicht das erhabne Gefühl unsrer sittlichen Obermacht entsteht, so glauben wir den Schrecknissen der Hölle, der Gewalt böser Geister überliefert zu sein.

Es sind Nachhalle der alten unmenschlichen Natur, aber auch weckende Stimmen der höhern Natur, des himmlischen Gewissens in uns. Das Sterbliche dröhnt in seinen Grundvesten, aber das Unsterbliche fängt heller zu leuchten an und erkennt sich selbst.»

«Wann wird es doch», sagte Heinrich, «gar keiner Schrecken, keiner Schmerzen, keiner Not und keines Übels mehr im Weltall bedürfen?»

«Wenn es nur Eine Kraft gibt — die Kraft des Gewissens — Wenn die Natur züchtig und sittlich geworden ist. Es gibt nur Eine Ursache des Übels — die allgemeine *Schwäche*, und diese Schwäche ist nichts, als geringe sittliche Empfänglichkeit, und Mangel an Reiz der Freiheit.»

«Macht mir doch die Natur des Gewissens begreiflich.»

«Wenn ich das könnte, so wär ich Gott, denn indem man das Gewissen begreift, entsteht es. Könnt Ihr mir das Wesen der Dichtkunst begreiflich machen?»

«Etwas Persönliches läßt sich nicht bestimmt abfragen.»

«Wie viel weniger also das Geheimnis der höchsten Unteilbarkeit. Läßt sich Musik dem Tauben erklären?»

«Also wäre der Sinn ein Anteil an der neuen durch ihn eröffneten Welt selbst? Man verstünde die Sache nur, wenn man sie hätte?»

«Das Weltall zerfällt in unendliche, immer von größern Welten wieder befaßte Welten. Alle Sinne sind am Ende Ein Sinn. Ein Sinn führt wie Eine Welt allmählich zu allen Welten. Aber alles hat seine Zeit, und seine Weise. Nur die Person des Weltalls vermag das Verhältnis unsrer Welt einzusehn. Es ist schwer zu sagen, ob wir innerhalb der sinnlichen Schranken unsers Körpers wirklich unsre Welt mit neuen Welten, unsre Sinne mit neuen Sinnen vermehren können, oder ob jeder Zuwachs unsrer Erkenntnis, jede neuerworbene Fähigkeit nur zur Ausbildung unsers gegenwärtigen Weltsinns zu rechnen ist.»

«Vielleicht ist beides Eins», sagte Heinrich. «Ich weiß nur so viel, daß für mich die Fabel Gesamtwerkzeug meiner gegenwärtigen Welt ist. Selbst das Gewissen, diese Sinn und Welten erzeugende Macht, dieser Keim aller Persönlichkeit, erscheint mir, wie der Geist des Weltgedichts, wie der Zufall der ewigen romantischen Zusammenkunft, des unendlich veränderlichen Gesamtlebens.»

«Werter Pilger», versetzte Sylvester, «das Gewissen erscheint in jeder ernsten Vollendung, in jeder gebildeten Wahrheit. Jede durch Nachdenken zu einem Weltbild umgearbeitete Neigung und Fertigkeit wird zu einer Erscheinung, zu einer Verwandlung des Gewissens. Alle Bildung führt zu dem, was man nicht anders, wie Freiheit nennen kann, ohnerachtet damit nicht ein bloßer Begriff, sondern der schaffende Grund alles Daseins bezeichnet werden soll. Diese Freiheit ist Meisterschaft. Der Meister übt freie Gewalt nach Absicht und in bestimmter und überdachter Folge aus. Die Gegenstände seiner Kunst sind sein, und stehn in seinem Belieben und er wird von ihnen nicht gefesselt oder gehemmt. Und gerade diese allumfassende Freiheit, Meisterschaft oder Herrschaft ist das Wesen, der Trieb des Gewissens. In ihm offenbart sich die heilige Eigentümlichkeit, das unmittelbare Schaffen der Persönlichkeit, und jede Handlung des Meisters ist zugleich Kundwerdung der hohen, einfachen, unverwickelten Welt — Gottes Wort.»

«Also ist auch das was ehemals, wie mich däucht, Tugendlehre genannt wurde, nur die Religion, als Wissenschaft, die sogenannte Theologie im eigentlichsten Sinn? Nur eine Gesetzordnung, die sich zur Gottesverehrung verhält, wie die Natur zu Gott? Ein Wortbau, eine Gedankenfolge, die die Oberwelt bezeichnet, vorstellt und sie auf einer gewissen Stufe der Bildung vertritt? Die Religion für das Vermögen der Einsicht und des Urteils, der Richtspruch, das Gesetz der Auflösung und Bestimmung aller möglichen Verhältnisse eines persönlichen Wesens?»

«Allerdings ist das Gewissen», sagte Sylvester, «der eingeborne Mittler jedes Menschen. Es vertritt die Stelle Gottes auf Erden, und ist daher so Vielen das Höchste und Letzte. Aber wie entfernt war die bisherige Wissenschaft, die man Tugend- oder Sittenlehre nannte, von der reinen Gestalt dieses erhabenen, weitumfassenden persönlichen Gedankens. Das Gewissen ist der Menschen eigenstes Wesen in voller Verklärung, der himmlische Urmensch. Es ist nicht dies und jenes, es gebietet nicht in allgemeinen Sprüchen, es besteht nicht aus einzelnen Tugenden. Es gibt nur Eine Tugend — den reinen, ernsten Willen, der im Augenblick der Entscheidung unmittelbar sich entschließt und wählt. In lebendiger, eigentümlicher Unteilbarkeit bewohnt es und beseelt es das zärtliche Sinnbild des menschlichen Körpers, und vermag alle geistigen Gliedmaßen in die wahrhafteste Tätigkeit zu versetzen.»

«O! trefflicher Vater», unterbrach ihn Heinrich, «mit welcher Freude erfüllt mich das Licht, was aus Euren Worten ausgeht. Also ist der wahre Geist der Fabel eine freundliche Verkleidung des Geistes der Tugend, und der eigentliche Zweck der untergeordneten Dichtkunst, die Regsamkeit des höchsten, eigentümlichsten Daseins. Eine überraschende Selbstheit ist zwischen einem wahrhaften Liede und einer edeln Handlung. Das müßige Gewissen in einer glatten, nicht widerstehenden Welt wird zum fesselnden Gespräch, zur alleserzählenden Fabel. In den Fluren und Hallen dieser Urwelt lebt der Dichter, und die Tugend ist der Geist seiner irdischen Bewegungen und Einflüsse. So wie diese die unmittelbar wirkende Gottheit unter den Menschen und das wunderbare Widerlicht der höhern Welt ist, so ist es auch die Fabel. Wie sicher kann nun der Dichter den Eingebungen seiner Begeisterung oder, wenn auch er einen höhern überirdischen Sinn hat, höherer Wesen folgen und sich seinem Berufe mit kindlicher Demut überlassen. Auch in ihm redet die höhere Stimme des Weltalls und ruft mit bezaubernden Sprüchen in erfreulichere, bekanntere Welten. Wie sich die Religion zur Tugend verhält, so die Begeisterung zur Fabellehre, und wenn in heiligen Schriften die Geschichten der Offenbarung aufbehalten sind, so bildet in den Fabellehren das Leben einer höhern Welt sich in wunderbarentstandnen Dichtungen auf mannigfache Weise ab. Fabel und Geschichte begleiten sich in den innigsten Beziehungen auf den verschlungensten Pfaden und in den seltsamsten Verkleidungen, und die Bibel und die Fabellehre sind Sternbilder Eines Umlaufs.»

«Ihr redet völlig wahr», sagte Sylvester, «und nun wird es Euch wohl begreiflich sein, daß die ganze Natur nur durch den Geist der Tugend besteht und immer beständiger werden soll. Er ist das allzünden-

de, allbelebende Licht innerhalb der irdischen Umfassung. Vom Stern-
himmel, diesem erhabenen Dom des Steinreichs, bis zu dem krausen
Teppich einer bunten Wiese wird alles durch ihn erhalten, durch ihn
mit uns verknüpft, und uns verständlich gemacht, und durch ihn die
unbekannte Bahn der unendlichen Naturgeschichte bis zur Verklärung
fortgeleitet.»

«Ja und Ihr habt vorher so schön für mich die Tugend an die Reli-
gion angeschlossen. Alles, was die Erfahrung und die irdische Wirk-
samkeit begreift macht den Bezirk des Gewissens aus, welches diese
Welt mit höhern Welten verbindet. Bei höhern Sinnen entsteht Reli-
gion und was vorher unbegreifliche Notwendigkeit unserer innersten
Natur schien, ein Allgesetz ohne bestimmten Inhalt, wird nun zu einer
wunderbaren, einheimischen unendlich mannigfaltigen und durchaus
befriedigenden Welt, zu einer unbegreiflich innigen Gemeinschaft al-
ler Seligen in Gott, und zur vernehmlichen, vergötternden Gegenwart
des allerpersönlichsten Wesens, oder seines Willens, seiner Liebe in
unserm tiefsten Selbst.»

«Die Unschuld Eures Herzens macht Euch zum Propheten», erwi-
derte Sylvester. «Euch wird alles verständlich werden, und die Welt
und ihre Geschichte verwandelt sich Euch in die Heilige Schrift, so-
wie Ihr an der Heiligen Schrift das große Beispiel habt, wie in einfa-
chen Worten und Geschichten das Weltall offenbart werden kann;
wenn auch nicht gerade zu, doch mittelbar durch Anregung und Er-
weckung höherer Sinne.

Mich hat die Beschäftigung mit der Natur dahin geführt, wohin
Euch die Lust und Begeisterung der Sprache gebracht hat. Kunst und
Geschichte hat mich die Natur kennen gelehrt. Meine Eltern wohnten
in Sizilien unweit dem weltberühmten Berge Aetna. Ein bequemes
Haus von vormaliger Bauart, welches verdeckt von uralten Kastanien-
bäumen, dicht an den felsigen Ufern des Meers, die Zierde eines mit
mannigfaltigen Gewächsen besetzten Gartens ausmachte, war ihre
Wohnung. In der Nähe lagen viele Hütten, in denen sich Fischer, Hir-
ten und Winzer aufhielten. Unsre Kammern und Keller waren mit
allem, was das Leben erhält und erhöht, reichlich versehn und unser
Hausgeräte ward durch wohlerdachte Arbeit auch den verborgenen
Sinnen angenehm. Es fehlte auch sonst nicht an mannigfaltigen Ge-
genständen, deren Betrachtung und Gebrauch das Gemüt über das ge-
wöhnliche Leben und seine Bedürfnisse erhoben und es zu einem an-
gemessenern Zustande vorzubereiten, ihm den lautern Genuß seiner
vollen eigentümlichen Natur zu versprechen und zu gewähren schie-
nen. Man sah steinerne Menschenbilder, mit Geschichten bemalte Ge-
fäße, kleinere Steine mit den deutlichsten Figuren, und andere Gerät-

schaften mehr, die aus andern und erfreulicheren Zeiten zurückgeblieben sein mochten. Auch lagen in Fächern übereinander viele Pergamentrollen, auf denen in langen Reihen Buchstaben die Kenntnisse und Gesinnungen, die Geschichten und Gedichte jener Vergangenheit in anmutigen und künstlichen Ausdrücken bewahrt standen. Der Ruf meines Vaters, den er sich als ein geschickter Sterndeuter zuwege brachte, zog ihm zahlreiche Anfragen, und Besuche, selbst aus entlegenern Ländern, zu, und da das Vorwissen der Zukunft den Menschen eine sehr seltne und köstliche Gabe dünkt, so glaubten sie ihre Mitteilungen gut belohnen zu müssen, so daß mein Vater durch die erhaltnen Geschenke in den Stand gesetzt wurde, die Kosten seiner bequemen und genußreichen Lebensart hinreichend bestreiten zu können.»

Weiter ist der Verfasser nicht in Ausarbeitung dieses zweiten Teils ge-
kommen. Diesen nannte er ‹die Erfüllung›, so wie den ersten ‹Erwar-
tung›, weil hier alles aufgelöst, und erfüllt werden sollte, was jener
hatte ahnden lassen. Es war die Absicht des Dichters, nach Vollendung
des ‹Ofterdingen› noch sechs Romane zu schreiben, in denen er seine
Ansichten der Physik, des bürgerlichen Lebens, der Handlung, der Ge-
schichte, der Politik und der Liebe, so wie im ‹Ofterdingen› der Poesie
niederlegen wollte. Ohne mein Erinnern wird der unterrichtete Leser
sehn, daß der Verfasser sich in diesem Gedichte nicht genau an die Zeit,
oder an die Person jenes bekannten Minnesängers gebunden hat, ob-
gleich alles an ihn und sein Zeitalter erinnern soll. Nicht nur für die
Freunde des Verfassers, sondern für die Kunst selbst, ist es ein uner-
setzlicher Verlust, daß er diesen Roman nicht hat beendigen können,
dessen Originalität und große Absicht sich im zweiten Teile noch mehr
als im ersten würde gezeigt haben. Denn es war ihm nicht darum zu
tun, diese oder jene Begebenheit darzustellen, eine Seite der Poesie
aufzufassen, und sie durch Figuren und Geschichten zu erklären, son-
dern er wollte, wie auch schon im letzten Kapitel des ersten Teils be-
stimmt angedeutet ist, das eigentliche Wesen der Poesie aussprechen
und ihre innerste Absicht erklären. Darum verwandelt sich Natur,
Historie, der Krieg und das bürgerliche Leben mit seinen gewöhn-
lichsten Vorfällen in Poesie, weil diese der Geist ist, der alle Dinge be-
lebt.

Ich will den Versuch machen, soviel es mir aus Gesprächen mit mei-
nem Freunde erinnerlich ist, und soviel ich aus seinen hinterlassenen
Papieren ersehen kann, dem Leser einen Begriff von dem Plan und
dem Inhalte des zweiten Teiles dieses Werkes zu verschaffen.

Dem Dichter, welcher das Wesen seiner Kunst im Mittelpunkt er-
griffen hat, erscheint nichts widersprechend und fremd, ihm sind die
Rätsel gelöst, durch die Magie der Phantasie kann er alle Zeitalter
und Welten verknüpfen, die Wunder verschwinden und alles verwan-
delt sich in Wunder: so ist dieses Buch gedichtet, und besonders findet
der Leser in dem Märchen, welches den ersten Teil beschließt, die kühn-
sten Verknüpfungen; hier sind alle Unterschiede aufgehoben, durch
welche Zeitalter voneinander getrennt erscheinen, und eine Welt der
andern als feindselig begegnet. Durch dieses Märchen wollte sich der
Dichter hauptsächlich den Übergang zum zweiten Teile machen, in
welchem die Geschichte unaufhörlich aus dem Gewöhnlichsten in das
Wundervollste überschweift, und sich beides gegenseitig erklärt und
ergänzt; der Geist, welcher den Prolog in Versen hält, sollte nach je-

dem Kapitel wiederkehren, und diese Stimmung, diese wunderbare Ansicht der Dinge fortsetzen. Durch dieses Mittel blieb die unsichtbare Welt mit dieser sichtbaren in ewiger Verknüpfung. Dieser entsprechende Geist ist die Poesie selber, aber zugleich der siderische Mensch, der mit der Umarmung Heinrichs und Mathildens geboren ist. In folgendem Gedichte, welches seine Stelle im «Ofterdingen» finden sollte, hat der Verfasser auf die leichteste Weise den innern Geist seiner Bücher ausgedrückt:

> Wenn nicht mehr Zahlen und Figuren
> Sind Schlüssel aller Kreaturen,
> Wenn die, so singen oder küssen,
> Mehr als die Tiefgelehrten wissen,
> Wenn sich die Welt in's freie Leben,
> Und in die Welt wird zurück begeben,
> Wenn dann sich wieder Licht und Schatten
> Zu echter Klarheit werden gatten,
> Und man in Märchen und Gedichten
> Erkennt die ewgen Weltgeschichten,
> Dann fliegt vor Einem geheimen Wort
> Das ganze verkehrte Wesen fort.

Der Gärtner, welchen Heinrich spricht, ist derselbe alte Mann, der schon einmal Ofterdingens Vater aufgenommen hatte, das junge Mädchen, welche Cyane heißt, ist nicht sein Kind, sondern die Tochter des Grafen von Hohenzollern, sie ist aus dem Morgenlande gekommen, zwar früh, aber doch kann sie sich ihrer Heimat erinnern, sie hat lange in Gebirgen, in welchen sie von ihrer verstorbenen Mutter erzogen ist, ein wunderliches Leben geführt: einen Bruder hat sie früh verloren, einmal ist sie selbst in einem Grabgewölbe dem Tode sehr nahe gewesen, aber hier hat sie ein alter Arzt auf eine seltsame Weise vom Tode errettet. Sie ist heiter und freundlich und mit dem Wunderbaren sehr vertraut. Sie erzählt dem Dichter seine eigene Geschichte, als wenn sie dieselbe einst von ihrer Mutter so gehört hätte. — Sie schickt ihn nach einem entlegenen Kloster, dessen Mönche als eine Art von Geisterkolonie erscheinen, alles ist hier wie eine mystische, magische Loge. Sie sind die Priester des heiligen Feuers in jungen Gemütern. Er hört den fernen Gesang der Brüder; in der Kirche selbst hat er eine Vision. Mit einem alten Mönch spricht Heinrich über Tod und Magie, er hat Ahndungen vom Tode und dem Stein der Weisen; er besucht den Klostergarten und den Kirchhof; über den letztern findet sich folgendes Gedicht:

Lobt doch unsre stillen Feste,
Unsre Gärten, unsre Zimmer,
Das bequeme Hausgeräte,
Unser Hab' und Gut.
Täglich kommen neue Gäste,
Diese früh, die andern späte,
Auf den weiten Herden immer
Lodert neue Lebens-Glut.

Tausend zierliche Gefäße
Einst betaut mit tausend Tränen,
Goldne Ringe, Sporen, Schwerter,
Sind in unserm Schatz:
Viel Kleinodien und Juwelen
Wissen wir in dunkeln Höhlen,
Keiner kann den Reichtum zählen,
Zählt' er auch ohn' Unterlaß.

Kinder der Vergangenheiten,
Helden aus den grauen Zeiten,
Der Gestirne Riesengeister,
Wunderlich gesellt,
Holde Frauen, ernste Meister,
Kinder und verlebte Greise
Sitzen hier in Einem Kreise,
Wohnen in der alten Welt.

Keiner wird sich je beschweren,
Keiner wünschen fortzugehen,
Wer an unsern vollen Tischen
Einmal fröhlich saß.
Klagen sind nicht mehr zu hören,
Keine Wunden mehr zu sehen,
Keine Tränen abzuwischen;
Ewig läuft das Stundenglas.

Tiefgerührt von heilger Güte
Und versenkt in selges Schauen
Steht der Himmel im Gemüte,
Wolkenloses Blau;

Lange fliegende Gewande
Tragen uns durch Frühlingsauen,
Und es weht in diesem Lande
Nie ein Lüftchen kalt und rauh.

Süßer Reiz der Mitternächte,
Stiller Kreis geheimer Mächte,
Wollust rätselhafter Spiele,
Wir nur kennen euch.
Wir nur sind am hohen Ziele,
Bald in Strom uns zu ergießen
Dann in Tropfen zu zerfließen
Und zu nippen auch zugleich.

Uns ward erst die Liebe, Leben;
Innig wie die Elemente
Mischen wir des Daseins Fluten,
Brausend Herz mit Herz.
Lüstern scheiden sich die Fluten,
Denn der Kampf der Elemente
Ist der Liebe höchstes Leben,
Und des Herzens eignes Herz.

Leiser Wünsche süßes Plaudern
Hören wir allein, und schauen
Immerdar in selge Augen,
Schmecken nichts als Mund und Kuß.
Alles was wir nur berühren
Wird zu heißen Balsamfrüchten,
Wird zu weichen zarten Brüsten,
Opfern kühner Lust.

Immer wächst und blüht Verlangen
Am Geliebten festzuhangen,
Ihn im Innern zu empfangen,
Eins mit ihm zu sein,
Seinem Durste nicht zu wehren,
Sich im Wechsel zu verzehren,
Voneinander sich zu nähren,
Voneinander nur allein.

So in Lieb' und hoher Wollust
Sind wir immerdar versunken,
Seit der wilde trübe Funken
Jener Welt erlosch;
Seit der Hügel sich geschlossen,
Und der Scheiterhaufen sprühte,
Und dem schauernden Gemüte
Nun das Erdgesicht zerfloß.

Zauber der Erinnerungen,
Heilger Wehmut süße Schauer
Haben innig uns durchklungen,
Kühlen unsre Glut.
Wunden gibt's, die ewig schmerzen,
Eine göttlich tiefe Trauer
Wohnt in unser aller Herzen,
Löst uns auf in Eine Flut.

Und in dieser Flut ergießen
Wir uns auf geheime Weise
In den Ozean des Lebens
Tief in Gott hinein;
Und aus seinem Herzen fließen
Wir zurück zu unserm Kreise,
Und der Geist des höchsten Strebens
Taucht in unsre Wirbel ein.

Schüttelt eure goldnen Ketten
Mit Smaragden und Rubinen,
Und die blanken saubern Spangen,
Blitz und Klang zugleich.
Aus des feuchten Abgrunds Betten,
Aus den Gräbern und Ruinen,
Himmelsrosen auf den Wangen
Schwebt in's bunte Fabelreich.

Könnten doch die Menschen wissen,
Unsre künftigen Genossen,
Daß bei allen ihren Freuden
Wir geschäftig sind:

Jauchzend würden sie verscheiden,
Gern das bleiche Dasein missen, —
O! die Zeit ist bald verflossen,
Kommt Geliebte doch geschwind!

Helft uns nur den Erdgeist binden,
Lernt den Sinn des Todes fassen
Und das Wort des Lebens finden;
Einmal kehrt euch um.
Deine Macht muß bald verschwinden,
Dein erborgtes Licht verblassen,
Werden dich in kurzem binden,
Erdgeist, deine Zeit ist um.

Dieses Gedicht war vielleicht wiederum ein Prolog zu einem zweiten Kapitel. Jetzt sollte sich eine ganz neue Periode des Werkes eröffnen, aus dem stillsten Tode sollte sich das höchste Leben hervortun; er hat unter Toten gelebt und selbst mit ihnen gesprochen, das Buch sollte fast dramatisch werden, und der epische Ton gleichsam nur die einzelnen Szenen verknüpfen und leicht erklären. Heinrich befindet sich plötzlich in dem unruhigen Italien, das von Kriegen zerrüttet wird, er sieht sich als Feldherr an der Spitze eines Heeres. Alle Elemente des Krieges spielen in poetischen Farben; er überfällt mit einem flüchtigen Haufen eine feindliche Stadt, hier erscheint als Episode die Liebe eines vornehmen Pisaners zu einem florentinischen Mädchen. Kriegslieder. «Ein großer Krieg, wie ein Zweikampf, durchaus edel, philosophisch, human. Geist der alten Chevalerie. Ritterspiel. Geist der bacchischen Wehmut. — Die Menschen müssen sich selbst untereinander töten, das ist edler als durch das Schicksal fallen. Sie suchen den Tod. — Ehre, Ruhm ist des Kriegers Lust und Leben. Im Tode und als Schatten lebt der Krieger. Todeslust ist Kriegergeist. — Auf Erden ist der Krieg zu Hause. Krieg muß auf Erden sein.» — In Pisa findet Heinrich den Sohn des Kaisers Friedrich des Zweiten, der sein vertrauter Freund wird. Auch nach Loretto kömmt er. Mehrere Lieder sollten hier folgen.

Von einem Sturm wird der Dichter nach Griechenland verschlagen. Die alte Welt mit ihren Helden und Kunstschätzen erfüllt sein Gemüt. Er spricht mit einem Griechen über die Moral. Alles wird ihm aus jener Zeit gegenwärtig, er lernt die alten Bilder und die alte Geschichte verstehn. Gespräche über die griechischen Staatsverfassungen; über Mythologie.

Nachdem Heinrich die Heldenzeit und das Altertum hat verstehen lernen, kommt er nach dem Morgenlande, nach welchem sich von Kind-

heit auf seine Sehnsucht gerichtet hatte. Er besucht Jerusalem; er lernt orientalische Gedichte kennen. Seltsame Begebenheiten mit den Ungläubigen halten ihn in einsamen Gegenden zurück, er findet die Familie des morgenländischen Mädchens (s. den I. Teil); die dortige Lebensweise einiger nomadischen Stämme. Persische Märchen. Erinnerungen aus der ältesten Welt. Immer sollte das Buch unter den verschiedensten Begebenheiten denselben Farben-Charakter behalten, und an die blaue Blume erinnern: durchaus sollten zugleich die entferntesten und verschiedenartigsten Sagen verknüpft werden, griechische, orientalische, biblische und christliche, mit Erinnerungen und Andeutung der indischen wie der nordischen Mythologie. Die Kreuzzüge. Das Seeleben. Heinrich geht nach Rom. Die Zeit der römischen Geschichte.

Mit Erfahrungen gesättigt kehrt Heinrich nach Deutschland zurück. Er findet seinen Großvater, einen tiefsinnigen Charakter, Klingsohr ist in seiner Gesellschaft. Abendgespräche mit den beiden.

Heinrich begibt sich an den Hof Friedrichs, er lernt den Kaiser persönlich kennen. Der Hof sollte eine sehr würdige Erscheinung machen, die Darstellung der besten, größten und wunderbarsten Menschen aus der ganzen Welt versammelt, deren Mittelpunkt der Kaiser selbst ist. Hier erscheint die größte Pracht, und die wahre große Welt. Deutscher Charakter und Deutsche Geschichte werden deutlich gemacht. Heinrich spricht mit dem Kaiser über Regierung, über Kaisertum, dunkle Reden von Amerika und Ost-Indien. Die Gesinnungen eines Fürsten. Mystischer Kaiser. Das Buch *de tribus impostoribus*.

Nachdem nun Heinrich auf eine neue und größere Weise als im ersten Teile, in der *Erwartung,* wiederum die Natur, Leben und Tod, Krieg, Morgenland, Geschichte und Poesie erlebt und erfahren hat, kehrt er wie in eine alte Heimat in sein Gemüt zurück. Aus dem Verständnis der Welt und seiner selbst entsteht der Trieb zur Verklärung: die wunderbarste Märchenwelt tritt nun ganz nahe, weil das Herz ihrem Verständnis völlig geöffnet ist.

In der Manessischen Sammlung der Minnesinger finden wir einen ziemlich unverständlichen Wettgesang des Heinrich von Ofterdingen und Klingsohr mit andern Dichtern: statt dieses Kampfspieles wollte der Verfasser einen andern seltsamen poetischen Streit darstellen, den Kampf des guten und bösen Prinzips in Gesängen der Religion und Irreligion, die unsichtbare Welt der sichtbaren entgegengestellt. «In bacchischer Trunkenheit wetten die Dichter aus Enthusiasmus um den Tod.» Wissenschaften werden poetisiert, auch die Mathematik streitet mit. Indianische Pflanzen werden besungen: Indische Mythologie in neuer Verklärung.

Dieses ist der letzte Akt Heinrichs auf Erden, der Übergang zu sei-

ner eignen Verklärung. Dieses ist die Auflösung des ganzen Werks, die *Erfüllung* des Märchens, welches den ersten Teil beschließt. Auf die übernatürlichste und zugleich natürlichste Weise wird alles erklärt und vollendet, die Scheidewand zwischen Fabel und Wahrheit, zwischen Vergangenheit und Gegenwart ist eingefallen: Glauben, Phantasie, Poesie schließen die innerste Welt auf.

Heinrich kommt in Sophiens Land, in eine Natur, wie sie sein könnte, in eine allegorische, nachdem er mit Klingsohr über einige sonderbare Zeichen und Ahndungen gesprochen hat. Diese erwachen hauptsächlich bei einem alten Liede, welches er zufällig singen hört, in welchem ein tiefes Wasser an einer verborgenen Stelle beschrieben wird. Durch diesen Gesang erwachen längstvergessene Erinnerungen, er geht nach dem Wasser und findet einen kleinen goldenen Schlüssel, welchen ihm vor Zeiten ein Rabe geraubt hatte, und den er niemals hatte wiederfinden können. Diesen Schlüssel hatte ihm bald nach Mathildens Tode ein alter Mann gegeben, mit dem Bedeuten, er solle ihn zum Kaiser bringen, der würde ihm sagen, was damit zu tun sei. Heinrich geht zum Kaiser, welcher hocherfreut ist und ihm eine alte Urkunde gibt, in welcher geschrieben steht, daß der Kaiser sie einem Manne zum Lesen geben sollte, welcher ihm einst einen goldenen Schlüssel zufällig bringen würde, dieser Mann würde an einem verborgenen Orte ein altes talismanisches Kleinod, einen Karfunkel zur Krone finden, zu welchem die Stelle noch leer gelassen sei. Der Ort selbst ist auch im Pergament beschrieben. — Nach dieser Beschreibung macht sich Heinrich auf den Weg nach einem Berge, er trifft unterwegs den Fremden, der ihm und seinen Eltern zuerst von der blauen Blume erzählt hatte, er spricht mit ihm über die Offenbarung. Er geht in den Berg hinein und Cyane folgt ihm treulich nach.

Bald kommt er in jenes wunderbare Land, in welchem Luft und Wasser, Blumen und Tiere von ganz verschiedener Art sind, als in unsrer irdischen Natur. Zugleich verwandelt sich das Gedicht stellenweise in ein Schauspiel. «Menschen, Tiere, Pflanzen, Steine und Gestirne, Elemente, Töne, Farben, kommen zusammen wie Eine Familie, handeln und sprechen wie Ein Geschlecht.» — «Blumen und Tiere sprechen über den Menschen.» — «Die Märchenwelt wird ganz sichtbar, die wirkliche Welt selbst wird wie ein Märchen angesehn.» Er findet die blaue Blume, es ist Mathilde, die schläft und den Karfunkel hat, ein kleines Mädchen, sein und Mathildens Kind, sitzt bei einem Sarge, und verjüngt ihn. — «Dieses Kind ist die Urwelt, die goldne Zeit am Ende.» — «Hier ist die christliche Religion mit der heidnischen ausgesöhnt, die Geschichte des Orpheus, der Psyche, und andere werden besungen.» —

Heinrich pflückt die blaue Blume, und erlöst Mathilden von ihrem Zauber, aber sie geht ihm wieder verloren, er erstarrt im Schmerz und wird ein Stein. «Edda (die blaue Blume, die Morgenländerin, Mathilde) opfert sich an dem Steine, er verwandelt sich in einen klingenden Baum. Cyane haut den Baum um, und verbrennt sich mit ihm, er wird ein goldner Widder. Edda, Mathilde muß ihn opfern, er wird wieder ein Mensch. Während dieser Verwandlungen hat er allerlei wunderliche Gespräche.»

Er ist glücklich mit Mathilden, die zugleich die Morgenländerin und Cyane ist. Das froheste Fest des Gemüts wird gefeiert. Alles vorhergehende war Tod. Letzter Traum und Erwachen. «Klingsohr kömmt wieder als König von Atlantis. Heinrichs Mutter ist Phantasie, der Vater ist der Sinn, Schwaning ist der Mond, der Bergmann ist der Antiquar, auch zugleich das Eisen. Kaiser Friedrich ist Arktur. Auch der Graf von Hohenzollern und die Kaufleute kommen wieder.» Alles fließt in eine Allegorie zusammen. Cyane bringt dem Kaiser den Stein, aber Heinrich ist nun selbst der Dichter aus jenem Märchen, welches ihm vordem die Kaufleute erzählten.

Das selige Land leidet nur noch von einer Bezauberung, indem es dem Wechsel der Jahreszeiten unterworfen ist, Heinrich zerstört das Sonnenreich. Mit einem großen Gedicht, wovon nur der Anfang aufgeschrieben ist, sollte das ganze Werk beschlossen werden.

Die Vermählung der Jahreszeiten

Tief in Gedanken stand der neue Monarch. Er gedachte
Jetzt des nächtlichen Traums, und der Erzählungen auch,
Als er zu erst von der himmlischen Blume gehört und getroffen
Still von der Weissagung, mächtige Liebe gefühlt.
Noch dünkt ihm, er höre die tiefeindringende Stimme,
Eben verließe der Gast erst den geselligen Kreis
Flüchtige Schimmer des Mondes erhellten die klappernden Fenster
Und in des Jünglings Brust tobe verzehrende Glut.
«Edda», sagte der König, «was ist des liebenden Herzens
Innigster Wunsch? was ist ihm der unsäglichste Schmerz?
Sag es, wir wollen ihm helfen, die Macht ist unser, und herrlich
Werde die Zeit, nun du wieder den Himmel beglückst.»
«Wären die Zeiten nicht so ungesellig, verbände
Zukunft mit Gegenwart und mit Vergangenheit sich,
Schlösse Frühling sich an Herbst, und Sommer an Winter,
Wäre zu spielenden Ernst Jugend mit Alter gepaart:

Dann mein süßer Gemahl versiegte die Quelle der Schmerzen,
Aller Empfindungen Wunsch wäre dem Herzen gewährt.»
Also die Königin; freudig umschlang sie der schöne Geliebte;
«Ausgesprochen hast du wahrlich ein himmlisches Wort,
Was schon längst auf den Lippen der tiefer Fühlenden schwebte,
Aber den deinigen erst rein und gedeihlich entklang.
Führe man schnell den Wagen herbei, wir holen sie selber,
Erstlich die Zeiten des Jahrs, dann auch des Menschengeschlechts.»

Sie fahren zur Sonne, und holen zuerst den Tag, dann zur Nacht,
dann nach Norden, um den Winter, alsdann nach Süden, um den Som-
mer zu finden, von Osten bringen sie den Frühling, von Westen den
Herbst. Dann eilen sie zur Jugend, dann zum Alter, zur Vergangen-
heit, wie zur Zukunft. —

Dieses ist, was ich dem Leser aus meinen Erinnerungen, und aus
einzelnen Worten und Winken in den Papieren meines Freundes habe
geben können. Die Ausarbeitung dieser großen Aufgabe würde ein
bleibendes Denkmal einer neuen Poesie gewesen sein. Ich habe in die-
ser Anzeige lieber trocken und kurz sein wollen, als in die Gefahr zu
geraten, von meiner Phantasie etwas hinzuzusetzen. Vielleicht rührt
manchen Leser das Fragmentarische dieser Verse und Worte so wie
mich, der nicht mit einer andächtigern Wehmut ein Stückchen von
einem zertrümmerten Bilde des Raffael oder Correggio betrachten
würde. *L. T.*

NOVALIS' LEBENSUMSTÄNDE

[1815]

Die Freunde dieser Schriften haben schon oft gewünscht, einige Nachrichten von den Lebensumständen des Verfassers zu erhalten. Wenn sich auch in wenigen Büchern das Gemüt des Verfassers so klar und rein abspiegelt wie in dem seinigen, so ist es doch natürlich, daß der Leser etwas von den äußeren Umgebungen und den Schicksalen des Autors zu erfahren wünscht, welchen er liebt, und diejenigen Freunde des Novalis, welche ihn nicht persönlich gekannt haben, mögen also nachsichtsvoll die wenigen Nachrichten aufnehmen, die ich aus den Erinnerungen eines zwar vertrauten aber nur kurzen Umganges mit dem Verewigten sammeln kann.

Der Baron von Hardenberg, der Vater des Verfassers, war Direktor der Sächsischen Salinen. In der Jugend war er Soldat gewesen, und behielt auch im Alter eine Vorliebe für diesen Stand. Er war ein rüstiger, unermüdet tätiger Mann von offenem, starkem Charakter, ein echter Deutscher. Sein frommer Sinn machte ihn zum Mitglied der Herrnhutischen Gemeine, doch blieb sein Wesen heiter, derb und bieder. Seine Mutter gehörte zu derselben frommen Gemeine, ein Muster edler Frömmigkeit und christlicher Milde, mit welchen sie in der schönsten Ergebenheit das Schicksal trug, in wenigen Jahren einen Kreis von blühenden, gebildeten und hoffnungsreichen Kindern aussterben zu sehn.

Am 2. Mai im Jahre 1772 ward Friedrich von Hardenberg (Novalis) auf einem Familiengute in der Grafschaft Mansfeld geboren. Eine Schwester ausgenommen, welche ein Jahr früher geboren wurde, war er der älteste von elf Geschwistern. Die Familie bestand aus sieben Söhnen und vier Töchtern, welche alle durch Geist und Gemüt ausgezeichnet waren, und welche die schönste und freiste Liebe verband und sie mit eben dieser freien Liebe, so daß jeder sich seiner Eigentümlichkeit bewußt blieb, den Eltern verknüpfte. Friedrich von Hardenberg war in seinen ersten Kinderjahren sehr schwächlich, doch ohne an eigentlichen oder schweren Krankheiten zu leiden. Er war träumerisch still und verriet nur wenig Geist, er entfernte sich von andern Knaben, und nur die außerordentliche Liebe, mit welcher er sich ganz seiner Mutter hingab, zeichnete ihn vor seinen andern Geschwistern aus. Diese Mutter, die ältere Schwester und zwei Brüder, die nur wenig jünger waren als er, waren seine einzigen Gesellschafter. Im neunten Jahr

überfiel ihn eine gefährliche Ruhr, die eine völlige Atonie des Magens zur Folge hatte, welche nur durch eine langwierige Kur und die schmerzhaftesten Reizmittel gehoben werden konnte. Nun schien sein Geist wie aus einem Schlafe zu erwachen, und er zeigte sich plötzlich als ein muntres, tätiges und geistreiches Kind. Sein Vater, der durch seine weitläufigen Geschäfte oft abgerufen wurde und viele Zeit seines Lebens auf Reisen zubrachte, mußte den wichtigsten Teil seiner Erziehung der Mutter und den Hofmeistern überlassen. Die sanfte Ruhe, die schöne Religiosität der Mutter, sowie die fromme Stimmung beider Eltern, welche sich natürlich auch dem ganzen Hause mitteilte, machten auf sein Gemüt die tiefsten Eindrücke, welche ihn sein ganzes Leben hindurch beglückten. Er war nun sehr fleißig, so daß er schon im zwölften Jahre ziemliche Kenntnisse im Lateinischen und einige vom Griechischen besaß; Gedichte zu lesen war die Erholung seiner müßigen Stunden. Vor allem liebte er Märchen, und er übte sich schon früh, dergleichen zu erfinden und seinen Brüdern zu erzählen. Ein sonderbares poetisches Spiel setzte er mit diesen einige Jahre fort: jeder von ihnen stellte nämlich einen Genius vor, der eine des Himmels, der andere des Wassers, der dritte der Erde; Sonntags abends erzählte ihnen dann Novalis die mannigfaltigsten und wunderbarsten Begebenheiten aus diesen verschiedenen Reichen. Aus dieser Zeit finden sich auch noch einige Gedichte von ihm.

Er ergab sich einem vielleicht übertriebenen Fleiße und las vorzüglich die Geschichte mit außerordentlicher Begierde. Im Jahr 1789 besuchte er ein Gymnasium, und im Herbst des folgenden Jahres ging er, um zu studieren, nach Jena. Hier blieb er bis 1791, und besuchte nun mit seinem Bruder Erasmus die Universität Leipzig. Im folgenden Jahre [1793] ging er nach Wittenberg und vollendete dort seine Studien.

In diesen Jahren trat, beim Ausbruch des Französischen Krieges, auf einige Zeit eine gewaltsame Unterbrechung ein, indem sich eine plötzliche Kriegslust seiner so gewaltsam bemeisterte, daß nur die vereinten Bitten seiner Eltern und Verwandten ihn wieder beruhigen konnten.

Zur nämlichen Zeit machte er auch Friedrich Schlegels Bekanntschaft, dessen wärmster Freund er bald wurde; auch Fichte lernte er kennen, und diese beiden Geister hatten einen großen und bleibenden Einfluß auf sein ganzes Leben. Er studierte nach einiger Zeit die ‹Wissenschaftslehre› mit unermüdlichem Eifer. Nachdem er Wittenberg verlassen hatte, ging er nach Tennstedt in Thüringen, um sich in praktischen Geschäften unter dem Kreisamtmann Just zu üben. Dieser treffliche Mann wurde bald einer seiner vertrautesten Freunde. Es

war nicht gar lange nach seiner Ankunft in Tennstedt, als er auf einem benachbarten Landgute Sophie von Kühn kennenlernte. Der erste Anblick dieser schönen und wunderbar lieblichen Gestalt entschied für sein ganzes Leben, ja man kann sagen, daß die Empfindung, welche ihn durchdrang und beseelte, der Inhalt seines ganzen Lebens ward. Schon in Kindergestalten prägt sich zuweilen ein Ausdruck ab, den wir, weil er zu holdselig und geistig lieblich ist, überirdisch oder himmlisch nennen müssen, und gewöhnlich befällt uns bei diesen verklärten und fast durchsichtigen Angesichtern die Furcht, daß sie zu zart und feingewebt für dieses Leben sind, daß es der Tod oder die Unsterblichkeit ist, die uns so bedeutend aus den glänzenden Augen anschaut; und nur zu oft macht ein schnelles Hinwelken unsere ahndende Furcht zur Wahrheit. Noch ergreifender sind diese Gestalten, wenn sie die Kindheit glücklich zurückgelegt haben und der Jungfrau entgegenblühen. Alle diejenigen, welche diese wunderbare Geliebte unsers Freundes gekannt haben, kommen darin überein, daß es keine Beschreibung ausdrücken könne, in welcher Grazie und himmlischen Anmut sich dieses überirdische Wesen bewegt und welche Schönheit sie umglänzt, welche Rührung und Majestät sie umkleidet habe. Novalis ward zum Dichter, so oft er nur von ihr sprach. Sie hatte dreizehn Jahre beschlossen, als er sie kennenlernte; der Frühling und der Sommer von 1795 war die Blütezeit seines Lebens; jede Stunde, die er seinen Geschäften abgewinnen konnte, brachte er in Grüningen zu, und im Spätherbst desselben Jahres erhielt er von Sophies Eltern das Jawort für die Zukunft. Bald darauf ward Sophie tödlich krank; an einem Fieber, welches mit Seitenstichen verbunden war, und ob sie gleich nach einigen Wochen wiederhergestellt wurde, so behielt sie doch einen Schmerz in der Seite, der ihr durch seine Unleidlichkeit manche schöne Stunde verdarb. Novalis war durch die Krankheit seiner angebeteten Geliebten sehr angegriffen worden, doch beruhigte ihn nachher die Aussage ihres Arztes, der diese Schmerzen für unbedeutend hielt.

Kurz nach ihrer Genesung ging er nach Weißenfels und wurde bei dem Departement, von welchem sein Vater Direktor war, als Auditor angestellt. Der Winter von 1795 bis 1796 verflog ihm unter Geschäften, und die Nachrichten aus Grüningen waren fast immer beruhigend; im Frühjahre 1796 reisete er einigemal hin und fand seine Braut dem Anschein nach gesund. In dieser Zeit aber war sein Bruder Erasmus erkrankt, so daß er die Studien aufgeben mußte und sich in einer entfernteren Gegend dem Jagd- und Forstwesen widmete. Der nächste Bruder Karl war Soldat und mußte in diesem Frühjahr in das Feld ziehn. So lebte Novalis ruhig in dem Hause seiner Eltern, mit diesen vorzüglich und seinen beiden ältesten Schwestern (die übrigen

Geschwister waren noch unerwachsen), als er im Sommer, in dem er sich der Aussicht auf seine nahende Verbindung mit Sophie erfreute, plötzlich die Nachricht erhielt, daß sie in Jena sei und sich dort habe operieren lassen. Es war ihr Wille gewesen, daß er ihre Krankheit sowie die gefährliche Operation nur wann sie vorüber sei erfahren solle; sie litt an einem gefährlichen Lebergeschwür. Er eilte nach Jena und fand sie sehr leidend, der Arzt, der den Ruf des geschicktesten hatte, ließ nur eine sehr langsame Genesung hoffen, ob es sich gleich zur Besserung anließ. Doch mußte die Operation bald wiederholt werden, und nun fürchtete der Arzt, daß die Kranke nicht Kräfte genug haben möchte, um die Heilung möglich zu machen. Mit hohem Mut und unbeschreiblicher Geduld ertrug Sophie alle diese Leiden; Novalis tröstete sie. Seine Eltern waren zugegen und hofften nichts so sehnlich als die Genesung des liebenswürdigen Wesens, auch seine beiden Brüder waren zurückgekommen, und alle suchten dem Trauernden und der Leidenden hilfreich zu sein. Im Dezember wünschte Sophie wieder nach Grüningen zu reisen. Novalis bat seinen Bruder Erasmus, die Reise mit ihr zu machen, und dieser begleitete sie mit ihrer Mutter und Schwester, welche sie in Jena gepflegt hatten, nach dem Orte ihres Aufenthaltes, worauf er sich wieder nach dem Forstinstitut in Franken zurückbegab.

Novalis war abwechselnd in Weißenfels und Grüningen; er mußte es sich aber mit Schmerzen gestehn, daß er Sophien bei jedem Besuch kränker fand. Am Schluß des Januars 1797 kam auch sein Bruder Erasmus sehr krank nach Weißenfels zurück, und die Stimmung des Hauses war sehr traurig, da man den Tod zweier so innig geliebten Wesen täglich erwarten mußte.

Der 17. März war der fünfzehnte Geburtstag seiner Geliebten, und den 19. gegen Mittag entschlummerte sie in den Armen ihrer Schwester und ihrer treuen, sie innig liebenden Erzieherin, einer Mlle. Danscour. Niemand wagte, diese Nachricht Novalis mitzuteilen, endlich übernahm es sein Bruder Karl. Der Trauernde verschloß sich, und nach drei durchweinten Tagen und Nächten reisete er nach Tennstedt, um dort bei seinen treuen Freunden dem geliebten Orte näher zu sein, der jetzt die Überreste des teuersten Wesens verbarg. Schon am 14. April verließ auch sein Bruder Erasmus diese Welt...

In dieser Zeit lebte Novalis nur seinem Schmerze; es ward ihm natürlich, die sichtbare und unsichtbare Welt nur als eine einzige zu betrachten, und Leben und Tod nur noch durch die Sehnsucht nach diesem zu trennen. Zugleich aber ward ihm auch das Leben ein verklärtes, und sein ganzes Wesen zerfloß wie in einen hellen bewußtlosen Traum eines höheren Daseins. Aus der Heiligkeit des Schmerzes, der

innigen Liebe und der frommen Todessehnsucht erklären sich sein Wesen und alle seine Vorstellungen, auch ist es wohl möglich, daß diese Zeit durch tiefe Trauer den Keim des Todes in ihn pflanzte, wenn es nicht überall schon sein bestimmtes Schicksal war, uns so früh entrissen zu werden.

Er blieb viele Wochen in Thüringen und kam getröstet und wahrhaft verklärt zu seinen Geschäften zurück, die er eifriger als je betrieb, ob er sich gleich als einen Fremdling auf Erden betrachtete. In diese Zeit, einiges früher, vieles später, vorzüglich in den Herbst dieses Jahres, fallen die meisten jener Aufsätze, die wir auszugsweise unter dem Titel ‹Fragmente› dem Publikum mitgeteilt haben, ebenso die ‹Hymnen an die Nacht›.

Im Dezember dieses Jahres [1797] ging er nach Freiberg. Hier erwachte durch Bekanntschaft und Lehre des berühmten Werner seine Liebe zur Physik und zum Bergbau von neuem. Hier lernte er Julie von Charpentier kennen, und vielleicht mag es jeden andern, außer seinen vertrauten Freunden, sonderbar dünken, daß er sich schon im Jahre 1798 mit ihr verlobte. Sophie (wie wir auch aus seinen Werken sehen) blieb der Mittelpunkt seiner Gedanken, als eine Abgeschiedene verehrte er sie fast mehr, als da sie ihm noch sichtbar nahe war, aber er glaubte doch, daß Liebenswürdigkeit und Schönheit ihm gewissermaßen jenen Verlust ersetzen könnten. Er schrieb um diese Zeit ‹Glauben und Liebe›, den ‹Blütenstaub›, auch einige andere Fragmente, wie ‹Die Lehrlinge zu Sais›.

Im Frühjahre 1798 starb Sophiens Erzieherin, wovon Novalis tief gerührt wurde, weil er wußte, daß sie nur aus Sehnsucht zu ihrer geliebten Sophie gestorben sei. Er kehrte bald darauf zu seinem Vater zurück und wurde unter diesem als Assessor und Amtshauptmann des Thüringischen Kreises angestellt.

Jetzt besuchte er wieder Jena fleißig, wo er A. W. Schlegels Bekanntschaft machte und den genialischen Ritter aufsuchte, den er vorzüglich liebte und dessen wunderbares Talent im Experimentieren bewunderte. Im Sommer dieses Jahres sah ich ihn zuerst, als ich meinen Freund Wilh. Schlegel in Jena besuchte, und unsre Bekanntschaft wurde sogleich zur vertrautesten Freundschaft. Es waren schöne Tage, die wir mit Schlegel, Schelling und einigen andern Freunden verlebten. Auf meiner Rückreise besuchte ich ihn in seinem Hause und lernte seine Familie kennen. Hier las er mir ‹Die Lehrlinge zu Sais› und manche seiner Fragmente vor. Er begleitete mich dann nach Halle, und wir genossen in Giebichenstein im Reichardtschen Hause noch einige sehr heitere Stunden. Um diese Zeit war in ihm der erste Gedanken zum ‹Ofterdingen› entstanden. Damals hatte er auch einige von seinen ‹Geistli-

chen Liedern› schon gedichtet, sie sollten einen Teil eines christlichen Gesangbuches ausmachen, welches er mit einer Sammlung von Predigten begleiten wollte. Er war übrigens in seinen Berufsarbeiten sehr fleißig, alles was er tat, tat er mit Liebe, und auch das Geringste war ihm nicht unbedeutend.

Als ich im Herbst 1799 meinen Aufenthalt in Jena nahm und auch Friedrich Schlegel dort wohnte, besuchte uns Novalis bald und sah seine Freunde bald auf kürzere, bald auf längere Zeit. Seine ältere Schwester verheiratete sich in diesem Jahre, und die Hochzeit ward auf einem Gut in der Nähe von Jena gefeiert. Nach dieser Vermählung hielt sich unser Freund lange an einem einsamen Orte in der güldnen Aue in Thüringen, am Fuße des Kyffhäuserberges auf, und in dieser Einsamkeit wurde ein großer Teil des ‹Ofterdingen› ausgearbeitet. Er lebte damals vorzüglich in der Gesellschaft von zwei Männern, eines Schwagers seiner Braut, des jetzigen Generals von Thielmann, und des jetzigen Generals von Funk, den er durch jenen hatte kennenlernen. Der Umgang und die Freundschaft dieses letztern war ihm in mehr als einer Hinsicht wert, er konnte die Bibliothek dieses geistvollen Mannes benutzen, in dessen Chroniken er schon im Frühjahr zuerst auf die Sage von Ofterdingen gestoßen war. Durch die treffliche Biographie des Kaisers Friedrich II. von W. v. Funk ward er für diesen Regenten begeistert, welchen er in seinem Roman als das Muster eines Königs darstellen wollte.

Im Jahre 1800 war Novalis wieder in Weißenfels, und vom 23. Februar schrieb er mir: «Mein Roman ist im vollen Gange. Zwölf gedruckte Bogen sind ohngefähr fertig. Der ganze Plan ruht ziemlich ausgeführt in meinem Kopfe. Es werden zwei Bände werden – der erste ist in drei Wochen hoffentlich fertig. Er enthält die Andeutungen und das Fußgestell des zweiten Teils. Das Ganze soll eine Apotheose der Poesie sein. Heinrich von Ofterdingen wird im ersten Teile zum Dichter reif – und im zweiten als Dichter verklärt. Es wird mancherlei Ähnlichkeit mit dem ‹Sternbald› haben – nur nicht die Leichtigkeit. Doch wird dieser Mangel vielleicht dem Inhalt nicht ungünstig. Es ist ein erster Versuch in jeder Hinsicht – die erste Frucht der bei mir wieder erwachten Poesie, um deren Erstehung Deine Bekanntschaft das größeste Verdienst hat. Unter Spekulanten war ich ganz Spekulation geworden. Es sind einige Lieder darin nach meiner Art. Ich gefalle mir sehr in der eigentlichen Romanze.

Ich werde mannigfachen Nutzen von meinem Roman haben – der Kopf wimmelt mir von Ideen zu Romanen und Lustspielen. Sollt ich Dich bald sehn, so bring ich eine Erzählung und ein Märchen aus meinem Roman zur Probe mit.»

Er kam mit dem ersten Frühjahr zu uns, und bald darauf noch einmal, indem er uns den ersten Teil des ‹Ofterdingen› in derselben Gestalt mitteilte, in welcher ihn das Publikum kennt.

Als ich im Sommer 1800 Jena verließ, besuchte ich wieder meinen Freund auf einige Zeit in seinem väterlichen Hause in Weißenfels. Ich fand ihn wohl und heiter, auch sein Ansehn unverändert, obgleich die Seinigen etwas besorgt waren, und Blässe sowie zunehmende Magerkeit an ihm bemerken wollten. Er selbst war auf seine Diät noch aufmerksamer als sonst, er trank wenigen oder keinen Wein, genoß fast keine Fleischspeisen und nährte sich hauptsächlich von Milch und Vegetabilien. Wir gingen oder ritten täglich spazieren; beim schnellen Hinanklimmen der Hügel, bei jeder auch gewaltsamen Bewegung konnte ich keine Schwäche der Brust oder kürzern Atem an ihm wahrnehmen, und ich suchte daher seine Gewohnheit zu bestreiten, weil ich seine Entwöhnung von Wein und stärkenden Nahrungsmitteln für irrig und falsche Ängstlichkeit hielt. Er war begeistert von Plänen seines künftigen Glücks, seine Wohnung war schon eingerichtet, denn im August wollte er seine Verbindung mit seiner Braut feiern; ebenso gern sprach er von der baldigen Vollendung des ‹Ofterdingen› und anderer Bücher; sein Leben schien sich in die reinste Tätigkeit und Liebe auszubreiten. Als ich von ihm Abschied nahm, konnte ich durchaus nicht ahnen, daß ich ihn nicht wiedersehn würde.

Indem er im August nach Freiberg zu seiner Hochzeit reisen wollte, fing er an, Blut auszuwerfen, welches die Ärzte aber nur für hämorrhoidalisch und unbedeutend erklärten. Doch griff es ihn an und noch mehr, als es sich periodisch wiederholte. Seine Verheiratung wurde aufgeschoben, und im Anfang des Oktober reisete er mit seinem Bruder und seinen Eltern nach Dresden. Diese verließen ihn dort, um ihre verheiratete Tochter in der Oberlausitz zu besuchen; sein Bruder Karl blieb in Dresden mit ihm zurück. Er wurde augenscheinlich schwächer, und als er im Anfang Novembers erfuhr, daß ein jüngerer Bruder von vierzehn Jahren durch Unvorsichtigkeit ertrunken sei, zog ihm der plötzliche Schreck einen heftigen Blutsturz zu, worauf seine Ärzte gleich erklärten, daß sein Übel unheilbar sei. Bald darauf kam seine Braut nach Dresden.

Als er schwächer ward, wünschte er einmal mit großer Sehnsucht, seinen Aufenthalt mit einem südlichen Klima vertauschen zu können: er machte den Plan, zu einem seiner geliebten Freunde, Herbert, welcher in Klagenfurt wohnte, zu reisen; aber die Ärzte widerrieten diese Veränderung, vielleicht weil er schon zu schwach und erschöpft war, um diese Anstrengung ertragen zu können. So verfloß dieses Jahr, und im Januar 1801 wurde der Wunsch, wieder bei seinen Eltern zu sein,

so lebhaft in ihm, daß er Ende dieses Monats sich nach Weißenfels zurückbegab.

Hier wurden die geschicktesten Ärzte von Leipzig und Jena zu Rate gezogen, aber sein Zustand verschlimmerte sich mit jeder Woche, doch war er, wie in seiner ganzen Krankheit, fast ohne Schmerzen. Er arbeitete noch in seinen Geschäften und schrieb außerdem vieles für sich in seinen Heften nieder, auch versuchte er einiges Poetische, so ist z. B. das zweite Sonett unter seinen vermischten Gedichten aus dieser Periode. Er las sehr fleißig in der Bibel, auch vieles von Zinzendorfs und Lavaters Schriften.

Je mehr er sich seinem Ende näherte, um so gewisser hoffte er auf eine baldige Genesung, denn der Husten verminderte sich, und, die Mattigkeit abgerechnet, hatte er kein Gefühl von Krankheit. Mit der Hoffnung und der Sehnsucht zum Leben schien auch neues Talent und frische Kraft in ihm aufzugehn; er dachte mit verjüngter Liebe an alle seine projektierten Arbeiten, er nahm sich vor, den ‹Ofterdingen› ganz von neuem umzuschreiben, und kurz vor seinem Tode sagte er einmal: «Jetzt habe ich erst erfahren, was die Poesie ist, unzählige, und ganz andre Lieder und Gedichte, als die ich bisher geschrieben habe, sind in mir aufgegangen.» — Vom 19. März ab, dem Todestag seiner Sophie, wurde er auffallend schwächer, viele seiner Freunde besuchten ihn, und eine große Freude empfand er, als am 23. März sein treuer und ältester Freund, Friedrich Schlegel, von Jena zu ihm kam. Mit diesem unterhielt er sich viel, vorzüglich über ihre beiderseitigen Arbeiten. In diesen Tagen war er sehr lebhaft, und seine Nächte waren ruhig, auch genoß er eines ziemlich gesunden Schlafes. Am 25. früh um sechs Uhr ließ er sich von seinem Bruder einige Bücher reichen, um etwas nachzuschlagen, dann bestellte er sein Frühstück und sprach mit Munterkeit bis acht; gegen neun Uhr bat er seinen Bruder, ihm auf dem Klavier etwas vorzuspielen, worüber er einschlief. Friedrich Schlegel trat bald darauf in das Zimmer und fand ihn ruhig schlafen, dieser Schlaf währte bis nach zwölf Uhr, worauf er ohne die mindeste Bewegung verschied und unverändert im Tode seine gewöhnliche freundliche Miene hatte, als wenn er noch lebte.

So starb, ehe er noch das neunundzwanzigste Jahr vollendet hatte, unser Freund, an dem man ebensosehr seine ausgebreiteten Kenntnisse, sein philosophisches Genie wie sein Dichtertalent lieben und bewundern muß. Da er seiner Zeit so vorgeeilt war, so durfte sich das Vaterland außerordentliche Dinge von ihm versprechen, wenn ihn dieser frühe Tod nicht übereilt hätte, doch haben seine unvollendeten nachgelassenen Schriften schon viel gewürkt, und viele seiner großen Gedanken werden noch in Zukunft begeistern, und edle Gemüter und

tiefe Denker werden von den Funken seines Geistes erleuchtet und entzündet werden.

Novalis war groß, schlank und von edlen Verhältnissen. Er trug sein lichtbraunes Haar in herabfallenden Locken, welches damals weniger auffiel, als es jetzt geschehen würde; sein braunes Auge war hell und glänzend, und die Farbe seines Gesichtes, besonders der geistreichen Stirn, fast durchsichtig. Hand und Fuß war etwas zu groß und ohne feinen Ausdruck. Seine Miene war stets heiter und wohlwollend. Für denjenigen, der nur die Menschen nach dem Maße unterscheidet, in welchem sie sich vordrängen, oder durch gesuchten Anstand, durch das, was die Mode verlangt, zu imponieren oder aufzufallen suchen, verlor sich Novalis in der Menge, dem geübteren Auge aber bot er die Erscheinung der Schönheit dar. Der Umriß und der Ausdruck seines Gesichtes kam sehr dem Evangelisten Johannes nahe, wie wir ihn auf der herrlichen großen Tafel von A. Dürer sehn, die Nürnberg und München aufbewahrt.

Sein Gespräch war lebhaft und laut, seine Gebärde großartig, ich habe ihn nie ermüdet gesehn; wenn wir die Unterhaltung auch tief in die Nacht hinein fortsetzten, brach er nur willkürlich ab, um zu ruhen, und las auch dann noch, ehe er einschlief. Langeweile kannte er nicht, selbst in drückenden Gesellschaften unter mittelmäßigen Köpfen, denn er entdeckte gewiß irgendeine Person, die ihm eine noch fremde Kenntnis mitteilte, die er brauchen konnte, so geringfügig sie auch sein mochte. Seine Freundlichkeit, seine offene Mitteilung machten, daß er allenthalben geliebt war, seine Virtuosität in der Kunst des Umganges war so groß, daß geringere Köpfe es niemals wahrgenommen haben, wie sehr er sie übersah. Wie er auch am liebsten die Tiefen des Gemütes im Gespräch enthüllte, als begeistert von den Regionen unsichtbarer Welten sprach, so war er doch fröhlich wie ein Kind, scherzte in unbefangener Heiterkeit und gab sich selbst den Scherzen der Gesellschaft hin. Ohne Eitelkeit, gelehrten Hochmut, entfremdet jeder Affektation und Heuchelei, war er ein echter, wahrer Mensch, die reinste und lieblichste Verkörperung eines hohen unsterblichen Geistes.

Seine eigentlichen Studien waren seit vielen Jahren Philosophie und Physik gewesen. In der letzten sind seine Wahrnehmungen, Kombinationen und Ahndungen oft seiner Zeit vorausgeeilt. In der Philosophie hatte er vorzüglich Spinoza und Fichte studiert; aber er suchte nachher eine eigne Bahn, die Philosophie mit der Religion zu vereinigen, und so wurden ihm, was wir von den Neuplatonikern besitzen, sowie die Schriften der Mystiker sehr wichtig. Seine Kenntnisse in der Mathematik sowie in den Künsten der Mechanik, vorzüglich aber in der Bergwerkskunde waren ausgezeichnet. Dagegen hatte er sich nur we-

nig für die eigentlichen Künste interessiert. Die Musik liebte er sehr, obgleich er nur oberflächliche Kenntnis von ihr hatte; zur Skulptur und Malerei ward sein Gemüt nur wenig hingezogen, ob er gleich über alle diese Künste die originellsten Ideen und die höchsten Ahndungen aussprechen konnte. So erinnere ich mich z. B. eines Streites über die Landschaftsmalerei, in welchem ich seine Ansicht nicht fassen konnte, die aber nachher aus eigenem reichen poetischen Gemüt der vortreffliche Landschaftsmaler Friedrich in Dresden großenteils wirklich gemacht hat. In der Poesie war er eigentlich ebenso Fremdling, er hatte nur wenige Dichter gelesen und sich mit der Kritik und den hergebrachten Systemen der Dichtkunst nicht beschäftigt. Goethe war lange sein Studium gewesen, vor allen andern Werken hatte er den ‹Wilhelm Meister› geliebt, so wenig man dies auch aus seinem strengen Urteil über dieses Werk in seinen ‹Fragmenten› schließen sollte. Er verlangte von der Poesie das Nächste, Gemüt und Begeisterung, und daher kam es, daß, wie ihm viele Meisterwerke unbekannt waren, er auch nicht an Nachahmung oder fremder Autorität litt, so wie ihm viele Schriften, die der Kenner nicht hoch stellen kann, lieb und teuer sein konnten, weil er in ihnen, wenn auch mit schwachen Farben, jenes Ursprüngliche, Nächste und Bedeutungsvolle sah, dem er vorzüglich nachstrebte. Jene Erzählungen, die wir in neuern Zeiten Märchen genannt haben, kamen mit ihrer wunderlichen Weise seinen Vorstellungen am meisten entgegen; er sah in ihnen tiefern Sinn und suchte, ihn auf die vielseitigste Art in eigenen Dichtungen auszusprechen. Ihm war es zur natürlichsten Ansicht geworden, das Gewöhnlichste, Nächste als ein Wunder, und das Fremde, Übernatürliche als etwas Gewöhnliches zu betrachten; so umgab ihn das alltägliche Leben selbst wie ein wundervolles Märchen, und jene Region, die die meisten Menschen nur als ein Fernes, Unbegreifliches ahnden oder bezweifeln wollen, war ihm wie eine liebe Heimat. So erfand er, von Beispielen unbestochen, einen neuen Weg der Darstellung, und in der Vielseitigkeit der Beziehung, in der Ansicht der Liebe und dem Glauben an sie, die ihm zugleich Lehrerin, Weisheit und Religion ist, darin, daß ein einziger großer Lebensmoment und ein tiefer Schmerz und Verlust das Wesen seiner Poesie und Anschauung wurde, gleicht er unter den Neueren allein dem erhabenen Dante und singt uns wie dieser einen unergründlichen mystischen Gesang, sehr verschieden von jenem mancher Nachahmer, welche die Mystik wie ein Ornament glauben an- und ablegen zu können. Daher ist auch sein Roman bewußt und unbewußt nur Darstellung seines Gemüts und Schicksals, wie er denn selbst seinen Heinrich im Fragment des zweiten Teiles sagen läßt: — — «Daß Schicksal und Gemüt Namen *eines* Begriffes sind».

So kann uns sein Leben selbst mit Recht wunderbar erscheinen, und ein sonderbarer Schauer, wie bei einem Märchen, erfaßt uns, wenn wir hören, daß jetzt von seinen vielen Geschwistern nur noch zwei Brüder leben, und die edle Mutter, die seit einigen Jahren auch den Gatten betrauert, in Einsamkeit nur ihrem Schmerze und der Religion mit stiller Ergebung sich widmet.

Im Juni 1802 erschien in Berlin der erste Teil eines «nachgelassenen Romans», mehr als ein Jahr nach dem Tode seines Verfassers, der das Werk selbst nicht hatte vollenden können: der ‹Heinrich von Ofterdingen› von NOVALIS, den die Freunde FRIEDRICH SCHLEGEL und LUDWIG TIECK herausgaben. Erst gegen Ende des Jahres lag alles vor, was der Dichter hinterlassen hatte, ergänzt durch einen Bericht Tiecks, worin dieser den geplanten weiteren Handlungsverlauf darzulegen versuchte, soweit er ihn aus den erhaltenen Notizen glaubte herauslesen zu können. Wir sind heute geneigt, in Tiecks Fortsetzungsbericht nicht mehr als ein notdürftiges und recht willkürliches Gerüst zu sehen. Der Zustand der nur schwer zu ordnenden Handschriften beweist eine stetige geistige Umarbeitung und Verwandlung der Motive, einen mitten im Fluß befindlichen Arbeitsprozeß, aus dem selbst ein Vertrauter, der ja Tieck immerhin war, kein werkgerechtes Bild zutage zu fördern vermochte. Zwar konnte sich Tieck auf den Wunsch des verstorbenen Freundes berufen, an seiner Stelle den Roman zu vollenden; doch aus Ehrfurcht vor dem Werk blieb der Plan unausgeführt.

Äußerlich betrachtet bietet der Inhalt die Entwicklung des Titelhelden zum Dichter, darin noch dem einst so bewunderten Vorbild, GOETHES ‹Wilhelm Meister›, folgend; doch das bleibt rein äußerlich. Ihm gegenüber steht der gewichtigere *innere Sinn* des Romans, von Novalis selbst als «Apotheose der Poesie» bezeichnet. Poesie jedoch ist für Novalis «Darstellung des Gemüts — der inneren Welt in ihrer Gesamtheit». Die Verwirklichung einer solchen Vorstellung mußte die Form des realistischen Entwicklungsromans ausschließen, was für eine gerechte Beurteilung bedeutet, daß das Werk außerhalb der für die Romankunst des 19. Jahrhunderts geltenden Klassifizierungen zu betrachten ist. Der ‹Ofterdingen› steht unter eigenem Gesetz; er ist «kein realistischer Roman, der das Leben um seiner selbst willen darstellt, auch kein allegorischer in dem Sinne, daß wir in nächsten Gleichungen den Schlüssel für die Gestalten und Vorgänge des Romans finden könnten, sondern ein symbolischer Roman, der die Immanenz des Transzendenten im diesseitigen Leben, die tiefere Wesenheit, das Göttliche im Irdischen aufzeigen will» (Kluckhohn).

So ist es kaum erstaunlich oder im inneren Sinne des Kunstwerks falsch, daß nicht der Name des Helden so sehr ins allgemeine Bewußtsein übergegangen ist als vielmehr das Symbol, das für Heinrich — und nicht nur für ihn — in Realität und Traumwelt wegweisend wurde. Über ein Jahrhundert hinweg hat dieses Symbol, glückhaft und unheilvoll zugleich wirkend, den jugendlichen Geist Deutschlands

bestimmt, hat sich die Herzen ganzer Generationen erobert und sie über die Höhen idealistischer Begeisterung hinweg geführt und — verführt. Das Symbol heißt: Die blaue Blume. Sie wurde zum Synonym für Romantik schlechthin, wobei das kritisch-programmatische Denken der Frühromantik immer mehr in den Hintergrund trat zugunsten der schwärmerischen Seite; sie wurde von nachfolgenden Generationen innig mit dem die Freundschaft verkörpernden ‹Jüngling› SCHILLERS verschmolzen, der als Typus das deutsche Erziehungsideal bis zum Ausgang des ersten Weltkriegs bildete. Die blaue Blume blühte im Herzen jeder Jugend, die gegen die äußerliche Realität von Scheinwerten der Väter revoltierte, bis hin zu denen, die mit den Liedern des ‹Zupfgeigenhansl› auf den Lippen naturschwärmerisch einer verlogenen Moral den Garaus machten. Natürlich hatten sich Symbol und Ideal unter dem zunehmenden ‹Konkretismus› der Jugend gewandelt: die ‹blaue Blume› des Wandervogel war längst nicht mehr die des Novalis, die ‹Jünglinge› Schillers endeten bei Langemarck. Und doch entstammt diesen beiden Wurzeln «der Ausdruck jener Sehnsucht, die ahnend und schmerzlich ein neues Seinsverständnis des Menschen» sucht (Muchow). Ein Stück Sehnsucht — das Leitmotiv der Romantik — lebt in jeder jugendlichen Seele. Sie vermag ein ganzes Volk zur geistigen Erneuerung zu führen, aber auch zum Untergang, sobald sie von dämonischen Mächten angesprochen und einer Ideologie dienstbar gemacht wird. Hier zeigt sich eine tragische Seite der romantischen Idee in all ihrer Abgründigkeit. Von der ‹Blauen Blume› der Romantik bis zur ‹Weißen Rose› der gegen die Macht des Ungeistes aufbegehrenden Studenten führt eine Linie. Sie ist ein Stück Schicksalspfad der deutschen Seele geworden.

Erst an ihren Folgen vermögen wir die Romantik als den tiefgreifenden Einbruch in die europäische Kultur zu erkennen, den sie tatsächlich darstellt. Sie suchte ihre Mythen nicht in Griechenland oder in der römischen Antike, sondern in Indien und Asien, wo FRIEDRICH SCHLEGEL die Urheimat zu finden glaubte. Was er unter «Wiedergeburt des Altertums» verstand, hatte einen ganz anderen, nämlich einen antiklassischen Sinn. Der Versuch, in der «Poetisierung» oder im Märchen die heterogenen Elemente eines vor-klassischen, magisch-dämonischen Weltbildes zur Synthese zu zwingen, war gegen den Logos gerichtet, mit dem von Griechenland kommend die Idee der Menschenwürde in die Welt trat. «Ja, man könnte fast sagen, die Romantik sei eine Wiedergeburt jenes magisch-dämonischen Weltbildes gewesen, das einst in der Geburtsstunde des Abendlandes von dem klaren Geiste Griechenlands überwunden worden war. In den Märchen und Mythen der Romantik verfinsterte sich wieder die vom griechischen Logos aufgeklär-

te Welt. Die Romantik war die Abdankung der europäischen Vernunft»
(Fritz Strich). Solch herber Erkenntnis steht ein künstlerischer Lebens-
entwurf von bewundernswerter Größe gegenüber, eine Dichtung von
berückendem Zauber, eine Musik von zuvor ungekannter psychologi-
scher Differenziertheit, die die flüchtigsten Regungen des menschlichen
Gefühls in ihrer Tonsprache zum Erlebnis werden läßt —, alles unver-
gängliche Leistungen deutscher Kunst, die eine erstaunende Welt
dankbar als Geschenk empfing. Problematik und Tragik, die sich dar-
in verbargen, verwandelten es zum Schicksal und zur Aufgabe, die sich
der Gegenwart fordernd erneut.

Die Entstehung des ‹Heinrich von Ofterdingen›

«Ich habe mit Fleiß lange geschwiegen. Die ganze Zeit bin ich viel
beschäftigt gewesen, und erst seit einigen Tagen hab ich den ersten
Teil meines Romans zu Ende bringen können... Der Plan ist deutlich
genug hingelegt, und der Stoff ein sehr günstiger Stoff. Die Wahl ist
geglückt — über die Ausführung mag ich nichts sagen, weil man sich
leicht in eine fehlerhafte Ansicht verlieren kann. Der vollständige Titel
ist: Heinrich von Afterdingen / Ein Roman von Novalis / Erster Teil /
Die Erwartung.» Sie schrieb Novalis am 5. April 1800 aus Weißenfels
an Fr. Schlegel in Jena. Doch es war nicht die erste Ankündigung des
Planes, denn bereits am 31. Januar hatte er an den Freund geschrie-
ben: «Das Neueste von mir ist ein bald fertiger Roman Heinrich von
Afterdingen.» Den Stoff zu diesem Werk fand Novalis in seiner un-
mittelbaren Umgebung, nämlich in «besonders alten Chroniken» aus
Thüringen, wie am zuverlässigsten Karl von Hardenberg in seiner Bio-
graphie berichtet. Solche Chroniken, wie z.B. die ‹Düringische Chro-
nik› von JOHANNES ROTHE, befanden sich in der Bibliothek in Weißen-
fels und im Besitz des Historikers Funk in Artern, wo der Dichter Früh-
jahr und Sommer 1799 weilte. Neben Rothes Chronik kannte Novalis
vielleicht auch die ‹Legende der heiligen Elisabeth›, ein Reimepos, und
die ‹Mansfeldische Chronik›, denn er behält deren thüringische Schreib-
weise des Namens bei; sicher waren ihm durch mündliche Tradition
der Sängerkrieg auf der Wartburg, die Sagen vom Kyffhäuser und
von der Wunderblume in der Johannisnacht geläufig. Aus solchen
Quellen gespeist entstand der Plan, den sagenhaften Minnesänger
Heinrich von Afterdingen, den die Romantiker noch für den Dichter
des Nibelungenliedes hielten, zur Heldenfigur eines großen Romans
zu machen, der «die erste Frucht der bei mir wieder erwachten Poesie»

sein sollte. Der ganze erste Teil entstand in der unvorstellbar kurzen Zeit von Ende 1799 bis Anfang April 1800, eine atemberaubende Leistung, denn während der gleichen Zeit, die zudem von Berufspflichten mehr als ausgefüllt war, wurden auch die zwei Fassungen der ‹Hymnen an die Nacht› geschrieben. Man kann sich das plötzliche Aufflammen des dichterischen Genies nur recht vorstellen, wenn man sich zugleich die äußerste Dichte dieser kurzen schöpferischen Zeitspanne vergegenwärtigt.

Der historische Ofterdingen

Auf der unteren Hälfte einer Tafel der Manessischen Liederhandschrift ist uns das Bild Heinrichs von Ofterdingen überliefert. Um Klinsor von Ungerlant scharen sich, durch einen lebhaften Rhythmus der Gesten verbunden, Walther von der Vogelweide, Wolfram von Eschenbach, Reinmar der Alte, der Tugenthafte Schreiber, der ungenannte Biterolf und Heinrich von Ofterdingen, «der wegiste, der schönste, der holdeste» — so beschreibt ihn die gleichzeitige Prosaquelle des FRIEDRICH KÖDIZ VON SALFELD —, gleichsam «die Idee des Minnesangs in Person» (Hans Naumann). Der Bericht vom Sängerkrieg auf der Wartburg war in mehreren Fassungen überliefert, sowohl in Versen wie auch in lateinischer und deutscher Prosa, und wurde von dem Erfurter Dominikaner DIETRICH VON APOLDA in seine ‹Vita Elisabethae› von 1289 eingefügt, ebenso in die Ludwigslegende des Ködiz, sowie in die bereits genannte Rothe'sche Chronik. Das geistliche Zentrum dieser Arbeiten war Kloster Reinhardsbrunn, das Hauskloster und Begräbnisstift der thüringischen Landgrafen. — Ein oberflächlicher Vergleich der Darstellung zeigt, daß Novalis nur die Gestalten übernahm, sie aber dann in neuartiger Form und Charakterisierung seinem im Roman entworfenen Bild vom Mittelalter einfügte. In dem historischen Prosabericht vom Wartburgkrieg schildert der erste Teil einen Sängerstreit, dessen Gegenstand der Tugendpreis der beiden Mäzene höfischen Dichtens ist, nämlich des Babenbergers Leopold und des Landgrafen Hermann. Gegen Wolfram und Walther, deren Lobpreis Hermann von Thüringen gilt, nimmt Heinrich von Ofterdingen die Partei des Babenbergers. Er unterliegt im Streit, und unter den Mantel der Landgräfin flüchtend (hier wird das Schutzmantelmotiv auf die weltliche Herrin übertragen) beruft er sich auf den mächtigen Zauberer Klingsor, der den endgültigen Schiedsspruch fällen soll. Ofterdingen holt Klingsor herbei, der in all seiner Gelehrsamkeit und Vertrautheit mit magischen Praktiken

eher einem Doctor Faustus ähnelt, und Wolfram wird von diesem einer Weisheitsprobe unterzogen, die in spitzfindigen astrologischen Fragen gipfelt. Von da an verschwindet Ofterdingen aus der Erzählung.

Aufbau des ‹Heinrich von Ofterdingen›

Es mag ungebührlich erscheinen, der Struktur eines Werkes nachgehen zu wollen, das nur als Torso vor uns steht. Um aber überhaupt ein Gefühl für die Dimensionen des Gesamtplans zu bekommen, ist es notwendig, den inneren Gesetzen des vorhandenen Bestands nachzuspüren, der dann eine strenge und künstlerisch vollendete Fügung erkennen läßt. Vom Inhalt her hat Novalis seine Absicht so umrissen: «Heinrich von Ofterdingen wird im ersten Teil zum Dichter reif — und im zweiten als Dichter verklärt.» Reife und Verklärung sind also die beiden Stadien einer darzustellenden Entwicklung, sind zugleich der Sprung von der realistischen Entfaltung zur metaphysischen Vollendung, wobei sich die Bestimmung des Helden für eine überirdische Welt — nämlich für die der vollendeten Poesie — ständig in seiner Erlebnis- und Verhaltensweise der Realwelt gegenüber zu spiegeln hat. Die Welt der Poesie muß stets durch Heinrich als Medium hindurchwirkend in diese Welt hineinragen, denn sie bestimmt den Grad seiner Wirklichkeitserfahrung. Die Steigerung, besser: die allmählich sich festigende Alleinherrschaft der poetischen Wirklichkeit sollte in einer im zweiten Teil sich vollziehenden Metamorphose gipfeln: «Heinrich wird Blume — Tier — Stein — Stern», er wird «zum klingenden Baume», er nimmt teil an «Blumengesprächen» und «versteht den Sinn der Welt». Novalis notiert: «Nach Jacob Böhm am Schluß des Buches», was bedeutet, daß die Vision einer anderen Welt an die Stelle der Realität zu treten habe. So bedeutet es nur die konsequente Durchführung des Plans, wenn sich in den einzelnen Kapiteln des ersten Teils ständig zwei Welten gegenüberstehen. Schon zu Beginn taucht das Leitsymbol auf, im Traum von der blauen Blume, diesem Bild der «Geburt der Poesie in einem geborenen Poeten» (H. A. Korff). Heinrich empfindet den Traum als Erscheinung einer heimatlichen Welt, der er eigentlich zugehört; Sehnsucht ergreift sein Herz und bestimmt von nun an seinen Lebensweg. Der Vater dagegen, der einen ganz ähnlichen Traum hatte, berichtet von diesem eher rational, ja er entsinnt sich nicht einmal mehr der genauen Farbe der Blume. Das Traumerlebnis weist beiden, Heinrich und seinen Eltern, gegensätzliche Welten zu. Analog stehen sich im dritten Kapitel Kaufmannswelt und Kunst gegenüber;

im vierten sind es die Ritter und die Morgenländerin, von der eine Aufzeichnung sagt, sie sei «die Poesie»; im fünften Naturwelt und Historie, die ihm gleichzeitig die eigene Herkunft aus einer alten Handschrift deutet usw. Dichtung und Liebe werden zu Zentralmotiven und verselbständigen sich in Erzählungen oder Liedern, die das statische Gefüge zwar auflösen, gleichzeitig aber die poetische Summe aus dem bereits Gesagten ziehen. Ähnliche Funktion kommt den Gesprächen zu, die, real meist nur im Ansatz, Gegenwärtiges und Zukünftiges in synthetischer Zusammenschau entwickeln, wie etwa die Unterhaltung mit dem Bergmann, oder unvermittelt auf transzendente Werte überwechseln. Dies geschieht in einer sprachlichen Schlichtheit und Konzentration von unvergleichlicher Meisterschaft, die ihre Krönung in dem wunderbaren Dialog zwischen Heinrich und Sylvester zu Beginn des zweiten Teils findet.

Die blaue Blume

Im Gegensatz zur übrigen romantischen Dichtung, die gern und reichlich mit Blumenmetaphern arbeitet, ist bei der blauen Blume des Novalis jede Vermutung ausgeschlossen, es könne sich hierbei um ein stilistisches Schmuckmittel handeln. Die blaue Blume ist die Vollendung der romantischen Blumensymbolik schlechthin, ein vielwertiges Zeichen, dessen Entstehen sich nicht nur aus einer Verbindung von philosophischem und ästhetischem Denken erklären läßt. Sie ist Bestandteil des «goldenen Zeitalters», aus dem sie in unsere arme Gegenwart hinüberleuchtet; sie ist gewissermaßen die Sinnmitte, zu der hin sich alles ordnet, auf die alles bezogen bleibt; sie ist für Heinrich Anlaß zum Aufbruch, Gegenstand der Suche und der Sehnsucht, Hauptmotiv von Erzählungen und Träumen. Ihr Bild hat sich in die Seele des Jungen gesenkt und lebt darin als zwar nie gesehenes, jedoch seltsamerweise ganz und gar nicht konturloses Wunschbild einer ihm zugehörigen Welt: «Nicht die Schätze sind es, die ein so unaussprechliches Verlangen in mir geweckt haben», sagt er zu sich selbst; «fernab liegt mir alle Habsucht; aber die blaue Blume sehn' ich mich zu erblicken. Sie liegt mir unaufhörlich im Sinn, und ich kann nichts anderes dichten und denken.» Das klingt nach einer Berufung, ergangen aus einer anderen Welt. Heinrich folgt diesem Ruf, und was liegt näher, als in der blauen Blume eine Art Lebenskompaß zu sehen, der zum Ziel führt und sicheres Geleit verheißt. Sie steht als strahlendes, lichterfülltes Wegzeichen dem Lebenspfad eines Dichters voran, der sich «demütig

der himmlischen Führung» überläßt und dem später die Frage nach dem Ziel der Wanderschaft bestätigt wird: «Wo gehn wir denn hin?» — «Immer nach Hause.»

Liebe und Sehnsucht werden durch die Begegnung mit der blauen Blume geweckt, wobei die einzelnen Erfüllungsstadien der Liebe — etwa die Vereinigung mit Mathilde — nicht Erfüllung der Sehnsucht bedeuten. Erfüllung wäre ja das Ende der Sehnsucht gewesen, — ein ganz und gar unromantischer Gedanke! Als Zielvision bleibt die blaue Blume bestehen, während die Liebe ein die Sehnsucht verstärkendes, nicht auf Erfüllung gerichtetes Moment ist. Das Irrationale übt immer die stärkere Wirkung aus als das real Erfüllbare. Für Heinrich ist die Irrealität seine eigentliche Lebenswelt, Traum und Märchen sind ihm Wahrheit; aus ihnen heraus nimmt er die Realwelt wahr in *der* Sehweise, mit welcher gemeinhin das Märchen betrachtet wird, nämlich als Nicht-Wirklichkeit. Eine solche Vertauschbarkeit zweier Welten, das faszinierende Werden einer Welt poetischer Wirklichkeiten mit ihr eigenen Gesetzen, ist in so überzeugender Weise nur Novalis geglückt. Deshalb ist die geplante Metamorphose Heinrichs nicht nur Verklärung im dichterischen Sinne, sondern sie verbindet sich mit der Vorstellung von einer paradiesischen Welt, einem sündelosen, unteilbaren Sein, und hat letzten Endes eschatologischen Charakter. In einem Fragment heißt es: «Wenn Gott Mensch werden konnte, kann er auch Stein, Pflanze, Tier und Element werden, und vielleicht gibt es auf diese Art eine fortwährende Erlösung in der Natur» (Fragmente X/405). Von der dichterischen Absicht des ‹Ofterdingen› her betrachtet, kann dieses Fragment nicht pantheistisch interpretiert werden. Es erweist vielmehr als Tendenz des gesamten Romans eine ‹Poetisierung›, die nur als Erlösung der Welt aus dem Banne einengender deduktiver Begrifflichkeit gedeutet werden kann. Die blaue Blume ist das Zeichen, in dem diese poetische Synthesis symbolische Gestalt angenommen hat.

Das Märchen von Eros und Fabel

«Das Märchen ist gleichsam der Kanon der Poesie» (Fragmente IX/943), — so bestimmt Novalis selbst seine dichterische Funktion. Man muß unbedingt die Vorstellungen, die der Dichter mit dem Märchen als Typus verband, berücksichtigen, um sich dem nur schwer deutbaren ‹Märchen› im 9. Kapitel des ‹Ofterdingen› nähern zu können. «In einem echten Märchen muß alles wunderbar — geheimnisvoll und unzusammenhängend sein — alles belebt. Jedes auf eine andere Art. Die ganze Natur muß auf eine wunderliche Art mit der ganzen Geister-

welt vermischt sein — die Zeit der allgemeinen Anarchie — der Gesetzlosigkeit ... Die Welt des Märchens ist die durchaus entgegengesetzte Welt der Welt der Wahrheit (Geschichte) — und eben darum ihr so durchaus ähnlich, wie das Chaos der vollendeten Schöpfung. — Der Märchendichter ist der Seher der Zukunft.» Derlei in den Fragmentenheften verstreute Äußerungen, aus denen sich eine eigene Märchentheorie rekonstruieren ließe, verraten eine intensive Beschäftigung mit dieser Gattung, deren erste Probe wohl das Märchen von *Hyazinth und Rosenblütchen* wurde, während das Klingsohr-Märchen wahrscheinlich danach entstanden ist. Die Aufzeichnung der letzten zwei Lebensjahre zeigen keine Notizen mehr in diesem Zusammenhang, so daß die Äußerung Klingsohrs, er habe sein Märchen «in jungen Jahren» gemacht, auf den Dichter selbst zutreffen mag. Wenn auch die Pläne weiter zurückreichen, so erweisen doch Vergleiche der Handschriften, daß das Klingsohr-Märchen nicht vor Ende 1799 geschrieben wurde. Ein ähnliches Kunstwerk, «ein Spiel des dichterischen Leichtsinns mit dem philosophischen Tiefsinn» (Korff), hatte Goethe in seinem ‹Märchen› geschaffen, welches Novalis eine «erzählte Oper» genannt hat, denn er kannte sehr wohl die verbindenden Fäden zwischen diesem kleinen Meisterwerk und der ‹Zauberflöte› Mozarts. So nimmt es nicht wunder, wenn Novalis sein eigenes Märchen dem mitunter heftig kritisierten, zugleich aber sehr bewunderten Goethe gewissermaßen in den Mund legt, denn Klingsohr ist die Personifikation des Genies in Weimar.

Das Grundmotiv, das in den Rahmen des vorgegebenen Märchenschemas von der Erlösung der Königsbraut gestellt wird, ist eine tiefsinnige Darstellung vom Weltgeschehen im Endzeitstadium und die Verwandlung des Irdischen zu einer himmlischen Neugeburt: es ist die Wiederkehr des goldenen Zeitalters unter der Herrschaft von Weisheit, Poesie und Liebe. Sophia, Eros und Fabel sind weniger die personifizierten, vielmehr die in ständiger Metamorphose sich wandelnden Triebkräfte dieser Welt. Zu Beginn des in streng fünfteiliger Komposition aufgebauten Märchens ist Eros noch ein Kind in der Wiege, was von Ginnistan, der Phantasie, genährt wird. Fabel dagegen ist das «ewige Kind», das mit den Dingen des Verstandes nur «spielt», also nicht deren nützliche Seite erkennt. Der Vertreter der Gegenwelt, in der Licht und Schatten ihre Rollen vertauscht haben, ist der Schreiber, eine Allegorie des aufklärerischen Verstandes, der bei «schwarzbrennender Lampe» ein trübes Geschäft treibt. Hier spielt Fabel (die Poesie) mit der Magnetnadel, weil ihr einfach alles zum Spiel wird, während Eros durch die Berührung damit wächst und nach Norden zieht, ins Reich König Arcturs und seiner Tochter Freya, die in einem kristal-

lenen Palast getrennt von Sophia herrschen. Das Werk der Entzauberung beginnt mit der Aktivität des Eros. — Sein Weg führt Eros in das Reich des Mondes, läßt ihn das zyklische Kreisen der Zeiten in ihrem ständigen Widerspiel erleben und ein prophetisches Zukunftsbild erblicken, ohne daß er es zu deuten vermag. (Die zyklische Zeitauffassung gewinnt später bei GÖRRES als «romantische Zeit» entscheidende Bedeutung, die sich vor allem im Heidelberger Kreis auswirkte.) Indessen triumphiert der karge Rationalismus des Schreibers, denn Eros und Phantasie sind abwesend; so muß die «kleine Fabel», die an den Knaben Lenker im ‹Faust› II erinnert, das Werk der Welterlösung selbst zuwege bringen. Dreimal erscheint sie vor König Arctur und erbittet als Kräfte zunächst die Leier, mit deren Musik sie später die Taranteln (die Leidenschaften) bezwingt, dann Zink, Turmalin und Gold, die drei Elemente des Galvanismus. Durch eine elektrische Kette erweckt sie den Riesen Atlas und den Vater, der Ginnistan (die Phantasie), «die produktive innere Kraft des Menschen», als seine Braut erkennt. Fabel bricht die Vorherrschaft der Vernunft und schickt die wärmende Flamme nach Norden. «Die Nacht ist vorbei und das Eis schmilzt ... Alles fängt zu leben an.» — Die eigentliche Erlöserin der Welt jedoch ist nicht Fabel, sondern Sophia: Sie reicht den Krug, worin Fabel die Asche der Mutter gesammelt hat, allen zum belebenden Trunk. Mit dem Lebenstrank und der Vereinigung von Eros und Freya wird die Vision vom goldenen Zeitalter Wirklichkeit. Es ist eine Welt universalen Verstehens unter der Macht der Poesie, ein ungeteiltes Sein, und «Sophie ist ewig Priesterin der Herzen.» In dieser Welt hat alles «menschlichen Sinn», das Erlösungswerk der kleinen Fabel ist getan: «Die Blumen und Bäume wuchsen und grünten mit Macht. Alles schien beseelt. Alles sprach und sang ... Kein Stein lag mehr auf einer Menschenbrust.»

Im Klingsohr-Märchen hat die Vorstellung von einem «total poetisierten Universum», das unter der Regentschaft von «Dichtung und Gemüt — zwei Namen eines Begriffs» steht, vollkommene Gestalt angenommen, so wie es der noch theoretisierende Novalis formuliert hatte: «Sonderbar, daß eine absolute, wunderbare Synthese oft die Achse des Märchens — oder das Ziel desselben ist» (Fragmente IX/990). Noch vollendeter aber hat es der Dichter, dessen lyrisches Können inzwischen die Stufe der ‹Hymnen› erreicht hatte, ahnend in den Versen ausgesprochen:

> Wenn nicht mehr Zahlen und Figuren
> Sind Schlüssel aller Kreaturen,
> Wenn die, so singen oder küssen,

Mehr als die Tiefgelehrten wissen,
Wenn sich die Welt ins freie Leben,
Und in die Welt wird zurück begeben,
Wenn dann sich wieder Licht und Schatten
Zu echter Klarheit werden gatten,
Und man in Märchen und Gedichten
Erkennt die ewgen Weltgeschichten,
Dann fliegt vor Einem geheimen Wort
Das ganze verkehrte Wesen fort.

Die Lehrlinge zu Sais

Die beiden Bruchstücke, die unter diesem Titel bekannt wurden, sind
leider das einzige, was von dem geplanten Roman zur Ausführung
kam, und nur spärliche Notizen verraten etwas über die beabsich-
tigte Weiterführung. Höchst zweifelhaft ist es, ob die beiden erhalte-
nen Teile in dieser Weise aufeinander folgen sollten, denn es fehlt
ihnen offenbar der innere Zusammenhang. Selbst stilistisch unter-
scheiden sie sich so sehr, daß eine gleichzeitige oder zumindest fort-
laufend zu denkende Niederschrift ausgeschlossen ist. Das kürzere
Stück ‹Der Lehrling› dürfte zu Anfang des Jahres 1798 geschrieben
worden sein, während das zweite Stück ‹Die Natur›, dessen wesent-
lichsten Teil das Märchen von Hyazinth und Rosenblütchen bildet,
gegen Ende des Jahres oder gar erst zu Beginn des folgenden nieder-
geschrieben wurde. Dabei läßt der Wechsel im Sprachrhythmus ver-
muten, daß das Märchen unabhängig davon konzipiert und erst später
hier eingefügt wurde. Die Fragmente des beginnenden Jahres 1799
weisen auf theoretische Überlegungen zur Form des Märchens hin
(s. S. 237), das für Novalis den «Kanon der Poesie» darstellte, wie
auch die Aufzeichnungen eine verstärkte Beschäftigung mit einem
Märchen als dichterischem Plan verraten. Die Frucht dieser Überlegun-
gen ist sowohl dem Märchen von Hyazinth und Rosenblütchen wie
auch dem Klingsohr-Märchen im 9. Buch des ‹Ofterdingen› zugute ge-
kommen, das formale und gedankliche Ähnlichkeiten aufweist. Ver-
mutlich wurde die Arbeit an den ‹Lehrlingen› zugunsten des ‹Ofter-
dingen› zurückgestellt, jedoch mit der Absicht, nach dessen Beendi-
gung das einmal Begonnene fortzusetzen. Beide Pläne hat der frühe
Tod des Dichters vereitelt.

Ein Großteil der Ideen, die in den ‹Lehrlingen› dichterisch angedeu-
tet werden, entstammt dem Gedankengut der Philosophie und Natur-
wissenschaft der Zeit, das sich Novalis durch systematische Lektüre

während der Freiberger Studienzeit angeeignet hatte. Es sind vor allem Anlehnungen an FICHTE, SCHELLING und BAADER und, was die Naturphilosophie betrifft, an PARACELSUS und ABRAHAM GOTTLOB WERNER, den Freiberger Geologen, der in der Gestalt des Lehrers porträtiert wurde. Er wurde auch Vorbild des Bergmanns im ‹Ofterdingen›. Den Hauptgedanken der ‹Lehrlinge› hat PAUL KLUCKHOHN wie folgt ausgedrückt: «Die Idee der Natur als einer großen Einheit soll in Variationen zum Ausdruck kommen und den mannigfaltig verschiedenen Verhaltungsweisen der Menschen zur Natur, der Naturforscher, der Spekulanten, der Nutznießer u. a., das romantische Sicheinfühlen, die ‹wunderbare Sympathie des menschlichen Herzens› mit der Natur gegenübergestellt werden, das schöpferische Teilhaben an ihr in der ‹produktiven Einbildungskraft› des inneren Selbstempfängnisses und im Ergriffensein von der ‹Allmacht der unermeßlichen Zeugungskraft›. Nur Liebende und Dichter verstehen die Natur. Für sie haben die sogenannten Bilder in der Sprache der Dichter wahre Realität, da sie aus den tieferen Zusammenhängen alles Seins erwachsen.»

Das Kind und die All-Einheit

Der bevorrechtete Bewohner einer Welt, in der Blumen und Tiere «menschlichen Sinn» haben, ist das Kind, zu verstehen als ein Wesen, das auf seiner mehr vegetativen Bewußseinsstufe dem wahren Sein der Dinge um unmeßbare Dimensionen näher ist als der in strenge Denkkategorien eingepferchte Verstand des Erwachsenen. Dabei ist *das Kind* grundsätzlich nicht als Altersstufe zu verstehen, sondern als Seinsstufe. Für Novalis war es die höchste Stufe der menschlichen Entwicklung, denn seiner Vorstellung nach geht der Mensch nur «scheinbar vorwärts»; «Für Gott gehn wir eigentlich umgekehrt. Vom Alter zur Jugend» (Fragmente V/248). In diesem hohen Sinne war Novalis ein Kind, ein Kind zum Schauen bestellt, in dessen Zielvision Welt und Ich als vollendete Gotteskindschaft sich formten, in der die Paradiessehnsucht sich als ‹Goldenes Zeitalter› realisierte. «Das Kind ist die Urwelt, die goldne Zeit am Ende.»

Ein solches Kind ist Hyazinth, dem die Blumen auf der Suche nach Rosenblütchen den Weg weisen, der, ohne rationale Denkakte zu vollziehen, fast traumhaft seinem Ziel zustrebt. Kurz nach der Trennung ist Hyazinths Verhältnis zur Natur gestört; er gewinnt es wieder — und damit zugleich die letzte Erkenntnis und Einheit des Lebens — im Wiederfinden der Geliebten, die — eine höchst merkwürdige Identifikation — als verschleiertes Bild im Isistempel gefunden wird. Der Sinn

dieses Motivs liegt sicher in der Wiederfindung der All-Einheit, dessen höchste Stufe schließlich Selbstfindung ist. Für das Verständnis ist daher das Fragment VI/247 vom Mai 1798 aufschlußreich:

> Einem gelang es — er hob den Schleier der Göttin zu Sais —
> Aber was sah er? Er sah — Wunder des Wunders — Sich Selbst.

Notizen zur Weiterführung des Romans weisen in die gleiche Richtung; es ist der Weg des Lehrlings der Natur, der dann anscheinend zum «Messias der Natur» werden sollte. Messianische Züge trägt das ‹Kind› bereits im ersten Teil, denn ihm will der Lehrer den Unterricht übergeben. Prophetisch wird seine Wiederkehr angekündigt: «Einst wird es wiederkommen und unter uns wohnen, dann hören die Lehrstunden auf.» Die bewußte Anlehnung der Wortwahl an Joh. 1,14 läßt auf den Offenbarungscharakter der Episode schließen.

Kindwerdung und Paradiesfindung sind für Novalis parallele Vorgänge, womit sich das Kind zum symbolischen Träger einer religiösen Idee wandelt, die sich insofern mit der dichterischen identifiziert, als das «goldene Zeitalter», die Paradiessituation, gleichbedeutend mit dem «total poetisierten Universum» ist. Der dichterische Ausdruck einer solchen Welt ist das Märchen, die «Bekenntnisse eines wahrhaften, synthetischen Kindes» (Fragmente IX/238); ihr legitimer Bewohner und Beherrscher ist das ‹Kind›, denn sein wesentlichster Aspekt ist sein Zukunftscharakter. Und das goldene Zeitalter liegt als dichterisches Sehnsuchtsgebilde im Schoß der Zukunft. Doch nur «Wo Kinder sind, da *ist* ein goldenes Zeitalter» (Blütenstaub 103).

Hymnen an die Nacht — Textgestalt und Entstehung

Obwohl uns die Handschrift der ‹Hymnen› erhalten ist, verbindet sich dennoch mit dieser größten religiösen Dichtung des vorigen Jahrhunderts ein überaus kompliziertes Textproblem, das bis heute nur unvollkommen gelöst ist. Da die vorliegende Ausgabe auf die Wiedergabe von Lesarten verzichten muß, seien hier diese Fragen kurz angedeutet. Unser Text folgt der noch von Novalis selbst bearbeiteten und korrigierten Athenäum-Fassung, die jedoch im Vergleich zur Handschrift erhebliche Änderungen aufweist. In einem an Fr. SCHLEGEL gerichteten Brief vom 31. Januar 1800 heißt es: «Außerdem schick ich Euch noch ein langes Gedicht — vielleicht paßt es Euch zu Eurem Plan.» Im Februar muß dann das Manuskript an die Freunde in Jena abgeschickt worden sein, denn am 23. Februar schreibt Novalis an Tieck:

«Friederichen sage, daß es gut sei, wenn er das Wort Hymnen weg-
ließe. Über das Gedicht selbst mündlich mehr.» Es sollte also einfach
‹An die Nacht› heißen. Der Grund für diesen Wunsch Hardenbergs ist
uns unbekannt; ebensowenig wissen wir, warum das Werk dann doch
im ‹Athenäum› (3. Bd., 2. Stück, Michaelis 1800) unter dem endgül-
tigen Titel erschien. Diese Druckfassung wird allgemein zur Interpre-
tation herangezogen, wenn auch RITTER betont hat, daß sie gegenüber
der Handschrift nicht mehr «das ursprüngliche Kunstwerk» darstelle.
Der Unterschied zwischen beiden Fassungen ist durch sorgfältigste
Vergleiche noch schärfer von KAMLA betont worden, dem der Nachweis
gelang, daß die Druckfassung unter einem anderen künstlerischen Ge-
setz steht. Die Athenäum-Fassung zeigt nicht nur Glättung der Form,
sondern ein verstärktes Hervortreten des programmatischen Denkens,
eine «gesteigerte geistige Durchdringung des Stoffes», demgegenüber
die subjektive Problematik zurücktritt, eine Wandlung also, die dem
Wesensgehalt der Dichtung andere Richtung gibt, als sich in der Hand-
schrift zunächst anzudeuten schien. Alle diese Umstände scheiden eine
kurzfristige Planung des Werkes aus, und schon die aus der Hand-
schrift fast korrekturlos übernommenen Teile lassen auf eine langjäh-
rige Beschäftigung mit dem Stoff schließen.

Bietet aber nun die Handschrift das Werk in seiner ‹Ursprünglich-
keit›? Auch diese Frage muß auf Grund der Forschungen von RITTER
verneint werden, und damit stehen wir vor dem bis heute ungelösten
Problem. Das Manuskript, das in die Zeit um die Jahreswende 1799/
1800 zu datieren ist, weist im ersten Teil, besonders bei den Hym-
nen 1 bis 3, auffallend wenig Korrekturen auf, während sich im wei-
teren Verlauf die Streichungen, Einschübe, Verbesserungen und Un-
leserlichkeiten häufen. Das alles läßt den Schluß zu, daß es sich bei
den ersten Blättern um eine Abschrift aus einer schon bestehenden
Fassung handelt, wogegen die späteren Teile ausgesprochen Konzept-
charakter aufweisen. Demnach muß eine Urfassung (x) existiert ha-
ben, die, der Biographie Karl von Hardenbergs zufolge, bereits im
Jahre 1797 vorgelegen haben soll. Diese ‹Urhymne›, im wesentlichen
das Stück, das die jetzige dritte ausmacht, wird von RITTER als die Keim-
zelle der ganzen Dichtung angesehen. Ihr Gehalt und die Wortwahl
stehen in unmittelbarem Zusammenhang mit dem Erlebnis des Dichters
am Grabe seiner Braut SOPHIE VON KÜHN, die am 19. März 1797 ge-
storben war. Das Tagebuch nach Sophiens Tod spricht von fast täg-
lichen Besuchen an dem «lieben Grab» und verzeichnet unter dem
13. Mai jene entscheidende Vision, das *Sophienerlebnis*, die durch
ein merkwürdiges Ineinanderfließen der räumlichen und zeitlichen
Wahrnehmungskategorien sowie durch eine mystisch gefühlte seelische

Nähe der toten Geliebten gekennzeichnet ist. Es heißt da: «Abends ging ich zu Sophien. Dort war ich unbeschreiblich freudig — aufblitzende Enthusiasmusmomente — das Grab blies ich wie Staub vor mir hin — Jahrhunderte waren wie Momente — ihre Nähe war fühlbar — ich glaubte, sie solle immer vortreten.» Und in der 3. Hymne: «Zur Staubwolke wurde der Hügel — durch die Wolke sah ich die verklärten Züge der Geliebten... Jahrtausende zogen abwärts in die Ferne, wie Ungewitter. An ihrem Halse weint ich dem neuen Leben entzückende Tränen.» Das «neue Leben» ist für Novalis das mit diesem Erlebnis endgültig durchgebrochene Bewußtsein der dichterischen Sendung. Wie sehr sich dann die Brautliebe immer mehr mit Christusliebe vereint, immer mehr zum religiösen Grunderlebnis des Dichters wird, das beweist die Tagebuchnotiz vom 29. Juni 1797, die mit den Worten «Christus und Sophie» programmatisch den Grundton anschlägt, der sich in der 6. Hymne zum dichterischen Akkord vollendet.

Die Hymnen als religiöse Dichtung

Die ‹Hymnen› sind innerhalb der deutschen Literatur ein einmaliges Beispiel für eine Dichtung, in der es auf Grund einer christologischen Konsequenz um die Gewinnung eines neuen Weltbildes geht, das es den zerfallenden Werten gegenüber aufzurichten gilt. Das Bewußtsein einer kulturellen Krisensituation, wie es ähnlich HÖLDERLIN hatte, spricht sich bei Novalis am schärfsten in seinem Europa-Aufsatz aus. Trotz der Wendung vom subjektiven zum objektiven Erlebnisgehalt, die im Verlauf der ‹Hymnen› sichtbar wird, bleibt für die Dichtung als Ganzes der *religiöse Gehalt* des Sophienerlebnisses wesensbestimmend, denn die Wendung «Christus *und* Sophie» nimmt ihm den ausschließlich persönlichen Charakter und gibt dem dichterischen Programm der Hymnen jene Richtung, die über die geschichtsphilosophische Schau der 5. Hymne hinführt zur «Sehnsucht nach dem Tode» (6. Hymne), der nicht als Vergehen begriffen wird, sondern als endlich sich vollziehende Vereinigung mit Christus. Es ist also die Sehnsucht nach Christus als höchstem Ziel jedes Gläubigen, was den Dichter so sprechen läßt: «Im Tode ward das ewge Leben kund, / Du bist der Tod und machst uns erst gesund.» Diese Gedanken verweisen auch in ihrer geläuterten Form noch auf die Erlebnisschicht, der sie entstammen. Dem gegenüber sind die literarischen Einflüsse — wie z. B. die Lektüre von YOUNG's ‹Nachtgedanken› u. a. — von zweitrangiger Bedeutung.

Was der Dichtung den Grad von Weltdeutung verleiht, ist nicht zu-

letzt das Hervortreten der überpersönlichen Elemente mit dem Einsatz der 5. Hymne — die damit eigentlich zum Herzstück des Ganzen geworden ist —, ein Vorgang, der nicht nur die beiden Fassungen voneinander unterscheidet, sondern auch als Entwicklung innerhalb des Werkes spürbar wird. In den ersten vier Hymnen sind der subjektiven Spuren noch viele: die dritte gestaltet das Erlebnis am Grabe nach; in den anderen spricht sich die unverhüllte Sehnsucht des Nachsterben-Wollens aus, eingekleidet in das Symbol der Nacht, die als «Trösterin», «Weltkönigin», als allmächtige Mutter und Substrat aller Wundererscheinungen des nächtlichen Himmels erscheint. Gegen sie ist das Licht «arm und kindisch»; sein Preis in der 1. Hymne ist kurz und geradezu sachlich gegenüber dem wollüstig-ekstatischen Tonfall, mit dem die Nacht ersehnt und verherrlicht wird, einsetzend mit den bestimmten Worten «Abwärts wend ich mich...» Dem Dichter bringt die «Pflegerin seliger Liebe» vor allem das Bild der Geliebten zurück, seine «liebliche Sonne der Nacht». Sie bringt ihm auch Traum und Schlummer, jene dem Tode so ähnlichen Zustände, die er während des Tages Mühen herbeisehnt: «Ich lebe bei Tage / Voll Glauben und Mut / Und sterbe die Nächte / In heiliger Glut» (4. Hymne). In solchen Zuständen fühlt er «des Todes verjüngende Flut», — des Todes eines Christen, dem «das Kreuz eine Siegesfahne unseres Geschlechts» ist, für den Tod Eingang ins neue Leben bedeutet. Das ist das Entscheidende in Novalis' Entwicklung, die sich hier im Text wiederspiegelt: «Aus dem ursprünglichen Todesimpuls ist im Wandel der Jahre eine Todesreligion geworden» (H. A. KORFF). Die innere Situation des Dichters ist geklärt, der Zugang zur großen Geschichtsspekulation der 5. Hymne ist frei.

Die weltgeschichtliche Schau der 5. Hymne steht in engem Zusammenhang mit SCHILLERS Gedicht ‹Die Götter Griechenlands› (1788), das Novalis in der ersten Fassung gekannt hat, aus dem wesentliche Metaphern übernommen wurden, wie z. B. der die Fackel senkende Jüngling, das Todessymbol der Alten. Doch sei auf Unterschiede hingewiesen, die den Standpunkt beider Dichter und damit ihre Auffassung von der antiken Welt deutlich machen. Während bei Schiller die Götter namentlich erscheinen, in ihren Funktionen den ganzen Olymp als Hierarchie darstellen, die vom Christentum entthront wird, bleiben dieselben Götter bei Novalis namenlose Mächte. (Ein alter Riese trug die selige Welt... ein Gott in den Trauben... der Liebe heilger Rausch ein süßer Dienst der schönsten Götterfrau usw.) Der Untergang dieser arkadischen Welt ist für Schiller unausweichliches Verhängnis, heraufgeführt durch Christi Ankunft («*Einen* zu bereichern unter allen, / Mußte diese Götterwelt vergehn»), für Novalis hingegen eine Konse-

244

quenz, die im Sieg des Christentums als heilsgeschichtliche Wahrheit innere Berechtigung hat. Für ihn begrub Christus «mit eigner Hand der Alten Leichnam in die verlaßne Höhle, und legte mit allmächtiger Hand den Stein, den keine Macht erhebt, darauf». Schillers Klage ist «die Klage des Künstlers» (KOMMERELL); Novalis gelingt in historischer Logik der lückenlose Vollzug einer neuen Seinszuversicht.

Entscheidend ist der Unterschied in der Todesauffassung. In Schillers antiker Welt «trat kein gräßliches Gerippe vor das Bett des Sterbenden», während sich bei Novalis in diesem Moment die ganze Ohnmacht einer Welt offenbart, der die Gnade der Erlösung nicht zuteil wurde: «Nur ein Gedanke wars / Der furchtbar zu den frohen Tischen trat... Hier wußten selbst die Götter keinen Rath...» (Handschrift-Fassung). Das Versagen der Mythen vor des Todes Gewalt wird angeklagt, und das Bild vom fackelsenkenden Jüngling bekommt einen kritisch-ironischen Sinn: es ist Beschönigung! Die ästhetisierende Verharmlosung einer unbewältigt gebliebenen Wirklichkeit wird betont in der Zeile der Handschrift «Die Dichtung sangs dem traurigen Bedarfe».

Dennoch ist die Antike von Novalis nicht negativ gesehen, sondern vielmehr als sich wandelnde Wirklichkeit, die durch eine andere berechtigtere abgelöst wird. Es lassen sich in der 5. Hymne vier Zeitalter der antiken Welt unterscheiden: 1. das vormythische («ein eisernes Schicksal mit stummer Gewalt»); 2. das mythische: Herrschaft der Götter; 3. das ästhetische: Untergang des Mythos, Einbruch des Todes in das menschliche Bewußtsein, Beschönigung statt Sinndeutung; 4. das wissenschaftliche: Zerfall der Religion, Mechanismen treten an Stelle der Götter; daneben auch Verinnerlichung: Beginn der Nacht (vergl. FAUTECK).

Das Licht und seine Bedeutung

Um die religiös-programmatische Tendenz der ‹Hymnen› noch deutlicher werden zu lassen, sei ein Hauptmotiv in den Mittelpunkt der Betrachtung gestellt, nämlich das Licht, gewissermaßen als kontrapunktisches Strukturelement der Dichtung. Es wäre falsch, das Licht nur als formales Kontrastmittel zu verstehen; es ist vielmehr eine sich wandelnde Wirklichkeit, die im Verlauf der Dichtung wechselnden Eigenwert erhält. Für Novalis selbst erfolgte die «Bestimmung jedes Lichts aus seiner entsprechenden Nacht» (Fragment IX/458), es gab für ihn eine «Einheit des Lichts — Einheit der Finsternis» (Fragment IX/933). Das erste Drittel der 1. Hymne ist ein Lobpreis des Lichtes, das

«allerfreulich», eine «Wundererscheinung» genannt wird. In seiner «milden Allgegenwart» ist es das Lebenselement des Kosmos, der Mensch, «der herrliche Fremdling», atmet es genauso wie die «Riesenwelt». Es allein «offenbart die Wunderherrlichkeit der Reiche der Welt», es ist «der König der irdischen Natur». — *Irdisch* ist das Schlüsselwort, aus dem heraus sich die plötzliche und so radikale Absage an das Licht im weiteren Verlauf der Hymne verstehen läßt, die sonst nach diesem Lobgesang zunächst unbegreiflich wäre. Die Hinwendung zur Nacht ist nicht einer Absage an das Licht an sich gleichzusetzen, sondern eher dem empirischen Zeigewert des Lichtes gegenüber; die Nacht öffnet die Augen den «Tiefen eines liebenden Gemüts», die damit des zeigenden Lichtes unbedürftig sind, das ja doch nur «bunte Dinge» in einer Welt mit «bunten Genüssen» (Handschr.-Fass. Z. 84 u. 52) zu bieten hat. Die undifferenzierte Farbbezeichnung «bunt» wird von Novalis stets im negativen Sinne verwendet. Die Nacht wird zur bedeutenden Erlebnissphäre, in der auch die Geliebte erneut hervortritt. «... und mit einem Male riß das Band der Geburt — des Lichtes Fessel», das heißt, der bisher an die Möglichkeiten rationaler Erkenntnis gebundene Zeigewert des Lichtes weicht einer Transzendentalfunktion, die durch ein der Nacht zugehöriges Licht — die «liebliche Sonne der Nacht» — übernommen wird. Die Blickrichtung geht nach innen, abwärts, weg aus den Bereichen der Empirie zu neuen Ufern, in ein Land poetischer Wirklichkeiten.

Wir haben es also mit zwei Lichtwirklichkeiten zu tun (ihnen entsprechen zwei Nachtwirklichkeiten), die beide vom Dichter als Repräsentation von Gegenwelten gesehen werden. Es wäre eine seltsame Art Weltfremdheit gewesen, hätte Novalis, der Tag für Tag seinen ihn voll erfüllenden Berufspflichten gewissenhaft nachkam, den fordernden Wert des Alltags verkannt. («Noch weckst du, muntres Licht den Müden zur Arbeit — flößest fröhliches Leben mir ein...») Dem widerspricht nicht, daß seine Sehnsucht der Nacht gilt («Trägt nicht alles, was uns begeistert, die Farbe der Nacht?»), die nur synonym steht für das «poetisierte Universum», eine Welt, in der noch nicht das trennende Bewußtsein des Verstandes herrscht, die dagegen noch von einem All-Verstehen, von einer Alleinheit durchwaltet ist.

Noch schärfer wird die Trennung der beiden Lichtqualitäten in der 5. Hymne vollzogen, in deren Verlauf sogar die Götter ihre Zuflucht zur Nacht nehmen. In der irdischen Welt bleibt ein entgöttlichtes Zeigelicht zurück, das die «dürre Zahl und das strenge Maß» beleuchtet, ein «geborgtes Licht», wegen seines «mathematischen Gehorsams» zum Liebling einer aufklärungssüchtigen Wissenschaft geworden. Von diesem Lichtwert ist auch im Europa-Aufsatz die Rede, der dieselbe

Situation einer von Gespenstern und technischen Mechanismen beherrschten Welt meint.

Ebenso wird nun gegen Ende der 5. Hymne die «Sonne der Nacht» — zuvor noch Sophie! — eindeutig als Erscheinung Christi bestimmt. Er tritt als ein Lichtphänomen, als «ein tröstlich Zeichen in der Dunkelheit — Der höhern Menschheit freudiges Beginnen» in die Welt ein. Die christliche Religion ist «das Licht, was in der Dunkelheit zu glänzen anfängt» (Fragment X/252), wie auch ganz ähnlich die Erscheinung Christi in den ‹Geistlichen Liedern› angekündigt wird: «Fern im Osten wird es helle...» (II); «Er ist der Stern, er ist die Sonn»... (XII) — In der 5. Hymne vollzieht sich die Kulmination von Tag- und Nachtwirklichkeit. Der Wandel in der Bedeutungsqualität des Lichtes beginnt dort, wo der Nacht ein Eigenlicht mit Transzendentalfunktion zuerkannt wird. Das Licht der Nacht ist ein *göttliches Offenbarungslicht*, teils als lichthafte Gestalt Christi, teils als christliche Religion schlechthin gesehen, als die «zur Welt gekommene Kraft», die «ein neues und himmlisches Licht umstrahlt» (Dialogen 5). Die Absage, die dem irdischen Licht zuteil wird, ist gleichbedeutend mit einer Verneinung des empirischen Begriffsdenkens zugunsten der poetischen Wirklichkeit.

Geistliche Lieder

Das in seiner Bedeutung übergreifende Lichtmotiv beweist schon den inneren Zusammenhang, der zwischen den ‹Hymnen› und den ‹Geistlichen Liedern› besteht, ein Zusammenhang, der sich auch rein formal aus der 6. Hymne erschließt, die als einzige durchgereimt ist und gewissermaßen das Gelenkstück zu den Liedern darstellt. Wie bei den ‹Hymnen› die dritte, so wird bei den Liedern das vierte als das Kernstück betrachtet, weist es doch in seinem stärker subjektiven Erlebnisgehalt die größte Ähnlichkeit mit der dritten Hymne auf. Überhaupt darf wohl mit Recht vermutet werden, daß beide Dichtungen in ihrer Gesamtheit der gleichen künstlerischen Situation entsprangen und deshalb auch ungefähr zur gleichen Zeit entstanden sind. Zumindest ist gesichert, daß die ‹Geistlichen Lieder› in zwei Partien niedergeschrieben wurden: einmal hat Novalis selbst einige im November 1799 in Jena vorgetragen und wohl auch eine Reinschrift FR. SCHLEGEL zur weiteren Verwendung überlassen (vergl. Brief von Schlegel an Schleiermacher vom 16. November 1799). Sechs der Lieder sind sicher zu späterem Zeitpunkt entstanden; einige deuten auf die Lektüre von SCHLEIERMACHERS ‹*Reden über die Religion an die Gebildeten unter ihren Verächtern*› hin, die Novalis im September 1799 erhielt, von den

späteren weisen IX und XII Böhme'sche Gedankengänge auf (z. B. «Die Erde regt sich, grünt und lebt, / Des Geistes voll ein jedes strebt...»; analog dazu die Frühlingsschilderung gegen Ende des 1. Teils des ‹Ofterdingen›, sowie der Brief an Tieck vom 23. Februar 1800), so daß sie erst nach diesem Datum entstanden sein können. — Die Veröffentlichung war ursprünglich für das ‹Athenäum› geplant, wo jedoch zunächst die ‹Hymnen› erschienen. Dadurch verzögerte sich der Druck, so daß erst nach Hardenbergs Tod die Lieder I-VII im ‹Musenalmanach für das Jahr 1802› herauskamen. Trotz metrischer Vielfalt ist der Stil der Lieder schlicht, gekennzeichnet durch einfache Wortwahl und kunstlosen Reim (was keineswegs unkünstlerisch meint!), von einer Innigkeit der Empfindung, die es vermag, das persönliche Christus-Ich-Verhältnis auf eine Gemeinde zu übertragen. Persönliche Christusliebe, oft gemischt mit Diesseitserotik, kindliche Gläubigkeit und Demut — das alles sind Bestandteile pietistischer Glaubenshaltung. Der lautere Ton, wie er nur noch in besten Beispielen bei Paul Gerhardt oder Matthias Claudius zu finden ist, hat die Lieder weit verbreitet und sie bis heute lebendig erhalten. Allein für das fünfte wurden etwa zwanzig gedruckte Kompositionen nachgewiesen; Franz Schubert hat das V., VI., VII., die sogenannte ‹Abendmahlshymne›, und das IX. Lied vertont. — Wilhelm Dilthey schrieb 1865 über die ‹Geistlichen Lieder›: «Diese Lieder werden leben ewig wie das Christentum.»

Die Christenheit oder Europa

In diesem Aufsatz, dem glanzvollsten Zeugnis romantischer Geschichtsschau, steht zum erstenmal ein Begriff im Vordergrund, der mehr als ein Jahrhundert später zur «Signatur eines Zeitalters» (Schlegel) werden sollte: Europa. In der prophetischen Sprache des Dichters umreißt Novalis den politischen Begriff, ihn gleichsam dem abendländischen Menschen als historische Aufgabe auferlegend, erfüllt von dem gleichen Sendungsbewußtsein wie gegen Ende des Jahrhunderts Dostojevskij, als er von der Erlöserrolle Rußlands sprach. Das geschah zu einer Zeit, als bereits allen sichtbar die Novalis'schen Befürchtungen Wirklichkeit geworden waren. «Wo keine Götter sind, walten Gespenster» — dieses zentrale Wort, das zunächst bloß das «geborgte Licht» und die «dürre Zahl» einer nur rationalistisch gestimmten Gelehrsamkeit in ihrem Wesen entlarven wollte, hat im blinden Mechanismus der Fortschrittsgläubigkeit des 19. Jahrhunderts seine triumphierende Bestätigung gefunden.

Die Entstehung des Essays fällt in die zweite Hälfte des Jahres 1799 und steht in engem Zusammenhang mit dem zu dieser Zeit betriebenen Quellenstudium zum ‹Ofterdingen›, mit der Lektüre von SCHLEIERMACHERS ‹Reden über die Religion› und mit der Konzeption der ‹Hymnen an die Nacht›. Der Europa-Aufsatz «ist gleichsam der zweite Flügel, der sich mit den ‹Liedern› dem Zentralbau der ‹Hymnen› anschließt» (R. Samuel). Die Schilderung vom Zerfall der antiken Welt, das Wissen um eine götterlose und daher sinnentleerte Gegenwart, all das, was in der 5. Hymne beschworen wird, gründet hier. Doch bei Novalis ist es nicht wie bei SCHILLER die ästhetische Klage des Künstlers, es ist nicht HÖLDERLINS Hellas, was mit seinen wieder zu erweckenden und brüderlich neben Christus stehenden Göttern herbeigesehnt wird. Sein Blick fällt auf das «goldene Zeitalter Europas», als «jenes himmlische Zutrauen der Menschen zueinander, jene süße Andacht bei den Ergießungen eines gottbegeisterten Gemüts, jener allumarmende Geist der Christenheit» die Welt bestimmten: auf das christliche Mittelalter. Der Friede des Abendlandes stellt sich ihm als gleichbedeutend mit der Wiederfindung dieser Gott-Welt-Mensch-Einheit dar.

Gewiß: vom historischen Sachwissen her gesehen, ist das Geschichtsbild des Novalis unreal. Es zeugt aber von höchstem historischen Bewußtsein, kennzeichnet ihn als «wahrhaft historisches Gemüt», denn es «erfaßt als selbst lebendiges Sein das Vergangene als noch gegenwärtige Wirklichkeit von Möglichkeiten» (Jaspers). Für Novalis sind historische Fakten zugleich «Chiffern», über die er mit dem «Zauberstab der Analogie» gebietet. (Hier wurzelt auch seine Sprachauffassung, die das Gewöhnlichste «poetisiert» und zum Baustein der Dichtung umwertet, es zum Bestandteil eines «poetisierten Universums» erhebt. Es ist der Weg von der Poiesis zur Poesie.) Eine solche Betrachtungsweise ist im vornehmsten Sinne «geistesgeschichtlich» zu nennen. «Was Novalis hier in der vom christlichen Mittelalter gelebten Idee ‹Europa› faktisch erschaut, ist letzten Grundes ein politisches Ideal, aber das politische Ideal, das er erschaut, steht unter der Herrschaft der Religion» (H. A. Korff).

Die Hauptschuld an dem Säkularisationsprozeß, der sich über die Stationen der Aufklärung und der Französischen Revolution vollzogen hat, trägt für Novalis der Protestantismus. Er half — bei aller geschichtlichen Notwendigkeit der Reformation — die Aufklärung und die Inthronisation der Vernunft vorbereiten, ja er überließ sogar in deren Folge die Bibel den Klauen einer das Wort Gottes zerfasernden Wissenschaft, nämlich der Philologie. — Hier sieht Novalis übergroß den Schatten der protestantischen Orthodoxie, der auf den «reinen

Begriff» Luthers fällt und wohl hauptsächlich die historische Schuld seiner Nachfolger ist. Außerdem trennt der Dichter — kantisch geschult, protestantisch denkend — Glauben und Wissen überscharf.

Am deutlichsten aber beweist er sein schöpferisches Protestantentum — eine Glaubenshaltung, der das Werden stets wichtiger war als das Sein — darin, daß er die Notwendigkeit einer zweiten Reformation erkennt und deren Zeichen schon heraufdämmern sieht. Damit begibt er sich wieder auf dieselbe Ebene, auf der HERDER, SCHELLING und SCHLEIERMACHER, auf der die «historische Grundposition der Romantik» steht. Von allen aber ist Novalis am weitesten gegangen: bis zu einer Idee vom ewigen Frieden, wie sie sich in einer gelebten *civitas Dei* des AUGUSTIN realisieren kann. So ist der ‹Europa›-Aufsatz gleichermaßen religiöses, historisches und politisches Dokument, denn es spricht «von der *Bedeutung der Religion für den politischen Zustand der europäischen Menschheit*» (H. A. Korff).

Zu Lebzeiten hat Novalis das Stück nie gedruckt gesehen. Ursprünglich für das ‹Athenäum› bestimmt, erregte es A. W. SCHLEGELS Bedenken, der sich an GOETHE um Rat wandte, welcher aber von einer Veröffentlichung abriet. Im Jahre 1800 hatte der Dichter mit dem zurückgeforderten Manuskript anscheinend andere Pläne — «Ich habe eine andere Idee damit» —, die sich nicht verwirklichten. Erst 1826 erschien der Aufsatz erstmals vollständig, auf den heute wieder aus einer bedrohten Gegenwart heraus ein eigentümlicher Glanz fällt.

Curt Grützmacher

BIBLIOGRAPHIE

Ausgaben

Novalis, Schriften, hg. v. F. Schlegel und L. Tieck, 2 Bd. Berlin 1802

Friedrich von Hardenberg (genannt Novalis), Eine Nachlese aus den Quellen des Familienarchivs, hg. von einem Mitglied der Familie (Sophie v. Hardenberg). Gotha 1873. 2. A. 1883

Novalis, Schriften, Kritische Neuausgabe auf Grund des handschriftlichen Nachlasses, hg. v. E. Heilborn. Berlin 1901

—, Schriften, hg. v. J. Minor, 4 Bde. Jena 1907

—, Werke, hg. mit Einleitungen und Anmerkungen versehen v. H. Friedemann. Stuttgart o. J. (1913)

—, Sämtliche Werke, hg. v. E. Kamnitzer, 4 Bde. München 1924

—, Fragmente, hg. v. E. Kamnitzer u. G. v. Helmstatt. Dresden 1928 (erste vollständig geordnete Ausg.)

—, Schriften, hg. v. P. Kluckhohn u. E. Samuel, 4 Bde. Leipzig 1929 (nach den Handschriften ergänzte und neu geordnete Ausg.)

—, Werke und Briefe, hg. v. R. Bach. Leipzig 1942

—, Briefe und Werke, hg. v. E. Wasmuth, 3 Bde. Berlin 1943

—, Sämtliche Werke, hg. v. C. Seelig, 5 Bde. Herrliberg-Zürich 1945/46

—, Werke, Briefe, Dokumente, hg. v. E. Wasmuth, 4 Bde. Heidelberg 1953 bis 1957

—, Schriften, hg. v. P. Kluckhohn u. R. Samuel. 2. nach den Handschriften ergänzte, erweiterte und verbesserte Aufl. in 4 Bdn., Bd. 1 Stuttgart 1960; Bd. 2, Das philos. Werk 1, Stuttgart 1965; Bd. 3, Das philos. Werk 2, Stuttgart

—, Werke i. einem Bd. Ausgew. u. hg. v. Uwe Lassen. Hamburg 1963

—, Gesammelte Werke (i. e. Bd.), hg. v. H. u. W. Kohlschmidt. Gütersloh 1967

—, Werke und Briefe, hg. v. A. Kelletat. München 1961

Zur deutschen Romantik

Bach, R., Tragik und Größe der deutschen Romantik. München 1939

Benz, R., Lebenswelt der Romantik. München 1948

—, Die deutsche Romantik. Geschichte einer Bewegung. Leipzig 1937

Bietak, W., Romantische Wissenschaft. In: Deutsche Literatur in Entwicklungsreihen, Reihe Romantik, Bd. 13, Leipzig 1936

—, Lebenslehre und Weltanschauung der Jüngeren Romantik. In: Dt. Lit. i. Entw., Reihe Rom., Bd. 11, Leipzig 1936

Hartmann, N., Die Philosophie des deutschen Idealismus. Berlin 1923

Haym, R., Die romantische Schule. Berlin 1870

Huch, R., Blütezeit der Romantik. Leipzig 1899

—, Ausbreitung und Verfall der Romantik. Leipzig 1902

Kluckhohn, P., Die Auffassung der Liebe in der Literatur des 18. Jahrhunderts und in der deutschen Romantik. Halle 1922

—, Kunstanschauung der Frühromantik. Leipzig 1934

—, Persönlichkeit und Gemeinschaft. Halle 1925

—, Das Ideengut der deutschen Romantik. Halle 1941

Korff, H. A., Geist der Goethezeit, Bd. III. 3. Aufl. Leipzig 1957

Petersen, J., Die Wesensbestimmung der deutschen Romantik. Leipzig 1926

SCHULTZ, F., Klassik und Romantik der Deutschen 1780—1830, 2 Bde. Stuttgart 1952
STRICH, F., Deutsche Klassik und Romantik oder Vollendung und Unendlichkeit. Ein Vergleich. München 1922, 4. Aufl. Bern 1949
STROHSCHNEIDER-KOHRS, I., Die romantische Ironie in Theorie und Gestaltung. Tübingen 1960

Zu Novalis

BORST, O., Fr. v. Hardenbergs Wirkungen in der zweiten und dritten Phase der deutschen Romantik. Diss. Tübingen 1956
COLEVILLE, M., Etude sur l'Œuvre et la pensée de Novalis. Paris 1956
DILTHEY, W., Novalis. In: Das Erlebnis und die Dichtung. Leipzig 1905 u. ö.
FAUTECK, H., Die Sprachtheorie Friedrich von Hardenbergs. In: Neue Forschungen 34, Berlin 1940
GARNIER, P., Novalis. Un tableau synoptique de la vie et des œuvres de N. et des événements artistique, litt. et historique de son époque. Une suite iconogr. d'un commentaire sur N. et son temps. Paris 1962
GRÜTZMACHER, C., Novalis und Philipp Otto Runge. München 1963
HAERING, TH., Novalis als Philosoph. Stuttgart 1954
HAMBURGER, K., Novalis und die Mathematik. In: Philosophie d. Dichter, S. 11—82. 1966
HAYWOOD, B., A study of imagery in the works of Novalis. Diss. Harvard Univ. 1956
HEDERER, E., Novalis. Wien 1949
HEILBORN, E., Novalis der Romantiker. Berlin 1901
HIEBEL, F., Novalis, Der Dichter der Blauen Blume. Bern 1950
KOHLSCHMIDT, W., Der Wortschatz der Innerlichkeit bei Novalis. In: Kluckhohn-Schneider-Festschrift, Tübingen 1948
KUCZYNSKI, J., Diltheys Novalisbild u. die Wirklichkeit. In: Weimarer Beiträge 12, S. 27—56. 1966
KÜPPER, P., Untersuchungen zum Zeitmotiv und Zeitproblem im Werke des Novalis. Diss. Köln 1954
MALSCH, W., Zur Deutung der dichterischen Wirklichkeit in den Werken des Novalis. Diss. Freiburg i. Br. 1957
NIVELLE, A., Das Bild des Menschen bei Novalis. In: Stoffe — Formen — Strukturen, Festschr. f. H. H. Borcherdt, München 1962
REHM, W., Orpheus. Düsseldorf 1950 (S. 13—148)
RITTER, H., Der unbekannte Novalis. Fr. v. Hardenberg im Spiegel seiner Dichtungen. Göttingen 1967
SCHANZE, H., Romantik und Aufklärung. Unters. z. Fr. Schlegel und Novalis. Nürnberg 1966
SCHMIDT, R. W., Die Endzeitvorstellungen bei Novalis. Diss. Wien 1956
SCHULZ, G., Die Berufstätigkeit Fr. v. Hardenbergs und ihre Bedeutung für seine Dichtung u. seine Gedankenwelt. Diss. Leipzig 1958
TRÄGER, C., Novalis u. die ideologische Restauration. In: Sinn und Form 13, S. 618—660. 1961
SPENLE, E., Novalis, essay sur l'idéalism romantique en Allemagne. Paris 1904
UNGER, R., Herder, Novalis und Kleist. Frankfurt 1922
VORDTRIEDE, W., Novalis und die französischen Symbolisten. Stuttgart 1963

BORCHERDT, H. H., Der Roman der Goethezeit. Urach-Stuttgart 1949 (S. 363 bis 382)

EHRENSPERGER, O. S., Die epische Struktur in Novalis' Heinrich von Ofterdingen. Eine Interpretation des Romans. Diss. Zürich 1965

FEILCHENFELD, W., Der Einfluß Jacob Böhmes auf Novalis. In: Germanische Studien, Heft 22, Berlin 1922

FRIES, W. J., Ginnistan und Eros. Ein Beitrag zur Symbolik in «Heinrich von Ofterdingen». In: Neophilologus 38 (1954)

HECKER, J., Das Symbol der Blauen Blume im Zusammenhang mit der Blumensymbolik der Romantik. Jena 1931

LEROY, R., Der Traumbegriff des Novalis. In: Revue des langues vivantes 29, S. 232—237 (1963) u. 30, S. 26—34 (1964)

LÖFFLER, D., Über das Wunderbare in Novalis' Roman Heinrich von Ofterdingen. In: Wiss. Zs. d. Univ. Leipzig 12, S. 524—526, 1963

—, «Heinrich von Ofterdingen» als romantischer Roman. Diss. Leipzig 1963

LUTHER, B., Bedeutungsbereiche bei Novalis. Dargestellt am Traum von der blauen Blume. Diss. München 1955

MÄHL, H. J., Die Idee des goldenen Zeitalters im Werk des Novalis. Studien zur Wesensbestimmung der frühromantischen Utopie und zu ihren ideengeschichtlichen Voraussetzungen. Diss. Hamburg 1959

MAY, K., Weltbild und innere Form der Klassik und Romantik im Wilhelm Meister und Heinrich von Ofterdingen. In: Form und Bedeutung. 1957

NAUMANN, H., Der Prosabericht vom Wartburgkrieg. In: Gedicht und Gedanke, hg. v. H. O. Burger, Halle o. J. (1942), S. 43—54

REED, E. E., Novalis' «Heinrich von Ofterdingen» as «Gesamtkunstwerk». In: Phil. Quart. 33 (1954)

SAMUEL, R., Heinrich von Ofterdingen. In: Der deutsche Roman I, hg. v. B. v. Wiese, S. 252—300. 1963

SCHULZ, G., Die Poetik des Romans bei Novalis. In: Jb. d. Freien Dt. Hochstifts. S. 120—157. 1964

RIESENFELD, P., Heinrich von Ofterdingen in der deutschen Literatur. Berlin 1912

WILSON, A. L., The ‹Blaue Blume› — A New Dimension. In: Germanic Review, Vol. XXXIV (1959), S. 50—58

WOLTERECK, K., Goethes Einfluß auf Heinrich von Ofterdingen. Bern 1914

Das Märchen

ALBRECHT, L., Der magische Idealismus in Novalis' Märchentheorie und Märchendichtung. Hamburg 1948

DIEZ, M., Metapher und Märchengestalt, III: Novalis und das allegorische Märchen. In: Publ. of the Modern Language Ass. of America, Bd. 48, S. 488—507

FRYE, L. O., The reformations of the heavens in Novalis', The Klingsohr Maerchen, and Giordano Bruno. Diss. Univ. of Texas 1962

HIEBEL, F., Goethes Märchen in the Light of Novalis. In: Publ. of the Modern Language Ass. of America, Bd. 63 (1948), S. 918—934

KORFF, W., Das Märchen als Urform der Poesie, Studien zum Klingsohrmärchen des Novalis. Diss. Erlangen 1941

MÜLLER, P. E., Novalis' Märchenwelt. Diss. Zürich 1953

Obenauer, K. J., Das Märchen von Eros und Fabel. In: Hölderlin-Novalis, Jena 1925, S. 231—290

Todsen, N., Über die Entwicklung des romantischen Kunstmärchens. Berlin 1916

Die Lehrlinge zu Sais

Bollinger, H., Novalis, Die Lehrlinge zu Sais, Versuch einer Erläuterung. Winterthur 1954

Ohlshausen, W., Friedrich v. Hardenbergs Beziehungen zu den Naturwissenschaften seiner Zeit. Diss. Leipzig 1905

Schmid, H. D., Friedrich von Hardenberg (Novalis) und Abraham Gottlob Werner. Diss. Tübingen 1951

Striedter, J., Die Komposition der ‹Lehrlinge zu Sais›. In: Der Deutschunterricht, Jg. 1955, Heft 2

Die Christenheit oder Europa

Hederer, E., Friedrich von Hardenbergs ‹Christenheit oder Europa›. Zeulenroda 1936

Malsch, W., Europa. Poet. Rede des Novalis. Deutung der frz. Revolution u. Reflexion auf die Poesie in d. Geschichte. Stuttgart 1965

Samuel, R., Die poetische Staats- und Geschichtsauffassung Fr. v. Hardenbergs, Studien zur romantischen Geschichtsphilosophie. In: Deutsche Forschungen, Heft 12, Frankfurt a. M. 1925

—, Der Stil des Aufsatzes ‹Die Christenheit oder Europa› von Novalis. In: Stoffe — Formen — Strukturen, Festschr. f. H. H. Borcherdt, München 1962

Hymnen an die Nacht

Berger, W., Novalis' «Abendmahlshymne». In: Germ.-rom. Monatsschr. 35 (1960)

Besset, M., Novalis et la pensée mystique. Paris 1947

Biser, E., Abstieg und Auferstehung, Die geistige Welt in Novalis' Hymnen an die Nacht. Heidelberg 1954

Closs, A., Novalis' Hymns to the night. In: Medusa's mirror. 1957

Fauteck, H., Novalis' Hymnen an die Nacht, Athenäumstext und Züricher Handschrift. In: Göttinger Lesebogen z. dt. Lit.-Gesch. Göttingen 1948

Kamla, H., Novalis' Hymnen an die Nacht, Zur Deutung und Datierung. Kopenhagen 1945 (enthält ein Faksimile der Züricher Handschrift)

Kommerell, M., Novalis' Hymnen an die Nacht. In: Gedicht und Gedanke, hg. v. H. O. Burger, Halle o. J. (1942), S. 202—236

Leroy, R., Die Novalis'schen Bilder der «Nacht». In: Revue des langues vivantes 31, S. 390—403. 1965

Meyer, R., Das Christus-Erlebnis und die neue Geistesoffenbarung. Stuttgart 1954

Ritter, H., Novalis' Hymnen an die Nacht, Ihre Deutung nach Inhalt und Aufbau auf textkritischer Grundlage. Heidelberg 1930

—, Die Datierung der Hymnen an die Nacht. In: Euphorion F. 3, 52, S. 114—141. 1958

ZIEGLER, K., Die Religiosität des Novalis im Spiegel der Hymnen an die Nacht.
In: Zs. f. dt. Phil. Bd. 70 u. 71

Geistliche Lieder

MINNIGERODE, I. VON, Die Christusanschauung des Novalis. Stuttgart 1941
RITTER, H., Die Datierung der Geistlichen Lieder des Novalis. In: Jahrbuch
 d. deutschen Schiller-Gesellsch., Bd. 4 (1960)
SPRING, P., The Religion of Novalis. Wooster (Ohio) USA, 1921
WOERNER, R., Novalis' Hymnen an die Nacht und die geistlichen Lieder. Diss.
 München 1895

INHALT

klassiker · ro ro ro · Texte deutscher Literatur 1500–1800

Herausgegeben von Karl Otto Conrady

Komödien des Barock

Flugschriften des Bauernkrieges

Jakob Michael Reinhold Lenz Werke und Schriften

Die vorliegenden Bände sind Bestandteil einer in «rowohlts klassikern» erschienenen Reihe, die für Studenten der Germanistik, für Schüler sowie für alle Freunde deutscher Literatur herausgegeben wurde.

Der Edition sind nach Möglichkeit Drucke der Zeit zugrunde gelegt, die kritisch durchgesehen worden sind. Über die Textgestaltung wird in jedem Band Rechenschaft gegeben. Wenn aus einem umfangreichen Werk nur eine Auswahl geboten wird, sind Auslassungen gekennzeichnet, und die Lesbarkeit ist durch eingefügte Erläuterungen des Herausgebers gewährleistet. Jedem Band ist ein Anhang beigegeben, der auch über die wichtigste Sekundärliteratur informiert.

Die «Texte deutscher Literatur 1500–1800» erscheinen als geschlossene Edition im Rahmen der «rowohlt klassiker». Die bisherige Planung umfaßt etwa 40 Bände.

Es liegen bereits vor:
Andreas Gryphius, Dichtungen [500/01]
Johann Gottfried Herder, Schriften [502/03]
Lyrik des 18. Jahrhunderts [504/05]
W. H. Wackenroder, Schriften [506/07]
Poetik des Barock. Hg.: Marian Szyrockì [508/09]
Deutsche Volksbücher [510/11]
Klopstock, Messias, Gedichte, Abhandlungen Hg.: Uwe-K. Ketelsen [512/13]
D. C. von Lohenstein, Cleopatra, Sophonisbe Hg.: Wilhelm Voßkamp [514/15]
Jung-Stilling, Lebensgeschichte [516/17]
Athenaeum, Eine Zeitschrift I: 1798–1800 Hg.: Curt Grützmacher [518/19]
Athenaeum, Eine Zeitschrift II: 1798–1800 Hg.: Curt Grützmacher [520/21]
Johann Gottfried Schnabel, Insel Felsenburg Hg.: Wilhelm Voßkamp [522/23]
Komödien des Barock. Hg.: Uwe-K. Ketelsen [524/25]
Flugschriften des Bauernkrieges Hg.: Klaus Kaczerowsky [526/27]
Jakob Michael Reinhold Lenz, Werke und Schriften. Hg.: Richard Daunicht [528/29]